#내신 대비서
#고득점 예약하기

영어전략

Chunjae
Makes
Chunjae

[영어전략] 중학 1 문법·쓰기

편집개발	신현겸, 김채원, 박효정
영문 교열	Matthew D. Gunderman
제작	황성진, 조규영
디자인총괄	김희정
표지디자인	윤순미, 한은비
내지디자인	디자인 톡톡

발행일	2022년 1월 15일 초판 2022년 1월 15일 1쇄
발행인	(주)천재교육
주소	서울시 금천구 가산로9길 54
신고번호	제2001-000018호
고객센터	1577-0902
교재 내용문의	(02)3282-8870

※ 정답 분실 시에는 천재교육 교재 홈페이지에서 내려받으세요.

문법·쓰기

영어전략

중학 1

시험에 잘 나오는

개념BOOK 1

차례

개념BOOK 하나면
영어 공부 끝!

셀 수 있는 명사 ①

>> 정답 p. 44

- 명사는 사람, 사물, 장소, 개념 등을 나타내는 말로 셀 수 있는 명사와 셀 수 ❶ ______ 명사로 나뉜다.
- 셀 수 있는 명사는 명사 앞에 a 또는 an을 붙이거나 복수형을 만들 수 ❷ ______.
- 셀 수 있는 명사의 복수형은 대개 명사에 -s나 -es를 붙여 만든다.

대부분의 명사	-s	chair – chair**s**, horse – horse**s**
-s, -x, -sh, -ch, -o로 끝나는 명사	-es	bus – bus**es**, box – box**es** 예외) photo**s**, piano**s**
-f(e)로 끝나는 명사	-f(e)를 v로 고치고 -es	wolf – wol**ves**, knife – kni**ves** 예외) roof**s**
「자음+y」로 끝나는 명사	y를 i로 고치고 -es	baby – bab**ies**, puppy – pupp**ies**

「모음+y」는 -s만 붙여 복수형을 만들어. day와 boy의 복수형은 각각 day**s**, boy**s**야.

답 ❶ 없는 ❷ 있다

바로 확인

주어진 명사의 복수형을 쓰시오.

❶ cookie ______ ❷ fly ______

❸ bench ______ ❹ leaf ______

❺ potato ______ ❻ monkey ______

셀 수 있는 명사 ②

>> 정답 p. 44

- 셀 수 있는 명사의 복수형이 불규칙하게 변하는 경우도 있다.

불규칙 변화하는 명사	man – **men**, woman – **women**, foot – **feet**, tooth – **teeth**, goose – **geese**, mouse – **mice**, child – ❶
단·복수 형태가 같은 명사	fish – **fish**, sheep – **sheep**, deer – ❷

Sheep은 단수와 복수의 형태가 같기 때문에 two sheeps라고 하지 않고 two sheep이라고 해야 해.

답 ❶ children ❷ deer

바로 **확인**

주어진 명사의 복수형을 쓰시오.

❶ woman ______________ ❷ fish ______________

❸ goose ______________ ❹ mouse ______________

❺ tooth ______________ ❻ foot ______________

관사

>> 정답 p. 44

• 관사는 명사 앞에 붙는 말로 부정관사 a[an]와 정관사 ❶ ______ 가 있다.

부정관사 a[an]	• 셀 수 있는 명사의 ❷ ______ 형 앞에 쓴다. • a+첫소리가 자음인 단어: **a** photo, **a** daughter, ... an+첫소리가 모음인 단어: **an** egg, **an** orange, ...
정관사 the	• 특정한 사람이나 사물을 가리킬 때 또는 앞에서 언급한 것을 가리킬 때 쓴다. • 정관사 the는 명사의 종류나 단, 복수에 관계없이 쓸 수 있다.

답 ❶ the ❷ 단수

바로 확인

괄호 안에서 알맞은 것을 고르시오.

❶ We have to wear (a / an) uniform.

❷ Michelle wants to be (a / an) animal trainer.

❸ She wrote (a / an) poem. (A / The) poem was wonderful.

개념 04 셀 수 없는 명사

>> 정답 p. 44

- 셀 수 없는 명사의 종류는 물질명사, 고유명사, 추상명사 등이 있다.

물질명사	일정한 형태가 없는 것	water, air, milk, bread, snow 등
고유명사	사람의 이름, 지명	Susan, Korea, Mt. Everest 등
추상명사	구체적인 형태가 ❶ ______ 개념	time, love, hope, happiness 등

- 셀 수 없는 명사는 항상 단수형으로 쓰며, 앞에 a나 an을 쓸 수 ❷ ______.

답 ❶ 없는 ❷ 없다

바로 확인

괄호 안에서 알맞은 것을 고르시오.

❶ I need (money / a money).

❷ We had a lot of (snow / snows) last year.

❸ (Switzerland / A Switzerland) is a beautiful country.

개념 05 셀 수 없는 명사의 수량 표현

>> 정답 p. 44

- 셀 수 없는 명사의 수량 표현은 측정하는 ❶ ______ 나 담는 용기를 이용해서 나타낸다.

a cup of	coffee, tea
a glass of	water, milk, juice
a slice of	cheese, pizza, bread
a piece of	cake, bread, paper, advice
a spoon of	sugar, honey

- 복수형은 단위나 용기를 나타내는 명사에 ❷ ______ 를 붙인다.
  a cup of coffee (커피 한 잔) → **two cups of** coffee (커피 두 잔)

답 ❶ 단위 ❷ -(e)s

바로 확인

우리말과 일치하도록 괄호 안의 단어를 이용하여 빈칸에 알맞은 말을 쓰시오.

❶ 물 두 잔: ______ ______ ______ water (glass)

❷ 피자 한 조각: ______ ______ ______ pizza (slice)

❸ 종이 세 장: ______ ______ ______ paper (piece)

인칭대명사와 격

>> 정답 p. 44

- 인칭대명사는 사람이나 사물, 동물의 이름을 대신하여 가리키는 말로 인칭, 수, 격에 따라 형태가 ❶ ______.

수	인칭	주격(~은)	소유격(~의)	목적격(~을)	소유대명사(~의 것)
단수	1인칭	I	my	me	mine
	2인칭	you	your	you	yours
	3인칭	he	his	him	his
		she	her	her	hers
		it	its	it	-
복수	1인칭	we	our	us	ours
	2인칭	you	your	you	yours
	3인칭	they	their	them	❷ ______

답 ❶ 다르다 ❷ theirs

바로 확인

밑줄 친 부분과 바꿔 쓸 수 있는 것을 고르시오.

❶ Ms. White runs a small bakery. (He / She)

❷ The bird's wings are beautiful. (Its / It's)

❸ The old lady welcomed my sister and me. (us / them)

소유격과 소유대명사

>> 정답 p. 44

- 소유격과 소유대명사를 구별할 때 뒤에 명사가 있는지를 확인해야 한다.
- 소유격은 '~의'라는 의미로 명사가 누구의 것인지 나타내며, 소유격 뒤에는 ❶ ______가 온다.
- 소유대명사는 '~의 것'이라는 의미로 「소유격+명사」를 대신하므로 뒤에 명사가 오지 ❷ ______.

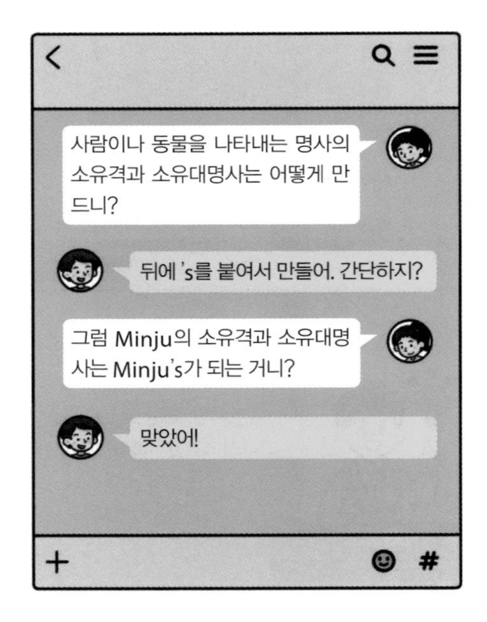

답 ❶ 명사 ❷ 않는다

바로 확인

괄호 안에서 알맞은 것을 고르시오.

❶ This is (Sally / Sally's) address.

❷ (Their / Theirs) performance was amazing.

❸ My gloves are red, and (him / his) are yellow.

비인칭 주어 it

>> 정답 p. 44

- 비인칭 주어 ❶ [　　　　]은 시간, 날짜, 요일, 날씨, 계절, 거리, 명암 등을 나타낼 때 쓴다.

  What day is **it** today? 오늘은 무슨 요일이니?

  It's Tuesday. 화요일이야.

- 비인칭 주어 it은 '그것'이라고 해석하지 ❷ [　　　　].
- 지시대명사 it은 단수 명사를 가리키는 대명사로 '그것'이라고 해석한다.

답 ❶ it ❷ 않는다

바로 확인

밑줄 친 It의 쓰임을 고르시오.

❶ It is hot but delicious. (비인칭 주어 / 대명사)

❷ It is November 17th. (비인칭 주어 / 대명사)

❸ It rains a lot in summer. (비인칭 주어 / 대명사)

개념 09 be동사의 현재형

>> 정답 p. 44

- be동사는 '~이다, (~에) 있다, (상태가) ~하다'라는 의미를 나타낸다.
- be동사는 주어의 인칭과 ❶ [ ] 에 따라 형태가 다르다.
- 「인칭대명사+be동사의 현재형」은 줄여 쓸 수 ❷ [ ].

수	인칭대명사		be동사 현재형	줄임말
단수	1인칭	I	am	I'm
	2인칭	you	are	you're
	3인칭	he / she / it	is	he's / she's / it's
복수	1인칭	we	are	we're
	2인칭	you		you're
	3인칭	they		they're

답 ❶ 수 ❷ 있다

바로 확인

괄호 안에서 알맞은 것을 고르시오.

❶ Judy and I (am / are) best friends.

❷ His sister (is / are) in the living room.

❸ (We're / We's) very excited about the trip.

be동사의 과거형

>> 정답 p. 44

- am과 is의 과거형은 was이고 are의 과거형은 ❶ ______ 이다.
- be동사의 과거형은 주로 ❷ ______ 를 나타내는 부사(구) yesterday, then, ago, last, at that time 등과 함께 쓰인다.

수	인칭대명사		be동사 과거형	수	인칭대명사		be동사 과거형
단수	1인칭	I	was	복수	1인칭	we	were
	2인칭	you	were		2인칭	you	
	3인칭	he she it	was		3인칭	they	

답 ❶ were ❷ 과거

바로 확인

괄호 안에서 알맞은 것을 고르시오.

❶ I (was / were) nervous at that time.

❷ Noah (is / was) in Russia a year ago.

❸ Many people (was / were) surprised at the news.

1주 개념 11

be동사 현재형의 부정문

>> 정답 p. 45

• be동사의 부정문은 be동사 다음에 ❶ ________ 을 붙여 만든다. be동사 현재형의 부정문은 「am/are/is+not」의 형태로 의미는 '~이 아니다, (~에) ❷ ________ '라는 뜻이다.

주어	be동사 현재형+not	줄임말
I	am not	I'm not
you(너)	are not	you're not / you aren't
he she it	is not	he's not / he isn't she's not / she isn't it's not / it isn't
we you(너희들) they	are not	we're not / we aren't you're not / you aren't they're not / they aren't

am not은 amn't로 줄여 쓸 수 없다는 점에 주의해.

답 ❶ not ❷ 없다

바로 확인

다음 문장을 부정문으로 바꿔 쓸 때 빈칸에 알맞은 말을 쓰시오.

❶ I am good at sports. ➡ ________ ________ good at sports.

❷ They are famous actors. ➡ They ________ famous actors.

❸ My cat Kitty is friendly. ➡ My cat Kitty ________ friendly.

개념 12 be동사 현재형의 의문문

>> 정답 p. 45

- be동사의 의문문은 주어와 ❶ ______ 동사의 위치를 바꾸어 만든다. be동사 현재형의 의문문은 「Am/Are/Is+주어 ~?」의 형태이다.
- 긍정의 대답은 「Yes, 주어+am/are/is.」로 하고, 부정의 대답은 「No, 주어+am/are/is+not.」으로 한다.

주어		의문문	긍정의 대답	부정의 대답
단수	1인칭	Am I ~?	Yes, you are.	No, you aren't.
	2인칭	Are you ~?	Yes, I am.	No, I'm not.
	3인칭	Is he/she/it ~?	Yes, he / she / it is.	No, he / she / it isn't.
복수	1인칭	Are we ~?	Yes, you[we] are.	No, you[we] aren't.
	2인칭	Are you ~?	Yes, we are.	No, we ❷ ______.
	3인칭	Are they ~?	Yes, they are.	No, they aren't.

답 ❶ be ❷ aren't

바로 확인

빈칸에 알맞은 말을 써서 대화를 완성하시오.

❶ Are Eva and Daniel from Italy? — Yes, ________ ________.

❷ ________ ________ in the classroom now? — Yes, I am.

❸ ________ it true? — No, it ________. It's a lie.

개념 13 be동사 과거형의 부정문

>> 정답 p. 45

- be동사 과거형의 부정문은 「was/were+ ❶ ______ 」의 형태로 의미는 '~이 아니었다, (~에) 없었다'라는 뜻이다.

주어	be동사 과거형+not	줄임말
I	was not	wasn't
he / she / it	was not	❷ ______
we / you / they	were not	weren't

답 ❶ not ❷ wasn't

바로 확인

괄호 안에서 알맞은 것을 고르시오.

1. Victoria (wasn't / weren't) a volleyball player.
2. My parents (wasn't / weren't) at home then.
3. Mia and I (wasn't / weren't) happy about the news.

개념 14 be동사 과거형의 의문문

>> 정답 p. 45

- be동사 과거형의 의문문은 「Was / Were+ ❶ ______ ~?」의 형태이다.
- 긍정의 대답은 「Yes, 주어+was / were.」로 하고, 부정의 대답은 「No, 주어+was / were+ ❷ ______.」으로 한다.

Were you and Matt in the same club? 너와 Matt는 같은 동아리였니?

— **Yes, we were.** 응, 그랬어.

— **No, we weren't.** 아니, 그렇지 않았어.

답 ❶ 주어 ❷ not

바로 확인

빈칸에 알맞은 말을 써서 대화를 완성하시오.

❶ Were your sisters in Chicago last year? — Yes, ________ ________.

❷ ________ the room dirty then? — No, it ________. It was clean.

❸ ________ ________ late for school yesterday? — Yes, I was.

조동사

>> 정답 p. 45

- 조동사는 동사 앞에 쓰여 미래, 가능, 추측, 의무 등 추가적 의미를 더한다. 조동사의 종류에는 can, may, will, must, should 등이 있다.
- 조동사는 주어의 인칭이나 수에 따라 형태가 변하지 ❶ ______.
- 조동사 다음에는 항상 동사원형이 와야 하며, 조동사 두 개를 나란히 쓸 수 ❷ ______.
- 조동사의 부정문은 「주어+조동사+not+동사원형 ~.」이고 의문문은 「조동사+주어+동사원형 ~?」의 형태이다.

답 ❶ 않는다 ❷ 없다

바로 확인

괄호 안에서 알맞은 것을 고르시오.

1. Hyunwoo (can / cans) play the drums.
2. My daughter will (study / studies) law at college.
3. (Am I should / Should I) take off my shoes in the temple?
4. You (will can / will be able to) see many animals there.

개념 16 조동사 can

>> 정답 p. 45

- can은 '~할 수 있다'라는 의미로 능력이나 가능을 나타낸다. 이때 can은 be able to와 바꿔 쓸 수 있으며 be동사는 인칭과 수에 일치시켜서 쓴다.
- can은 '~해도 좋다'라는 ❶ ________ 의 의미를 나타내기도 한다. 이때 can은 may와 바꿔 쓸 수 있다.
- can의 부정형은 cannot이고 줄임말은 ❷ ________ 이다.
- can의 의문문은 「Can+주어+동사원형 ~?」의 형태이다. 긍정의 대답은 「Yes, 주어+can.」으로 하고, 부정의 대답은 「No, 주어+can't.」로 한다.

답 ❶ 허가[허락] ❷ can't

바로 확인

우리말과 일치하도록 괄호 안의 표현을 이용하여 문장을 완성하시오.

❶ 나는 차를 운전할 수 있다. ➡ I ________ ________ a car. (drive)

❷ 그는 중국어를 읽을 수 없다. ➡ He ________ ________ Chinese. (read)

❸ 고양이는 높이 점프할 수 있다.

➡ Cats ________ ________ ________ jump high. (be able to)

개념 17 조동사 may

>> 정답 p. 45

- may는 '~일지도 모른다'라는 약한 추측을 나타내거나 '~해도 좋다'라는 허가의 의미를 나타낸다. 허가의 의미를 나타내는 may는 can과 바꿔 쓸 수 ❶ ________.
- may의 부정형은 may not이며 줄여 쓰지 않는다.
- may의 의문문은 「May+주어+동사원형 ~?」의 형태이다. 긍정의 대답은 「Yes, 주어+may.」로 하고, 부정의 대답은 「No, 주어+may ❷ ________.」으로 한다.

답 ❶ 있다 ❷ not

바로 확인

우리말과 일치하도록 may를 이용하여 문장을 완성하시오.

① 그녀는 바쁠지도 모른다.

➡ She ________ ________ busy.

② 제가 여기 앉아도 될까요?

➡ ________ ________ sit here?

③ 이번 크리스마스에 눈이 오지 않을지도 모른다.

➡ It ________ ________ snow this Christmas.

개념 18 조동사 will

>> 정답 p. 46

- will은 '~일[할] 것이다'라는 의미로 미래의 일을 예측하거나 주어의 의지를 나타낸다.
- will의 부정형은 will not이고 줄임말은 ❶ ____ 이다.
- will의 의문문은 「Will+주어+동사원형 ~?」의 형태이다. 긍정의 대답은 「Yes, 주어+will.」로 하고, 부정의 대답은 「No, 주어+won't.」로 한다.
- be going to는 '~할 것이다, ~할 예정이다'라는 의미로 가까운 ❷ ____ 의 일이나 계획을 나타낸다. 「be going to+동사원형」의 형태로 쓰며, be동사는 주어의 인칭과 수에 일치시킨다.

답 ❶ won't ❷ 미래

바로 확인

우리말과 일치하도록 괄호 안의 표현을 이용하여 문장을 완성하시오.

❶ 우리는 내일 캠핑을 갈 것이다.

➡ We ________ ________ camping tomorrow. (will)

❷ 나는 이번 주말에 시간이 없을 것이다.

➡ I ________ ________ free this weekend. (will)

❸ 그들은 태국을 방문할 것이다.

➡ They ________ ________ ________ visit Thailand. (be going to)

개념 19 조동사 must / have to

>> 정답 p. 46

- must는 '~해야 한다'라는 의미로 필요나 의무를 나타내거나 '~임에 틀림없다'라는 의미로 강한 ❶ ______ 을 나타낸다.
- must가 필요나 의무를 나타낼 때 have to와 바꿔 쓸 수 있다. 주어가 3인칭 단수이면 has to로 쓴다.
- must의 부정형 must not[mustn't]은 '~해서는 안 된다'라는 의미로 금지를 나타낸다. have to의 부정형 don't[doesn't] have to는 '~할 필요가 ❷ ______'라는 의미로 불필요를 나타낸다.

답 ❶ 추측 ❷ 없다

바로 확인

우리말과 일치하도록 must 또는 have to를 이용하여 문장을 완성하시오.

❶ 우리는 환경을 보호해야 한다.

➡ We ________ protect our environment.

❷ 당신은 여기 주차해서는 안 됩니다.

➡ You ________ ________ park here.

❸ 너는 네 개를 씻길 필요가 없다.

➡ You ________ ________ ________ wash your dog.

조동사 should

>> 정답 p. 46

- should는 '~해야 한다'라는 의미로 의무, 충고, 제안을 나타내며 must보다 강제성이 약하다.
- should의 부정형은 should not이고 줄임말은 ❶ ________ 이다.
- should의 의문문은 「Should+주어+동사원형 ~?」의 형태이다. 긍정의 대답은 「Yes, 주어+❷ ________.」로 하고, 부정의 대답은 「No, 주어+shouldn't.」로 한다.

답 ❶ shouldn't ❷ should

바로 확인

우리말과 일치하도록 should와 괄호 안의 표현을 이용하여 문장을 완성하시오.

❶ 우리는 자외선 차단제를 발라야 해.

➡ We ________ ________ ________ sunscreen. (put on)

❷ 너는 스팸메일을 열어서는 안 된다.

➡ You ________ ________ the spam e-mails. (open)

❸ 우리가 그의 충고를 따라야 할까?

➡ ________ ________ ________ his advice? (follow)

개념 21

일반동사의 현재형

>> 정답 p. 46

- 일반동사는 be동사와 조동사를 제외한 모든 동사를 가리킨다.
- 일반동사는 read, play, eat, have 등과 같이 주어의 동작이나 상태 등을 나타낸다.
- 일반동사의 현재형은 주어의 ❶ ______ 과 수에 따라 형태가 바뀐다.

주어가 1인칭(I, we), 2인칭(you), 3인칭 복수(they)일 때	동사원형
주어가 3인칭 단수(he, she, ❷ ______)일 때	동사원형+-(e)s

답 ❶ 인칭 ❷ it

바로 확인

괄호 안에서 알맞은 것을 고르시오.

1. Isabella and her sister (speak / speaks) French.
2. My grandma (drink / drinks) lemon tea after lunch.
3. The elephant (eat / eats) a lot of vegetables.

개념 22 일반동사의 3인칭 단수 현재형

>> 정답 p. 46

- 주어가 3인칭 단수일 때 일반동사의 현재형은 동사원형에 -s나 ❶ ______ 를 붙여 만든다.

대부분의 동사	동사원형+-s	meet → **meets**, like → **likes**
-o, -s, -sh, -ch, -x로 끝나는 동사	동사원형+-es	go → go**es**, miss → miss**es**, wish → wish**es**, teach → teach**es**, fix → fix**es**
「자음+y」로 끝나는 동사	y를 i로 고치고 +-es	study → stud**ies**, try → ❷ ______
불규칙하게 변하는 동사	have → **has**	

답 ❶ -es ❷ tries

바로 확인

주어진 동사의 3인칭 단수 현재형을 쓰시오.

❶ pass ______ ❷ solve ______

❸ mix ______ ❹ hurry ______

❺ say ______ ❻ finish ______

개념 23 일반동사 현재형의 부정문

>> 정답 p. 46

- 일반동사 현재형의 부정문은 동사원형 앞에 do not 또는 does not을 써서 만든다.
- do not과 does not은 각각 don't와 ❶ ______ 로 줄여 쓸 수 있다.

주어	부정문
I / you / we / they	주어+do not[don't]+동사원형 ~.
he / she / it	주어+does not[doesn't]+❷ ______ ~.

It does not rain much in the desert.

답 ❶ doesn't ❷ 동사원형

바로 확인

다음 문장을 부정문으로 바꿔 쓸 때 빈칸에 알맞은 말을 쓰시오.

❶ We wear school uniforms.
➡ We ________ ________ school uniforms.

❷ Selena looks happy.
➡ Selena ________ ________ happy.

개념 24 일반동사 현재형의 의문문

>> 정답 p. 46

- 일반동사 현재형의 의문문은 주어 앞에 Do나 Does를 쓰고, 주어 ❶ ______ 에 동사원형을 써서 만든다.
- 긍정의 대답은 「Yes, 주어+do/does.」로 하고, 부정의 대답은 「No, 주어+ ❷ ______ /doesn't.」로 한다. 대답할 때 의문문의 주어를 알맞은 인칭대명사로 바꿔야 한다.

주어	의문문	대답
I / you / we / they	Do+주어+동사원형 ~?	• 긍정: Yes, 주어+do. • 부정: No, 주어+don't.
he / she / it	Does+주어+동사원형 ~?	• 긍정: Yes, 주어+does. • 부정: No, 주어+doesn't.

답 ❶ 뒤 ❷ don't

바로 확인

다음 문장을 의문문으로 바꿔 쓸 때 빈칸에 알맞은 말을 쓰시오.

❶ Hyeri lives in Incheon.

➡ ________ Hyeri ________ in Incheon?

❷ They watch the quiz show after dinner.

➡ ________ they ________ the quiz show after dinner?

2주

개념 25

조동사 do vs. 일반동사 do

>> 정답 p. 46

- 일반동사의 부정문이나 의문문을 만들 때 쓰는 조동사 do는 의미가 ❶ ______. 반면 일반동사 do는 '(어떤 동작을) ❷ ______'라는 의미이다.
  - I **do** not eat carrots. 나는 당근을 먹지 않는다.
    (do: 조동사)
  - **Do** you have a cell phone? 너는 휴대 전화가 있니?
    (Do: 조동사)
  - I **do** the dishes after meals. 나는 식사 후에 설거지를 한다.
    (do: 일반동사)

답 ❶ 없다 ❷ 하다

바로 확인

밑줄 친 부분의 쓰임을 고르시오.

❶ Do they play soccer on Sundays? (조동사 / 일반동사)

❷ I do my homework before dinner. (조동사 / 일반동사)

❸ My brother does not walk to school. (조동사 / 일반동사)

개념 26 일반동사의 과거형 ①

>> 정답 p. 46

- 일반동사의 과거형은 과거에 일어난 일이나 동작, 상태 등을 나타낼 때 쓰며 주어의 인칭과 수에 관계없이 형태가 ❶ ______. 보통 동사원형에 -(e)d를 붙여 만든다.

규칙 변화	대부분의 동사	동사원형+-ed	walk → walk**ed** start → start**ed**
	-e로 끝나는 동사	동사원형+-d	like → like**d** dance → dance**d**
	「자음+y」로 끝나는 동사	y를 i로 고치고 +-ed	study → stud**ied** cry → cr**ied**
	「단모음+단자음」으로 끝나는 동사	마지막 자음을 한 번 더 쓰고 +-ed	stop → stop**ped** plan → ❷ ______

답 ❶ 같다 ❷ planned

바로 확인

주어진 동사의 과거형을 쓰시오.

❶ save ______ ❷ happen ______

❸ drop ______ ❹ marry ______

❺ play ______ ❻ carry ______

2주

개념 27

일반동사의 과거형 ②

>> 정답 p. 46

- 일반동사의 과거형은 형태가 불규칙하게 변화하는 동사들이 많으므로 잘 알아두어야 한다.

불규칙 변화	현재형과 과거형이 같은 동사	cut → **cut** set → **set**	put → ❶ ____ read → **read**	hit → **hit**
	현재형과 과거형이 다른 동사	do → **did** meet → **met** drink → **drank** hear → **heard** sleep → **slept** leave → **left** lose → **lost**	go → **went** come → **came** eat → **ate** say → **said** break → **broke** find → **found** feel → **felt**	have → ❷ ____ run → **ran** see → **saw** take → **took** teach → **taught** win → **won** speak → **spoke**

read의 과거형은 현재형과 형태가 같지만 발음은 [red]로 달라져.

답 ❶ put ❷ had

바로 확인

주어진 동사의 과거형을 쓰시오.

① cut ____________ ② see ____________

③ read ____________ ④ run ____________

⑤ leave ____________ ⑥ teach ____________

개념 28 일반동사 과거형의 부정문

>> 정답 p. 47

• 일반동사 과거형의 부정문은 주어의 인칭이나 수에 관계없이 동사원형 앞에 ❶ ______ not을 써서 만든다. did not의 줄임말은 ❷ ______ 이다.

일반동사 과거형의 부정문	「주어+did not[didn't]+동사원형 ~.」

She cleaned her room yesterday, but he didn't clean his room.

답 ❶ did ❷ didn't

바로 확인

다음 문장을 부정문으로 바꿔 쓸 때 빈칸에 알맞은 말을 쓰시오.

❶ They broke the rule.

➡ They ________ ________ the rule.

❷ Melanie met her friends yesterday.

➡ Melanie ________ ________ her friends yesterday.

개념 29 일반동사 과거형의 의문문

>> 정답 p. 47

- 일반동사 과거형의 의문문은 주어의 인칭이나 수에 관계없이 ❶ ______ 를 이용한다.

일반동사 과거형의 의문문	대답
Did+주어+동사원형 ~?	• 긍정: Yes, 주어+did. • 부정: No, 주어+❷ ______.

답 ❶ did ❷ didn't

바로 확인

다음 문장을 의문문으로 바꿔 쓸 때 빈칸에 알맞은 말을 쓰시오.

❶ She ate an omelet for lunch.

➡ ______ she ______ an omelet for lunch?

❷ You bought a cake at the bakery.

➡ ______ you ______ a cake at the bakery?

개념 30 현재시제

>> 정답 p. 47

- 현재시제는 현재의 상태, 사실, 반복되는 일이나 습관, 변함 ❶ [ ] 진리 등을 나타낸다.

  He **gets** up at 7 a.m. every day. 그는 매일 아침 7시에 일어난다. 〈습관〉

  The sun **rises** in the east. 해는 동쪽에서 뜬다. 〈변함없는 진리〉

- 주로 함께 쓰이는 부사(구)는 always(항상), ❷ [ ] (보통, 대개), every(매 ~) 등이 있다.

답 ❶ 없는 ❷ usually

바로 확인

괄호 안에서 알맞은 것을 고르시오.

1. The sun (set / sets) in the west.
2. Seoul (is / was) the capital of Korea.
3. My uncle (go / goes) fishing every weekend.

개념 31 과거시제

>> 정답 p. 47

- 과거시제는 이미 끝난 ❶ [　　　　] 의 동작이나 상태, 역사적 사실 등을 나타낸다.
- 주로 함께 쓰이는 부사(구)는 yesterday(어제), ago(~ 전에), then(그때), ❷ [　　　　] (지난 ~), 「in+과거년도」, at that time(그때, 그 당시에) 등이 있다.

답 ❶ 과거 ❷ last

바로 확인

괄호 안에서 알맞은 것을 고르시오.

1. I (see / saw) the movie yesterday.
2. World War II (end / ended) in 1945.
3. Todd (has / had) lunch an hour ago.

개념 32 미래시제

>> 정답 p. 47

- 미래시제는 미래의 일을 예측하거나 미래의 계획 등을 나타내며, 「will+동사원형」 또는 「be going to+ ❶ ______ 」을 이용한다.
- 조동사 will은 주어의 인칭이나 수에 따라 형태가 바뀌지 않지만 be going to는 주어의 인칭과 수에 따라 ❷ ______ 동사를 바꿔 쓴다.
- 주로 함께 쓰이는 부사(구)는 tomorrow(내일), next(다음 ~), soon(곧) 등이 있다.

답 ❶ 동사원형 ❷ be

바로 확인

괄호 안에서 알맞은 것을 고르시오.

❶ It will (is / be) sunny this Sunday.

❷ I (will / am going) to travel to New Zealand next year.

❸ Seojin and I (am / are) going to learn to swim together.

미래시제의 부정문

>> 정답 p. 47

- 조동사 will은 뒤에 not을 붙여 부정문을 만들고, be going to는 be동사 ❶ [　　　]에 not을 붙여 부정문을 만든다.

will의 부정문	「주어+will not[❷ [　　　] 줄임말]+동사원형 ~.」
be going to의 부정문	「주어+be동사+not+going to+동사원형 ~.」

답 ❶ 뒤 ❷ won't

바로 확인

괄호 안에서 알맞은 것을 고르시오.

1. I will not (call / calling) him tonight.
2. Jamie (willn't / won't) go bowling tomorrow.
3. They (aren't going to / don't going to) attend the meeting.

34 미래시제의 의문문

>> 정답 p. 47

• will의 의문문은 주어와 will의 순서를 바꿔서 만들고, be going to의 의문문은 be동사와 ❶ ______의 위치를 바꿔서 만든다.

will의 의문문	「Will + 주어 + 동사원형 ~?」 — Yes, 주어 + will. / No, 주어 + won't.
be going to의 의문문	「be동사 + 주어 + going to + 동사원형 ~?」 — Yes, 주어 + be동사. / No, 주어 + be동사 + ❷ ______.

답 ❶ 주어 ❷ not

바로 확인

괄호 안에서 알맞은 것을 고르시오.

❶ (Will / Are) you cancel the party?

❷ (Is / Will) she going to join the cooking club?

❸ (Are / Do) they going to get married? — No, they (don't / aren't).

35 진행시제

>> 정답 p. 48

- 진행시제는 「be동사+동사원형-ing」의 형태로 특정 시점에서 ❶ (　　　) 되고 있는 동작이나 상황 등을 나타낸다.
- 동사의 -ing형 만드는 법

대부분의 동사	동사원형+-ing	go → go**ing**, play → play**ing**
-e로 끝나는 동사	e를 삭제하고+-ing	come → com**ing**, take → tak**ing**
-ie로 끝나는 동사	ie를 y로 고치고 +-ing	die → d**ying**, lie → ❷ (　　　)
「단모음+단자음」으로 끝나는 동사	마지막 자음을 한 번 더 쓰고+-ing	run → run**ning**, cut→ cut**ting**

답 ❶ 진행 ❷ lying

바로 확인

주어진 동사의 -ing형을 쓰시오.

❶ get ________　　❷ ride ________

❸ fly ________　　❹ win ________

❺ tie ________　　❻ plant ________

개념 36 현재진행형

>> 정답 p. 48

- 현재진행형은 「am/are/is+동사원형 ❶ ______」의 형태이며 현재 진행 중인 일이나 동작을 나타낸다. '~하고 있다, ~하는 중이다'라고 해석한다.
- 현재시제와 현재진행형의 쓰임을 잘 구분해야 한다. 현재시제는 현재의 상태, 습관, 일반적인 사실 등을 나타내고, 현재진행형은 말하고 있는 순간에 ❷ ______ 되고 있는 비교적 일시적인 동작을 나타낸다.

답 ❶ -ing ❷ 진행

바로 확인

괄호 안에서 알맞은 것을 고르시오.

❶ She is (joging / jogging) now.

❷ His fans (waiting / are waiting) in line.

❸ The dog is (chase / chasing) the cat.

개념 37 과거진행형

>> 정답 p. 48

- 과거진행형은 「was/❶ ______ +동사원형-ing」의 형태이며 과거 특정 시점에서 진행 중이던 일이나 동작을 나타낸다. '~하고 ❷ ______, ~하던 중이었다'라고 해석한다.

답 ❶ were ❷ 있었다

바로 확인

우리말과 일치하도록 주어진 단어를 이용하여 진행시제로 쓰시오.

❶ Max는 샤워를 하고 있었다. (take)

➡ Max ________ ________ a shower.

❷ 그들은 그들의 고모 댁에 머무르고 있었다. (stay)

➡ They ________ ________ at their aunt's place.

38 진행시제의 부정문

>> 정답 p. 48

- 진행시제의 부정문은 be동사 ❶ ________에 not을 붙여 만든다. 이때 「주어+be동사」 또는 「be동사+❷ ________」은 주로 줄여 쓴다.

진행시제의 부정문	「주어+be동사+not+동사원형-ing ~.」

답 ❶ 뒤 ❷ not

바로 확인

우리말과 일치하도록 주어진 단어를 이용하여 진행시제로 쓰시오.

❶ Amanda는 지금 운전을 하고 있지 않다. (drive)

➡ Amanda ________ ________ a car now.

❷ 그 고양이들은 벤치 위에 앉아 있지 않다. (sit)

➡ The cats ________ ________ on the bench.

개념 39 진행시제의 의문문

>> 정답 p. 48

- 진행시제의 의문문은 be동사와 주어의 순서를 바꿔 만든다.

진행시제의 의문문	「be동사+주어+동사원형 ❶ ~?」 — Yes, 주어+be동사. / No, 주어+be동사+not.

- 의문사가 있을 때는 의문사를 맨 앞에 써서 「❷ +be동사+주어+동사원형-ing ~?」의 형태이다.

What are you doing now? 너 지금 뭐 하는 중이니?

답 ❶ -ing ❷ 의문사

바로 확인

괄호 안에서 알맞은 것을 고르시오.

❶ (Is / Does) Martin looking for his dog now?

❷ Where are you (go / going) now?

❸ (Was / Were) you and your sister dancing then?

개념 40

진행시제로 쓸 수 없는 동사

>> 정답 p. 48

- 소유나 상태, 감정을 나타내는 동사 have, like, want, know, understand 등은 진행시제로 쓸 수 ❶ [   ].

  I **have** a sister. 나는 여동생이 있다.

  I am having a sister. (X)

- have가 소유의 의미가 아니라 '먹다, 시간을 보내다, 경험하다'라는 의미로 쓰이면 진행시제로 쓸 수 ❷ [   ].

  They **are having** lunch together. 그들은 함께 점심을 먹고 있다.

답 ❶ 없다 ❷ 있다

바로 확인

괄호 안에서 알맞은 것을 고르시오.

❶ She (knows / is knowing) his secret.

❷ We were (have / having) breakfast then.

❸ Johnny (has / is having) a lot of hats.

정답

p. 4 답 ❶ cookies ❷ flies ❸ benches ❹ leaves ❺ potatoes ❻ monkeys

p. 5 답 ❶ women ❷ fish ❸ geese ❹ mice ❺ teeth ❻ feet

p. 6 답 ❶ a ❷ an ❸ a, The / ❶ 우리는 교복을 입어야 한다. ❷ Michelle은 동물 훈련사가 되고 싶어 한다. ❸ 그녀는 시 한 편을 썼다. 그 시는 훌륭했다.

p. 7 답 ❶ money ❷ snow ❸ Switzerland / ❶ 나는 돈이 필요하다. ❷ 작년에는 눈이 많이 왔다. ❸ 스위스는 아름다운 나라이다.

p. 8 답 ❶ two glasses of ❷ a slice of ❸ three pieces of

p. 9 답 ❶ She ❷ Its ❸ us / ❶ White 씨 부인은 작은 빵집을 운영한다. ❷ 그 새의 날개는 아름답다. ❸ 그 노부인은 나의 여동생과 나를 반갑게 맞이했다.

p. 10 답 ❶ Sally's ❷ Their ❸ his / ❶ 이것은 Sally의 주소이다. ❷ 그들의 공연은 놀라웠다. ❸ 내 장갑은 빨간색이고 그의 것은 노란색이다.

p. 11 • 오늘은 날씨가 춥고 바람이 분다.
답 ❶ 대명사 ❷ 비인칭 주어 ❸ 비인칭 주어 / ❶ 그것은 맵지만 맛있다. ❷ 11월 17일이다. ❸ 여름에는 비가 많이 온다.

p. 12 답 ❶ are ❷ is ❸ We're / ❶ Judy와 나는 가장 친한 친구이다. ❷ 그의 여동생은 거실에 있다. ❸ 우리는 그 여행에 대해 매우 신이 나 있다.

p. 13 • 나는 어젯밤에 야구 경기장에 있었어.
답 ❶ was ❷ was ❸ were / ❶ 나는 그때 초조했다. ❷ Noah는 1년 전에 러시아에 있었다. ❸ 많은 사람들이 그 소식에 놀랐다.

p. 14

답 ❶ I'm not ❷ aren't ❸ isn't / ❶ 나는 운동을 잘한다. → 나는 운동을 잘하지 못한다. ❷ 그들은 유명한 배우들이다. → 그들은 유명한 배우들이 아니다. ❸ 내 고양이 Kitty는 친화적이다. → 내 고양이 Kitty는 친화적이지 않다.

p. 15

• 너희는 쌍둥이니? — 응, 그래.

답 ❶ they are ❷ Are you ❸ Is, isn't / ❶ Eva와 Daniel은 이탈리아 출신이니? — 응, 맞아. ❷ 너는 지금 교실에 있니? — 응, 그래. ❸ 그게 사실이니? — 아니, 그렇지 않아. 그것은 거짓이야.

p. 16

• 수학 시험은 쉽지 않았어. — 맞아, 그건 어려웠어.

답 ❶ wasn't ❷ weren't ❸ weren't / ❶ Victoria는 배구선수가 아니었다. ❷ 우리 부모님은 그때 집에 계시지 않았다. ❸ Mia와 나는 그 소식에 기쁘지 않았다.

p. 17

• 그는 도서관에 있었니? — 응, 그랬어.

답 ❶ they were ❷ Was, wasn't ❸ Were you / ❶ 네 여동생들은 작년에 시카고에 있었니? — 응, 그랬어. ❷ 그 방은 그때 더러웠니? — 아니, 그렇지 않았어. 그것은 깨끗했어. ❸ 너는 어제 학교에 지각했니? — 응, 그랬어.

p. 18

• 나는 스케이트보드를 탈 수 있어. / 나는 스케이트보드 타는 것을 연습할 거야.

답 ❶ can ❷ study ❸ Should I ❹ will be able to / ❶ 현우는 드럼을 칠 수 있다. ❷ 내 딸은 대학에서 법을 공부할 것이다. ❸ 제가 절에서 신발을 벗어야 하나요? ❹ 너는 그곳에서 많은 동물들을 볼 수 있을 것이다.

p. 19

• 나는 수영을 잘할 수 있다. / 나는 스케이트를 탈 수 없다.

답 ❶ can drive ❷ can't read ❸ are able to

p. 20

• 내가 창문을 닫아도 되니? — 응, 그래도 돼.

답 ❶ may be ❷ May I ❸ may not

p. 21 • 오늘 밤에 눈이 올 거야. 나는 눈사람을 만들거야.

답 ❶ will go ❷ won't be ❸ are going to

p. 22 • 너는 도서관에서 음식을 먹어서는 안 돼.

답 ❶ must[have to] ❷ must not ❸ don't have to

p. 23 • 너는 기름진 음식을 먹는 것을 그만둬야 해.

답 ❶ should put on ❷ shouldn't open ❸ Should we follow

p. 24 • 나는 피자를 좋아해. 내 남동생은 스파게티를 좋아해.

답 ❶ speak ❷ drinks ❸ eats / ❶ Isabella와 그녀의 여동생은 프랑스어를 한다. ❷ 나의 할머니는 점심 후에 레몬차를 마신다. ❸ 코끼리는 많은 채소를 먹는다.

p. 25 답 ❶ passes ❷ solves ❸ mixes ❹ hurries ❺ says ❻ finishes

p. 26 • 사막에는 비가 많이 오지 않는다.

답 ❶ don't wear ❷ doesn't look / ❶ 우리는 교복을 입는다. → 우리는 교복을 입지 않는다. ❷ Selena는 행복해 보인다. → Selena는 행복해 보이지 않는다.

p. 27 • 너는 매운 음식을 좋아하니? — 아니, 좋아하지 않아.

답 ❶ Does, live ❷ Do, watch / ❶ 혜리는 인천에 산다. → 혜리는 인천에 사니? ❷ 그들은 저녁 식사 후에 퀴즈쇼를 본다. → 그들은 저녁 식사 후에 퀴즈쇼를 보니?

p. 28 답 ❶ 조동사 ❷ 일반동사 ❸ 조동사 / ❶ 그들은 일요일마다 축구를 하니? ❷ 나는 저녁 식사 전에 숙제를 한다. ❸ 내 남동생은 학교에 걸어 가지 않는다.

p. 29 • 나는 작년에 제주도를 방문했다.

답 ❶ saved ❷ happened ❸ dropped ❹ married ❺ played ❻ carried

p. 30 답 ❶ cut ❷ saw ❸ read ❹ ran ❺ left ❻ taught

p. 31 • 그녀는 어제 그녀의 방을 청소했지만 그는 그의 방을 청소하지 않았다.
답 ❶ didn't break ❷ didn't meet / ➊ 그들은 규칙을 어겼다. → 그들은 규칙을 어기지 않았다. ➋ Melanie는 어제 그녀의 친구들을 만났다. → Melanie는 어제 그녀의 친구들을 만나지 않았다.

p. 32 • 그들은 영화를 즐겼니? — 아니, 그렇지 않았어.
답 ❶ Did, eat ❷ Did, buy / ➊ 그녀는 점심으로 오믈렛을 먹었다. → 그녀는 점심으로 오믈렛을 먹었니? ➋ 너는 빵집에서 케이크를 샀다. → 너는 빵집에서 케이크를 샀니?

p. 33 • 나는 항상 자전거를 타고 등교한다.
답 ❶ sets ❷ is ❸ goes / ➊ 태양은 서쪽으로 진다. ➋ 서울은 한국의 수도이다. ➌ 나의 삼촌은 매 주말마다 낚시를 가신다.

p. 34 • 그녀는 지난 토요일에 수영을 갔고 지난 일요일에 요리 강습을 받았어.
답 ❶ saw ❷ ended ❸ had / ➊ 나는 어제 영화를 봤다. ➋ 2차 세계대전은 1945년에 끝났다. ➌ Todd는 한 시간 전에 점심을 먹었다.

p. 35 • 나는 미용사가 될 거야.
답 ❶ be ❷ am going ❸ are / ➊ 이번 일요일은 날씨가 맑을 것이다. ➋ 나는 내년에 뉴질랜드로 여행 갈 것이다. ➌ 서진이와 나는 함께 수영을 배울 것이다.

p. 36 • 나는 말을 타지 않을 거야.
답 ❶ call ❷ won't ❸ aren't going to / ➊ 나는 오늘 밤 그에게 전화하지 않을 것이다. ➋ Jamie는 내일 볼링을 치러 가지 않을 것이다. ➌ 그들은 모임에 참석하지 않을 것이다.

p. 37 • 너는 피라미드를 방문할 예정이니? — 응, 그래.
답 ❶ Will ❷ Is ❸ Are, aren't / ➊ 너는 파티를 취소할 거니? ➋ 그녀는 요리 동아리에 가입할 예정이니? ➌ 그들은 결혼할 예정이니? — 아니, 그렇지 않아.

p. 38

• 나는 식물에 물을 주고 있어.

답 ❶ getting ❷ riding ❸ flying ❹ winning ❺ tying ❻ planting

p. 39

• 그녀는 지금 아이들에게 책을 읽어 주고 있어.

답 ❶ jogging ❷ are waiting ❸ chasing / ❶ 그녀는 지금 조깅하는 중이다. ❷ 그의 팬들은 줄을 서서 기다리는 중이다. ❸ 그 개는 고양이를 쫓고 있는 중이다.

p. 40

• 그는 2시에 그의 숙제를 하고 있었다. 그는 4시에 피아노를 치고 있었다.

답 ❶ was taking ❷ were staying

p. 41

• 그녀는 자고 있지 않다.

답 ❶ isn't driving ❷ aren't sitting

p. 42

• Mike는 기타를 치고 있는 중이니? — 아니, 그렇지 않아. 그는 지금 요리하고 있어.

답 ❶ Is ❷ going ❸ Were / ❶ Martin은 지금 그의 개를 찾고 있는 중이니? ❷ 너는 지금 어디 가고 있는 중이니? ❸ 너와 네 여동생은 그때 춤을 추고 있었니?

p. 43

• 우리는 즐거운 시간을 보내고 있는 중이다.

답 ❶ knows ❷ having ❸ has / ❶ 그녀는 그의 비밀을 안다. ❷ 우리는 그때 아침을 먹고 있었다. ❸ Johnny는 많은 모자를 가지고 있다.

문법·쓰기

영어전략

중학 1

BOOK 1

이 책의 구성과 활용

이 책은 3권으로 이루어져 있는데
본책인 BOOK1, 2의 구성은 아래와 같아.

주 도입

만화를 읽은 후 간단한 퀴즈를 풀며 한 주 동안 학습할 문법 사항을 익혀 봅니다.

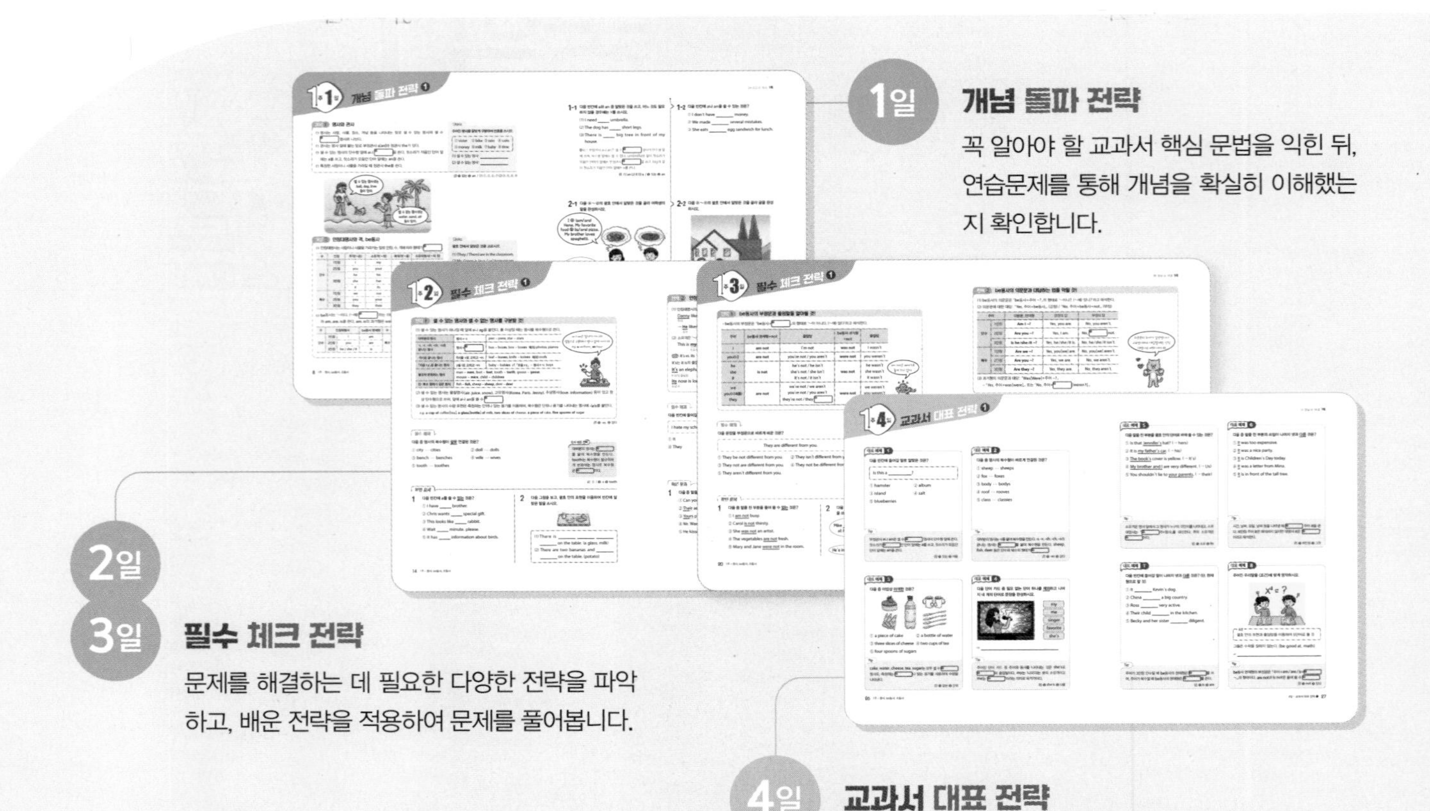

1일 개념 돌파 전략

꼭 알아야 할 교과서 핵심 문법을 익힌 뒤, 연습문제를 통해 개념을 확실히 이해했는지 확인합니다.

2일 3일 필수 체크 전략

문제를 해결하는 데 필요한 다양한 전략을 파악하고, 배운 전략을 적용하여 문제를 풀어봅니다.

4일 교과서 대표 전략

내신 기출 문제의 대표 유형을 풀어 보며 실제 학교 시험 유형을 익힙니다.

부록 시험에 잘 나오는 개념 BOOK

부록은 뜯어서 미니북으로 활용하세요!
시험 전에 개념을 확실하게 짚어 주세요.

주 마무리와 권 마무리의 특별 코너들로
영어 실력이 더 탄탄해질 거야!

주 마무리 코너

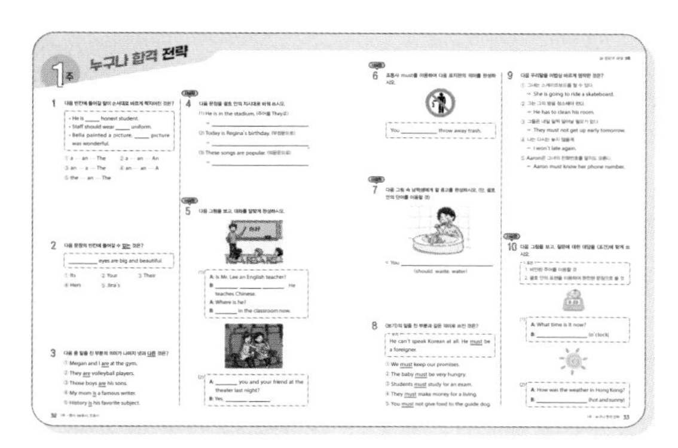

누구나 합격 전략

난이도가 낮은 문제들을 통해 앞서 학습한 내용에 대한 기초 이해력을 점검합니다.

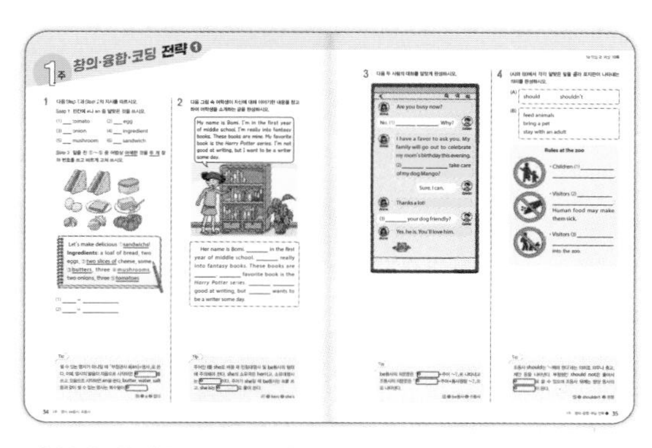

창의·융합·코딩 전략

융복합적 사고력과 문제 해결력을 키울 수 있는 재미있는 문제들을 풀어 봅니다.

권 마무리 코너

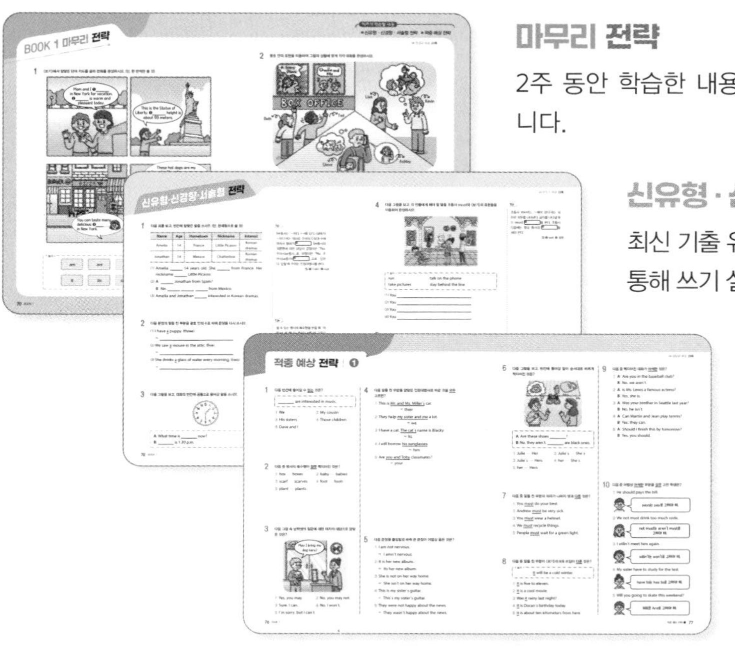

마무리 전략

2주 동안 학습한 내용을 이미지나 만화를 통해 총정리합니다.

신유형·신경향·서술형 전략

최신 기출 유형을 반영한 다양한 서술형 문제들을 통해 쓰기 실력을 키웁니다.

적중 예상 전략

실제 학교 시험 유형의 예상 문제를 풀며 실전에 대비합니다.

이 책의 차례

BOOK ❶

1주 명사, be동사, 조동사

2주 일반동사, 동사의 시제

BOOK 2

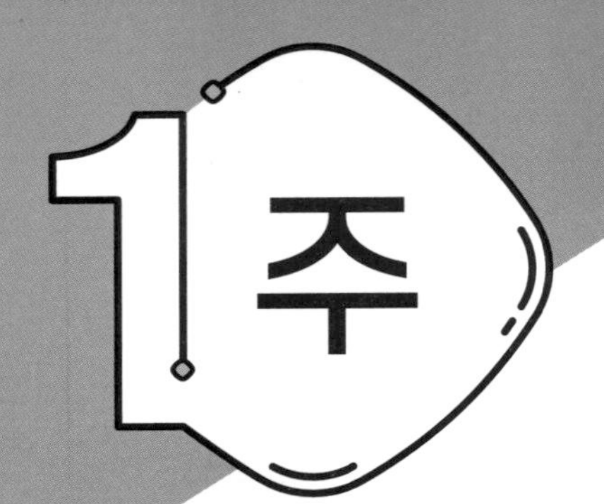

명사, be동사, 조동사

1 명사

We need a melon, some eggs, and strawberries. Anything else?

We also need some ....

여학생이 이어서 할 말은?

a. cheese

b. cheeses

2 인칭대명사와 격

남학생의 역할 모델의 직업은?

a. 영화배우

b. 영화감독

학습할 내용

❶ 명사　❷ 인칭대명사와 격　❸ be동사　❹ 조동사

3 be동사

Mark의 출신지는?
a. 미국
b. 호주

4 조동사

여학생이 의도하는 바는?
a. 음식을 먹어서는 안 된다.
b. 음식을 먹을 필요가 없다.

답 1 a 2 b 3 b 4 a

1주 1일 개념 돌파 전략 ❶

개념 1 명사와 관사

- 명사는 사람, 사물, 장소, 개념 등을 나타내는 말로 셀 수 있는 명사와 셀 수 ❶ [ ] 명사로 나뉜다.
- 관사는 명사 앞에 붙는 말로 부정관사 a[an]와 정관사 the가 있다.
- 셀 수 있는 명사의 단수형 앞에 a나 ❷ [ ]을 쓴다. 첫소리가 자음인 단어 앞에는 a를 쓰고, 첫소리가 모음인 단어 앞에는 an을 쓴다.
- 특정한 사람이나 사물을 가리킬 때 정관사 the를 쓴다.

Quiz

주어진 명사를 알맞게 구분하여 번호를 쓰시오.

① sister ② bike ③ rain ④ coin
⑤ money ⑥ milk ⑦ baby ⑧ time

(1) 셀 수 있는 명사: ____________

(2) 셀 수 없는 명사: ____________

답 ❶ 없는 ❷ an / (1) ①, ②, ④, ⑦ (2) ③, ⑤, ⑥, ⑧

개념 2 인칭대명사와 격, be동사

- 인칭대명사는 사람이나 사물을 가리키는 말로 인칭, 수, 격에 따라 형태가 ❶ [ ].

수	인칭	주격(~은)	소유격(~의)	목적격(~을)	소유대명사(~의 것)
단수	1인칭	I	my	me	mine
	2인칭	you	your	you	yours
	3인칭	he	his	him	his
		she	her	her	hers
		it	its	it	–
복수	1인칭	we	our	us	ours
	2인칭	you	your	you	yours
	3인칭	they	their	them	theirs

- be동사는 '~이다, (~에) ❷ [ ]'라는 의미로 현재형은 주어의 인칭, 수에 따라 am, are, is를 쓴다. am, is의 과거형은 was이고 are의 과거형은 were이다.

수	인칭대명사		be동사 현재형	수	인칭대명사		be동사 현재형
단수	1인칭	I	am	복수	1인칭	we	are
	2인칭	you	are		2인칭	you	
	3인칭	he / she / it	is		3인칭	they	

Quiz

괄호 안에서 알맞은 것을 고르시오.

(1) (They / Them) are in the classroom.

(2) Mr. Green is (our / us) homeroom teacher.

(3) She (am / is) tired and sleepy.

(4) His daughters (is / are) smart.

답 ❶ 다르다 ❷ 있다 / (1) They (2) our (3) is (4) are

1-1 다음 빈칸에 a와 an 중 알맞은 것을 쓰고, 어느 것도 필요하지 않을 경우에는 X를 쓰시오.

(1) I need _____ umbrella.

(2) The dog has _____ short legs.

(3) There is _____ big tree in front of my house.

풀이 | 부정관사 a나 an은 셀 수 ❶_____ 명사의 단수형 앞에 쓰며, 복수형 앞에는 쓸 수 없다. umbrella와 같이 첫소리가 모음인 단어의 앞에는 부정관사 ❷_____ 을 쓰고, big과 같이 첫소리가 자음인 단어 앞에는 a를 쓴다.

답 (1) an (2) X (3) a / ❶ 있는 ❷ an

1-2 다음 빈칸에 a나 an을 쓸 수 있는 것은?

① I don't have _______ money.

② We made _______ several mistakes.

③ She eats _______ egg sandwich for lunch.

2-1 다음 ⓐ~ⓓ의 괄호 안에서 알맞은 것을 골라 여학생의 말을 완성하시오.

풀이 | 주어가 I일 때 be동사의 현재형은 am을 쓰고, My favorite food는 대명사 It으로 바꿔 쓸 수 있으므로 be동사는 ❶_____ 를 쓴다. 명사 앞에 쓰여 '~의'라는 의미를 나타낼 때 인칭대명사의 ❷_____ 격을 써야 한다.

답 ⓐ am ⓑ is ⓒ Our ⓓ His / ❶ is ❷ 소유

2-2 다음 ⓐ~ⓔ의 괄호 안에서 알맞은 것을 골라 글을 완성하시오.

This is ⓐ (my / me) host family. Mr. and Ms. Madison ⓑ (is / are) music teachers. ⓒ (They / Their) are kind to me. Ben and his little sister Katie ⓓ (is / are) really funny. I like ⓔ (their / them) a lot.

개념 3 be동사의 부정문과 의문문

	be동사의 부정문	be동사의 의문문
형태	「주어+be동사+ ❶ ~.」	「be동사+주어 ~?」
의미	~이 아니다, (~에) 없다	~이니?, ~에 있니?

- be동사와 not은 isn't, aren't, wasn't, weren't와 같이 줄여 쓸 수 있다. 단, am not은 amn't로 줄여 쓸 수 ❷ .
- be동사의 의문문에 대한 대답이 긍정이면 「Yes, 주어+be동사.」로, 부정이면 「No, 주어+be동사+not.」으로 답한다. 답할 때 주어는 인칭대명사를 쓴다.

Quiz

괄호 안에서 알맞은 것을 고르시오.

(1) I (not am / am not) in the gym now.

(2) (Is / Does) he a pilot?

(3) His math grades (wasn't / weren't) very good.

답 ❶ not ❷ 없다 / (1) am not (2) Is (3) weren't

개념 4 조동사

- 조동사는 동사 앞에 쓰여 미래, 가능, 추측, 의무 등 추가적 의미를 더한다. 조동사는 주어의 인칭이나 수에 따라 형태가 변하지 않으며, 조동사 다음에는 항상 ❶ 이 와야 한다.
- 조동사가 있는 문장의 부정문은 조동사 다음에 ❷ 을 쓴다.

can	~할 수 있다 〈능력·가능〉 / ~해도 좋다 〈허가〉
may	~일지도 모른다 〈약한 추측〉 / ~해도 좋다 〈허가〉
will	~일[할] 것이다 〈미래 예측〉 / ~하겠다 〈주어의 의지〉
must	~해야 한다 〈의무〉 / ~임에 틀림없다 〈강한 추측〉
have to	~해야 한다 〈의무〉
should	~해야 한다 〈의무·충고〉

Quiz

우리말과 일치하도록 can, may, must 중 알맞은 말을 쓰시오.

(1) My sister ______ speak Chinese.
(내 여동생은 중국어를 할 수 있다.)

(2) You ______ be quiet in the library.
(너는 도서관에서 조용히 해야 한다.)

(3) Nick ______ not arrive on time.
(Nick은 제시간에 도착하지 못할지도 모른다.)

답 ❶ 동사원형 ❷ not / (1) can (2) must (3) may

3-1 다음 중 be동사의 부정문과 의문문에 대한 설명으로 알맞은 것은?

① 부정문을 만들 때 be동사 앞에 not을 쓴다.

② 의문문을 만들 때 be동사를 주어 앞으로 보낸다.

③ 의문문의 대답은 do 또는 does를 사용한다.

풀이 | be동사의 부정문은 be동사 ❶ [　　　] 에 not을 넣으며, be동사의 의문문에 대한 대답은 ❷ [　　　] 동사를 사용한다.

답 ② / ❶ 뒤 ❷ be

3-2 다음 문장을 부정문과 의문문으로 바꿔 쓴 문장을 완성하시오.

They are twins.

(부정문) ➡ They __________ twins.

(의문문) ➡ __________ twins?

4-1 다음 그림을 보고, 조동사 can과 주어진 단어를 이용하여 문장을 완성하시오. (단, 부정형은 줄임말로 쓸 것)

할 수 있는 것	(play, ride, draw)
할 수 없는 것	(play, swim, sing)

• I can play the drums.

(1) I ______ ______ a skateboard.

(2) I ______ ______ cartoons well.

• I can't play tennis.

(3) I ______ ______. I'm afraid of water.

(4) I ______ ______ well.

풀이 | 조동사 can은 '~할 수 ❶ [　　　]'라는 의미로 능력이나 가능을 나타낸다. 조동사 다음에는 동사의 ❷ [　　　] 이 와야 한다. can의 부정형은 cannot[can't]이다.

답 (1) can ride (2) can draw (3) can't swim (4) can't sing / ❶ 있다 ❷ 원형

4-2 다음 그림을 보고, 식당 예절을 지키지 않는 학생에게 할 말을 조동사 must와 〈보기〉의 단어를 이용하여 완성하시오.

보기: cut　eat　clear

(1) You __________ the table.

(2) You __________ in line.

(3) You __________ quietly.

1주 1일 개념 돌파 전략 ❷

CHECK UP

(1) I met (he / him) on my way home.

(2) She is very proud of (her / hers) son.

➡ 인칭대명사가 동사나 전치사의 목적어 역할을 할 때 ❶ ______ 인칭대명사를 쓴다. 소유격은 '❷ ______'라는 의미로 뒤에 명사가 온다.

답 (1) him (2) her / ❶ 목적격 ❷ ~의

1 다음 빈칸에 공통으로 들어갈 말로 알맞은 것은?

• I love ______ very much.
• We know ______ name and phone number.

① you ② her ③ him ④ it ⑤ theirs

CHECK UP

(1) I (am / are) nervous now.

(2) Esther and I (am / are) middle school students.

➡ be동사는 주어의 인칭과 수에 따라 형태가 ❶ ______. 주어가 I일 때 be동사의 현재형은 am을 쓰고, 주어가 복수일 때는 ❷ ______를 쓴다.

답 (1) am (2) are / ❶ 다르다 ❷ are

2 빈칸에 알맞은 be동사를 써넣어 글을 완성하시오. (단, 현재형으로 쓸 것)

I ______ Tiffany and this ______ my dog Toto. He ______ really smart and friendly. His eyes ______ brown. My dog and I ______ good friends!

CHECK UP

(1) 당신은 이 책을 빌려도 됩니다.
→ You (can / should) borrow this book.

(2) 그녀는 늦을지도 모른다.
→ She (may / must) be late.

➡ (1) '~해도 좋다[된다]'라는 의미로 ❶ ______를 나타내는 것은 조동사 can이다.
(2) '~일지도 모른다'라는 의미로 약한 ❷ ______을 나타내는 것은 조동사 may이다.

답 (1) can (2) may / ❶ 허가[허락] ❷ 추측

3 다음 중 밑줄 친 부분의 의미가 잘못된 것은?

① You can use my phone. (~해도 좋다)
② I will try my best. (~할 것이다)
③ Scott may be the winner. (~임에 틀림없다)
④ We have to follow his advice. (~해야 한다)
⑤ You shouldn't touch a guide dog. (~해서는 안 된다)

≫ 정답과 해설 2쪽

CHECK UP

(1) I have (a / an) exam tomorrow.
(2) Mike gave me (a / an) rose.
(A / The) rose was beautiful.

➡ exam은 첫소리가 모음이므로 부정관사 ❶ [ ]을 쓰고, rose는 첫소리가 자음이므로 a를 쓴다. 특정한 것을 가리키거나 앞에 나온 명사를 다시 말할 때 정관사 ❷ [ ]를 쓴다.

답 (1) an (2) a, The / ❶ an ❷ the

4 다음 중 밑줄 친 부분의 쓰임이 어색한 것은?

① I saw a tiger in the zoo.

② My grandparents have a farm.

③ We heard an interesting story.

④ Sue is an university student.

⑤ The backpack on the desk is mine.

CHECK UP

Mr. Dale is her PE teacher.
(부정문으로) → Mr. Dale is ________ her PE teacher.
(의문문으로) → ________ Mr. Dale her PE teacher?

➡ be동사의 부정문은 be동사 다음에 ❶ [ ]을 쓰고, 의문문은 「❷ [ ] + 주어 ~?」로 쓴다.

답 not, Is / ❶ not ❷ be동사

5 다음 문장을 괄호 안의 지시대로 바꿔 쓰시오.

(1)

(2)

(1) She is a basketball player.
(부정문으로) ➡ ______________________

(2) Brad and Kelly are good swimmers.
(의문문으로) ➡ ______________________

1주 2일 필수 체크 전략 ❶

전략 1 셀 수 있는 명사와 셀 수 없는 명사를 구분할 것!

(1) 셀 수 있는 명사가 하나일 때 앞에 a나 an을 붙인다. 둘 이상일 때는 명사를 복수형으로 쓴다.

대부분의 명사	명사+-s	pen – pens, star – stars
-s, -x, -sh, -ch, -o로 끝나는 명사	명사+❶	bus – **buses**, box – **boxes** 예외) photos, pianos
-f(e)로 끝나는 명사	f(e)를 v로 고치고 -es	leaf – lea**ves**, knife – kni**ves** 예외) roofs
「자음+y」로 끝나는 명사	y를 i로 고치고 -es	baby – bab**ies** *cf.* 「모음+y」 → 명사+-s: boys
불규칙 변화하는 명사	man – **men**, woman – **women**, foot – **feet**, tooth – **teeth**, goose – **geese**, mouse – **mice**, child – **children**	
단·복수 형태가 같은 명사	fish – **fish**, sheep – **sheep**, deer – **deer**	

(2) 셀 수 없는 명사는 물질명사(air, juice, snow), 고유명사(Korea, Paris, Jenny), 추상명사(love, information) 등이 있고 항상 단수형으로 쓰며, 앞에 a나 an을 쓸 수 ❷ .

(3) 셀 수 없는 명사의 수량 표현은 측정하는 단위나 담는 용기를 이용하며, 복수형은 단위나 용기를 나타내는 명사에 -(e)s를 붙인다.

e.g. **a cup of** coffee[tea], **a glass**[**bottle**] **of** milk, **two slices of** cheese, **a piece of** cake, **five spoons of** sugar

답 ❶ -es ❷ 없다

필수 예제

다음 중 명사의 복수형이 잘못 연결된 것은?

① city ··· cities
② doll ··· dolls
③ bench ··· benches
④ wife ··· wives
⑤ tooth ··· toothes

문제 해결 전략

대부분의 명사는 ❶ 를 붙여 복수형을 만든다. tooth는 복수형이 불규칙하게 변화하는 명사로 복수형은 ❷ 이다.

답 ⑤ / ❶ -s ❷ teeth

확인 문제

1 다음 빈칸에 a를 쓸 수 없는 것은?

① I have ______ brother.
② Chris wants ______ special gift.
③ This looks like ______ rabbit.
④ Wait ______ minute, please.
⑤ It has ______ information about birds.

2 다음 그림을 보고, 괄호 안의 표현을 이용하여 빈칸에 알맞은 말을 쓰시오.

(1) There is ______ ______ ______ ______ on the table. (a glass, milk)
(2) There are two bananas and ______ ______ on the table. (potato)

>> 정답과 해설 3쪽

전략 2 인칭대명사의 격을 구분할 것!

(1) 인칭대명사의 주격은 주어 역할을 하고 '~은/는/이/가'로 해석한다. 목적격은 ❶ [ ] 역할을 하며 '~을/를'로 해석한다.

Danny likes sports a lot. Danny는 운동을 매우 좋아한다.
(Danny: 주어, sports: 목적어)

→ **He** likes **them** a lot. 그는 그것들을 매우 좋아한다.
(He: 주격, them: 목적격)

(2) 소유격은 '~의'라는 의미로 뒤에 명사가 오지만, 소유대명사는 '❷ [ ]'이라는 의미로 뒤에 명사가 없이 단독으로 쓰인다.

This is **my** watch. → This watch is **mine**. 이것은 내 시계이다. → 이 시계는 내 것이다.
(my: 소유격, mine: 소유대명사)

주의 it's *vs.* its

it's는 it is의 줄임말이고, its는 '그것의'라는 의미로 it의 소유격이다.

It's an elephant. 그것은 코끼리이다.
(It's: It is의 줄임말)

Its nose is long. 그것의 코는 길다.
(Its: 소유격)

사람의 이름을 나타내는 고유명사의 소유격과 소유대명사는 「고유명사+'s」로 나타내.
e.g. Tom's

답 ❶ 목적어 ❷ ~의 것

필수 예제

다음 빈칸에 들어갈 말로 알맞은 것은?

I hate my school uniform. ________ color is too dark.

① It ② Its ③ It's
④ They ⑤ Theirs

문제 해결 전략

빈칸 뒤에 명사가 있으므로 빈칸에는 '~의'라는 의미의 ❶ [ ]격 인칭대명사가 알맞다. It's는 ❷ [ ]의 줄임말임에 유의한다.

답 ② / ❶ 소유 ❷ It is

확인 문제

1 다음 중 밑줄 친 부분이 어법상 옳은 것은?

① Can you help our now?
② Their are big animals.
③ Yours paintings are wonderful.
④ Mr. Warren teaches she.
⑤ He kisses his babies every night.

2 다음 그림을 보고, 두 문장이 같은 뜻이 되도록 빈칸에 알맞은 말을 쓰시오.

This is her umbrella.
= This umbrella is ________.

전략 3 비인칭 주어 it의 쓰임을 알아둘 것!

• 비인칭 주어 it은 시간, 날짜, 요일, 날씨, 계절, 거리, 명암 등을 나타낼 때 쓴다. 이때 it은 '그것'이라고 해석하지 ❶ [   ].

시간	It is 7 o'clock. 7시 정각이다.
날짜	It is May 8th. 5월 8일이다.
요일	It is Sunday today. 오늘은 일요일이다.
날씨	It is cold and windy. 춥고 바람이 분다.
계절	It is summer now. 지금은 여름이다.
거리	It is far from here. 여기에서 멀다.
명암	It is dark outside. 밖이 어둡다.

cf. 지시대명사 it은 단수 명사를 가리키는 대명사로 '❷ [   ]'이라고 해석한다.
It is a very exciting game. 그것은 매우 신나는 게임이다.

답 ❶ 않는다 ❷ 그것

필수 예제

다음 중 밑줄 친 부분의 쓰임이 나머지 넷과 다른 것은?

① It is spring now.
② It is December 10th.
③ It is cool in fall.
④ It is a great idea.
⑤ It is eight in the morning.

문제 해결 전략

비인칭 주어 ❶ [   ]은 시간, 날짜, 요일, 날씨, 계절 등을 나타내며 해석하지 않는다. 지시대명사 it은 단수 명사를 가리키며 '❷ [   ]'이라고 해석한다.

답 ④ / ❶ it ❷ 그것

확인 문제

1 다음 중 밑줄 친 부분의 쓰임이 〈보기〉와 같은 것은?

보기
It is warm and sunny.

① It is Friday today.
② It is not your fault.
③ It is my favorite subject.
④ It is very hot but delicious.
⑤ It is right behind the school.

2 다음 그림을 보고, 질문에 알맞게 답하시오. (단, 비인칭 주어를 사용하여 완전한 문장으로 쓸 것)

A: What's the date today?
B: ________________

>> 정답과 해설 3쪽

전략 4 주어의 인칭과 수, 시제를 확인하여 be동사를 쓸 것!

(1) be동사는 주어의 신분, 성질, 상태 등을 나타내며 '~이다, (~에) 있다, (상태가) ~하다'로 해석한다. be동사의 현재형은 주어의 인칭과 수에 따라 am, ❶ [ ], is를 쓴다. am, is의 과거형은 ❷ [ ]이고, are의 과거형은 were이다.

인칭대명사			be동사의 현재형	줄임말	be동사의 과거형
단수	1인칭	I	**am**	I'm	**was**
	2인칭	you	**are**	you're	**were**
	3인칭	he she it	**is**	he's she's it's	**was**
복수	1인칭	we	**are**	we're	**were**
	2인칭	you		you're	
	3인칭	they		they're	

인칭대명사와 be동사의 줄임말을 꼭 알아두자!

This is는 This's로 줄여 쓸 수 없다는 것도 기억해!

(2) be동사의 과거형은 과거를 나타내는 부사(구)와 주로 함께 쓰인다.
e.g. yesterday(어제), then(그때), ago(~ 전에), last(지난 ~), at that time(그때) 등

답 ❶ are ❷ was

필수 예제

다음 빈칸에 알맞은 be동사가 순서대로 바르게 짝지어진 것은?

- I ________ a middle school student.
- Mr. James ________ my homeroom teacher.
- Ted and Amy ________ my cousins.

① am … is … are ② am … are … is ③ am … are … are
④ are … is … am ⑤ are … am … are

문제 해결 전략
He, She, It 등 3인칭 단수가 주어일 때 be동사의 현재형은 ❶ [ ]를 쓰고, and로 연결된 주어는 복수이므로 be동사의 현재형은 ❷ [ ]를 써야 한다.

답 ① / ❶ is ❷ are

확인 문제

1 다음 중 밑줄 친 부분을 줄여 쓸 수 없는 것은?

① I am very hungry.
② That is so interesting.
③ This is my new computer.
④ We are in the living room.
⑤ They are Peter's grandparents.

2 다음 밑줄 친 부분을 어법상 바르게 고쳐 쓰시오.

(1) Look at the monkey. Its very cute.
➡ ________________

(2) My parents was at the airport then.
➡ ________________

1주 2일 필수 체크 전략 ❷

1 다음 빈칸에 들어갈 수 없는 것을 모두 고르면?

Do you have a ________?

① eraser ② plan ③ hairbrush
④ cell phone ⑤ tickets

문제 해결 전략

부정관사 다음에는 셀 수 있는 명사의 단수형이 와야 하고, 복수형은 올 수 ❶ ________. 첫소리가 자음으로 시작하는 단어 앞에는 a를 쓰고, 첫소리가 모음으로 시작하는 단어 앞에는 ❷ ________을 쓴다.

답 ❶ 없다 ❷ an

2 다음 중 복수형을 만드는 방법이 같은 것끼리 묶은 학생은?

문제 해결 전략

대부분의 셀 수 있는 명사는 뒤에 -s를 붙여 복수형을 만든다. -s, -x, -sh, -ch, -o로 끝나는 명사 뒤에는 ❶ ________를 붙이고, 「자음+y」로 끝나는 명사는 y를 ❷ ________로 고치고 -es를 붙인다.

답 ❶ -es ❷ i

3 다음 중 밑줄 친 부분의 쓰임이 〈보기〉와 같은 것은?

보기
That boy is her classmate.

① What is her nickname?
② I play tennis with her.
③ We met her at the concert.
④ I'll send her an email.
⑤ They invite her every month.

문제 해결 전략

인칭대명사 her는 소유격과 목적격의 형태가 ❶ ________. 명사 앞에 쓰인 소유격 her는 '❷ ________'라는 의미이다. 동사나 전치사의 목적어 역할을 하는 목적격 her는 '그녀를, 그녀에게'라는 의미이다.

답 ❶ 같다 ❷ 그녀의

>> 정답과 해설 4쪽

4 다음 중 밑줄 친 부분이 어법상 어색한 것은?

① It is a great movie.
② You are good at dancing.
③ They are famous singers.
④ Ben and I am neighbors.
⑤ Lisa is in the music room.

문제 해결 전략

단수 주어일 때 be동사의 현재형은 인칭에 따라 am, are, ❶ ______ 를 쓴다. 복수 주어일 때 be동사의 현재형은 항상 ❷ ______ 를 쓴다.

답 ❶ is ❷ are

5 다음 밑줄 친 부분과 바꿔 쓸 수 있는 인칭대명사가 순서대로 바르게 짝지어진 것은?

• This is my grandparents' house.
• Sumi's and my hometown is Jeju Island.

① his ⋯ Her
② our ⋯ Their
③ our ⋯ Our
④ their ⋯ Her
⑤ their ⋯ Our

문제 해결 전략

'나'를 포함하지 않는 복수명사의 소유격은 '그(것)들의'라는 의미를 나타내는 ❶ ______ 가 알맞다. '나'를 포함한 복수의 소유격은 '우리의'라는 의미를 나타내는 ❷ ______ 가 알맞다.

답 ❶ their ❷ our

6 다음 그림을 보고, 비인칭 주어와 be동사를 이용하여 문장을 완성하시오.

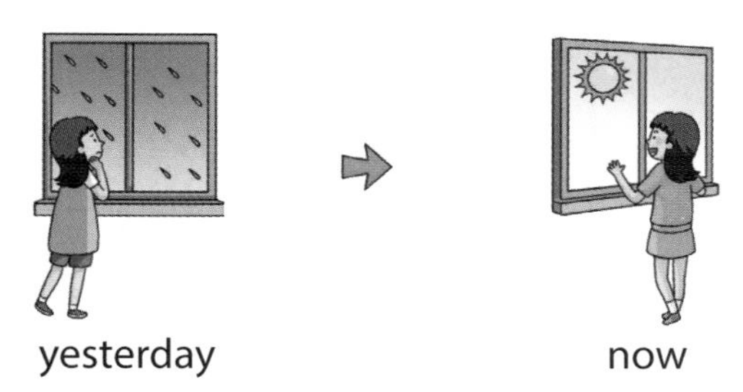

______ ______ rainy yesterday, but ______ ______ sunny now.

문제 해결 전략

날씨를 나타낼 때는 ❶ ______ 인 it을 사용할 수 있다. yesterday, then, ago, last 등과 함께 쓰일 때는 be동사의 ❷ ______ 형을 써야 한다.

답 ❶ 비인칭 주어 ❷ 과거

1주 3일

필수 체크 전략 1

전략 1 be동사의 부정문과 줄임말을 알아둘 것!

• be동사의 부정문은 「be동사+❶ ______」의 형태로 '~이 아니다, (~에) 없다'라고 해석한다.

주어	be동사 현재형+not	줄임말	be동사 과거형 +not	줄임말
I	**am not**	I'm not	**was not**	I wasn't
you(너)	**are not**	you're not / you aren't	**were not**	you weren't
he she it	**is not**	he's not / he isn't she's not / she isn't it's not / it isn't	**was not**	he wasn't she wasn't it wasn't
we you(너희들) they	**are not**	we're not / we aren't you're not / you aren't they're not / they ❷ ______	**were not**	we weren't you weren't they weren't

am not은 amn't로 줄여 쓰지 않아.

답 ❶ not ❷ aren't

필수 예제

다음 문장을 부정문으로 바르게 바꾼 것은?

They are different from you.

① They be not different from you.
② They isn't different from you.
③ They not are different from you.
④ They not be different from you.
⑤ They aren't different from you.

문제 해결 전략

be동사의 부정문을 만들 때는 be동사의 ❶ ______에 not을 붙인다. are not은 ❷ ______로 줄여 쓸 수 있다.

답 ⑤ / ❶ 뒤 ❷ aren't

확인 문제

1 다음 중 밑줄 친 부분을 줄여 쓸 수 없는 것은?

① I am not busy.
② Carol is not thirsty.
③ She was not an artist.
④ The vegetables are not fresh.
⑤ Mary and Jane were not in the room.

2 다음 그림을 보고, be동사를 이용하여 빈칸에 알맞은 말을 쓰시오.

>> 정답과 해설 5쪽

전략 2 be동사의 의문문과 대답하는 법을 익힐 것!

(1) be동사의 의문문은 「be동사+주어 ~?」의 형태로 '~이니?, (~에) 있니?'라고 해석한다.
(2) 의문문에 대한 대답: 「Yes, 주어+be동사.」 (긍정) / 「No, 주어+be동사+not.」 (부정)

주어		의문문_현재형	긍정의 답	부정의 답
단수	1인칭	**Am I ~?**	Yes, you are.	No, you aren't.
	2인칭	**Are you ~?**	Yes, I am.	No, ❶ ______ not.
	3인칭	**Is he/she/it ~?**	Yes, he/she/it is.	No, he/she/it isn't.
복수	1인칭	**Are we ~?**	Yes, you[we] are.	No, you[we] aren't.
	2인칭	**Are you ~?**	Yes, we are.	No, we aren't.
	3인칭	**Are they ~?**	Yes, they are.	No, they aren't.

(3) 과거형의 의문문과 대답: 「Was[Were]+주어 ~?」
– 「Yes, 주어+was[were].」 또는 「No, 주어+❷ ______ [weren't].」

답 ❶ I'm ❷ wasn't

필수 예제

다음 대화의 빈칸에 들어갈 말로 알맞은 것은?

A: Is Jake an only child?
B: ______________ He has a sister.

① Yes, he is. ② Yes, it is. ③ No, he isn't.
④ No, Jake is. ⑤ No, they aren't.

문제 해결 전략

Jake는 여동생이 있다는 말이 이어지므로 빈칸에는 ❶ ______의 대답이 알맞다. 의문문의 주어인 고유명사 Jake는 대답할 때 인칭대명사 ❷ ______로 바꾼다.

답 ③ / ❶ 부정 ❷ he

확인 문제

1 다음 중 질문에 대한 대답이 어색한 것은?

① Am I wrong? — No, you aren't.
② Is this your cell phone? — Yes, it is.
③ Are you from Vietnam? — Yes, we are.
④ Were you in L.A. last year? — Yes, I were.
⑤ Was Judy late for school? — No, she wasn't.

2 다음 그림을 보고, 두 사람의 대화를 알맞게 완성하시오.

A: ______ these your glasses?
B: ______, ______ ______. They're Jimin's.

전략 3 조동사 can, may, will의 쓰임을 알아둘 것!

조동사	용법	의미	부정형
can	능력·가능	~할 수 있다 (= be able to)	cannot[can't]
	허가	~해도 좋다 (= may)	
	요청	~해 주시겠어요?	
may	약한 추측	~일지도 ❶ ______	may not
	허가	~해도 좋다	
will	미래 예측	~일[할] 것이다 (= be going to)	will not[❷ ______] 줄임말
	주어의 의지	~하겠다	
	요청	~해 주시겠어요?	

• 조동사의 부정문은 「주어+조동사+not+동사원형 ~.」의 형태이고 의문문은 「조동사+주어+동사원형 ~?」의 형태이다. 대답은 「Yes, 주어+조동사.」 또는 「No, 주어+조동사+not.」으로 한다.

답 ❶ 모른다 ❷ won't

필수 예제

다음 밑줄 친 부분과 바꿔 쓸 수 있는 표현이 순서대로 바르게 짝지어진 것은?

• Can I try on these pants?
• I am going to take a trip to Europe.

① May ··· will ② Should ··· will ③ Will ··· may
④ Do ··· can ⑤ Will ··· am able to

문제 해결 전략

can이 허가의 의미를 나타낼 때 ❶ ______와 바꿔 쓸 수 있다. be going to는 '~일[할] 것이다'라는 의미로 조동사 ❷ ______과 바꿔 쓸 수 있다.

답 ① / ❶ may ❷ will

확인 문제

1 다음 중 밑줄 친 부분의 의미가 나머지 넷과 다른 것은?

① May I come in?
② She may be mad at me.
③ May I use your camera?
④ You may get some rest now.
⑤ You may not touch the paintings.

2 다음 그림을 보고, 조동사 can과 괄호 안의 단어를 이용하여 문장을 완성하시오.

할 수 있는 것	할 수 없는 것

➡ Jennifer ______________ well, but she ______________ at all. (swim, skate)

전략 4 조동사 must, have to, should의 쓰임을 알아둘 것!

조동사	용법	의미	부정형
must	필요·의무	~해야 한다 (= have to)	must not [❶ (줄임말)]
	강한 추측	~임에 틀림없다	cannot (~일리가 없다)
should	의무·충고·제안	~해야 한다	should not [shouldn't]

주의 must와 have to는 둘 다 '~해야 한다'라는 의무를 나타내지만 부정문에서는 의미가 서로 ❷ ___.

must not	금지	~해서는 안 된다
don't[doesn't] have to	불필요	~할 필요가 없다

You **must not** go there. 너는 거기 가서는 안 된다. 〈금지〉
You **don't have to** go there. 너는 거기 갈 필요가 없다. 〈불필요〉

주의 have to는 시제와 주어의 인칭 또는 수에 따라 형태를 바꿔 쓴다.
She **has to** finish her homework by Friday. 그녀는 금요일까지 숙제를 끝내야 한다.

답 ❶ mustn't ❷ 다르다

필수 예제

다음 중 밑줄 친 부분의 의미가 나머지 넷과 다른 것은?

① You must hurry up.
② Everyone must follow the rules.
③ She must be his daughter.
④ I must go to the dentist now.
⑤ We must not waste money.

문제 해결 전략
조동사 must는 필요·의무를 나타낼 때 '❶ ___'라고 해석하며, 강한 ❷ ___을 나타낼 때 '~임에 틀림없다'라고 해석한다.

답 ③ / ❶ ~해야 한다 ❷ 추측

확인 문제

1 다음 우리말을 영어로 옮길 때 빈칸에 들어갈 말로 알맞은 것은?

> 그녀는 내일 수업이 없어서 학교에 갈 필요가 없다.
> ➡ She has no classes tomorrow, so she ________ go to school.

① shouldn't　② must not
③ doesn't must　④ doesn't have to
⑤ don't have to

2 다음 그림 속 남학생에게 할 충고를 알맞게 완성하시오. (단, 조동사 should와 괄호 안의 단어를 이용할 것)

➡ You ________________ too many sweets. (eat)

1주 3일 필수 체크 전략 ❷

1 다음 빈칸에 들어갈 말이 순서대로 바르게 짝지어진 것은?

> • This fish ________ fresh. You must not eat it.
> • Ellen and Selena ________ very close last year, but they are best friends now.

① aren't ··· wasn't
② isn't ··· weren't
③ isn't ··· aren't
④ wasn't ··· isn't
⑤ weren't ··· wasn't

문제 해결 전략

첫 번째 문장의 주어 This fish는 3인칭 단수이고, 두 번째 문장의 주어 Ellen and Selena는 and로 연결되어 있으므로 ❶ ________ 이다. 과거를 나타내는 yesterday, ago, last 등이 함께 쓰였을 때 be동사의 과거형인 was 또는 ❷ ________ 를 쓴다.

답 ❶ 복수 ❷ were

2 다음 두 사람에 대한 표의 내용과 일치하도록 대화를 완성하시오. (단, 현재형으로 쓸 것)

	nationality	job	age
Lucy	Canada	vet	28
Paul	England	chef	28

> **A:** Is Lucy from Canada?
> **B:** (1) ________, ________ ________.
> **A:** Is Paul a vet?
> **B:** (2) ________, ________ ________. (3) ________ a chef.
> **A:** (4) ________ Lucy and Paul the same age?
> **B:** Yes, (5) ________ ________.

문제 해결 전략

be동사의 현재형 의문문은 주어가 3인칭 단수일 때 「Is+주어 ~?」이고, 주어가 you이거나 또는 복수일 때는 「❶ ________ +주어 ~?」이다. be동사의 의문문에 대한 긍정의 대답은 「Yes, 주어+❷ ________.」이고, 부정의 대답은 「No, 주어+be동사+not.」이다.

답 ❶ Are ❷ be동사

>> 정답과 해설 6쪽

3 다음 문장 중 어법상 옳은 것은?

① Sarah can plays the guitar.
② They won't go to the concert.
③ He can isn't speak Spanish.
④ Am I may borrow your notebook?
⑤ I will can finish the work in a week.

문제 해결 전략

조동사 다음에는 ❶ ______ 이 와야 하며, 두 개의 조동사를 나란히 쓸 수 ❷ ______. 조동사의 부정문은 「주어+조동사+not+동사원형 ~.」이고, 의문문은 「조동사+주어+동사원형 ~?」으로 쓴다.

답 ❶ 동사원형 ❷ 없다

4 〈보기〉에서 알맞은 표현을 골라 주어진 문장과 같은 의미의 문장을 완성하시오. (단, 필요시 형태를 바꿀 것)

보기
have to　　　be able to

(1) Anna must stay home.

Anna ______________________.

(2) Chimpanzees can use tools.

Chimpanzees ______________________.

문제 해결 전략

have to는 '~해야 한다'라는 의미로 의무를 나타내는 조동사 ❶ ______ 와 바꿔 쓸 수 있다. be able to는 '~할 수 있다'라는 의미로 능력, 가능을 나타내는 조동사 ❷ ______ 과 바꿔 쓸 수 있다.

답 ❶ must ❷ can

5 다음 그림 속 남학생이 여학생에게 한 충고를 〈조건〉에 맞게 완성하시오.

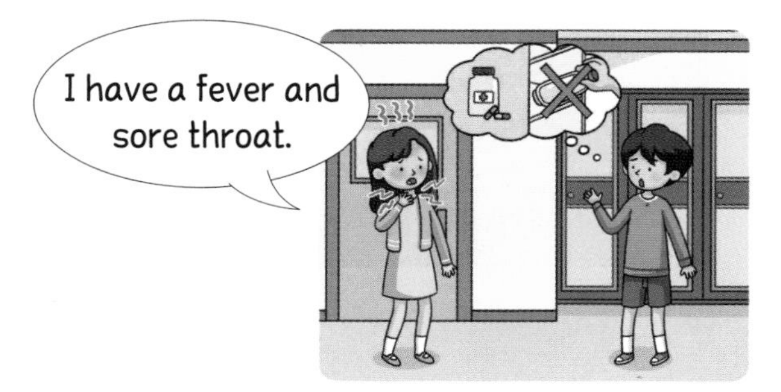

조건
조동사 should와 괄호 안의 표현을 이용할 것

(1) You ______________________. (take some medicine)

(2) You ______________________. (drink cold water)

문제 해결 전략

조동사 should는 must보다 강제성이 약하며 주로 상대방에게 ❶ ______ (이)나 제안을 할 때 사용한다. should 다음에는 동사원형을 써야 하고 부정형은 should not이며 줄임말은 ❷ ______ 이다.

답 ❶ 충고[조언] ❷ shouldn't

1주 4일 교과서 대표 전략 ❶

대표 예제 1

다음 빈칸에 들어갈 말로 알맞은 것은?

> Is this a ________?

① hamster ② album
③ island ④ salt
⑤ blueberries

Tip

부정관사 a나 an은 셀 수 ❶ ________ 명사의 단수형 앞에 쓴다. 첫소리가 ❷ ________ 인 단어 앞에는 a를 쓰고, 첫소리가 모음인 단어 앞에는 an을 쓴다.

답 ❶ 있는 ❷ 자음

대표 예제 2

다음 중 명사의 복수형이 바르게 연결된 것은?

① sheep … sheeps
② fox … foxes
③ body … bodys
④ roof … rooves
⑤ class … classies

Tip

대부분의 명사는 -s를 붙여 복수형을 만든다. -s, -x, -sh, -ch, -o로 끝나는 명사는 ❶ ________ 를 붙여 복수형을 만든다. sheep, fish, deer 등은 단수와 복수의 형태가 ❷ ________.

답 ❶ -es ❷ 같다

대표 예제 3

다음 중 어법상 어색한 것은?

① a piece of cake ② a bottle of water
③ three slices of cheese ④ two cups of tea
⑤ four spoons of sugars

Tip

cake, water, cheese, tea, sugar는 모두 셀 수 ❶ ________ 명사로, 측정하는 ❷ ________ 나 담는 용기를 사용하여 수량을 나타낸다.

답 ❶ 없는 ❷ 단위

대표 예제 4

다음 단어 카드 중 필요 없는 단어 하나를 제외하고 나머지 네 개의 단어로 문장을 완성하시오.

my	me	singer	favorite	she's

➡ ________________________________

Tip

주어진 단어 카드 중 주어와 동사를 나타내는 것은 she's로 ❶ ________ 의 줄임말이다. my는 '나의'라는 뜻의 소유격이고 me는 '❷ ________'이라는 의미로 목적격이다.

답 ❶ she is ❷ 나를

>> 정답과 해설 7쪽

대표 예제 5

다음 밑줄 친 부분을 괄호 안의 단어로 바꿔 쓸 수 있는 것은?

① Is that Jennifer's hat? (→ hers)

② It is my father's car. (→ his)

③ The book's cover is yellow. (→ It's)

④ My brother and I are very different. (→ Us)

⑤ You shouldn't lie to your parents. (→ their)

Tip

소유격은 명사 앞에서 그 명사가 누구의 것인지를 나타내고, 소유대명사는 「❶ ______격+명사」를 대신한다. it의 소유격은 ❷ ______이다.

답 ❶ 소유 ❷ its

대표 예제 6

다음 중 밑줄 친 부분의 쓰임이 나머지 넷과 다른 것은?

① It was too expensive.

② It was a nice party.

③ It is Children's Day today.

④ It was a letter from Mina.

⑤ It is in front of the tall tree.

Tip

시간, 날짜, 요일, 날씨 등을 나타낼 때 ❶ ______ 주어 it을 쓴다. 비인칭 주어 it은 해석하지 않지만 대명사 it은 '❷ ______'이라고 해석한다.

답 ❶ 비인칭 ❷ 그것

대표 예제 7

다음 빈칸에 들어갈 말이 나머지 넷과 다른 것은? (단, 현재형으로 할 것)

① It ________ Kevin's dog.

② China ________ a big country.

③ Ross ________ very active.

④ Their child ________ in the kitchen.

⑤ Becky and her sister ________ diligent.

Tip

주어가 3인칭 단수일 때 be동사의 현재형은 ❶ ______를 쓰며, 주어가 복수일 때 be동사의 현재형은 ❷ ______를 쓴다.

답 ❶ is ❷ are

대표 예제 8

주어진 우리말을 〈조건〉에 맞게 영작하시오.

조건
괄호 안의 표현과 줄임말을 이용하여 5단어로 쓸 것

그들은 수학을 잘하지 않는다. (be good at, math)

➡ ________________________________

Tip

be동사 현재형의 부정문은 「주어+am / are / is+❶ ______ ~.」의 형태이다. are not과 is not은 줄여 쓸 수 ❷ ______.

답 ❶ not ❷ 있다

대표 예제 9

다음 대화의 빈칸에 알맞은 답을 쓰시오.

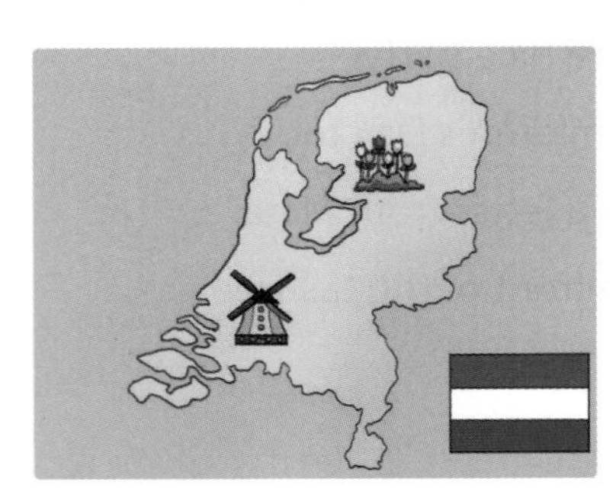

A: Are you and Kyle from Denmark?
B: ________, ________ ________. We're from the Netherlands.

Tip

질문의 주어가 you를 포함한 복수이므로 대답을 할 때 주어는 ❶ ________가 되어야 하며 be동사는 ❷ ________를 쓴다.

답 ❶ we ❷ are

대표 예제 10

다음 중 어법상 어색한 것은?

① You're a good soccer player.
② I'm not from New Zealand.
③ Is this suitcase yours?
④ Mr. Jones aren't my neighbor.
⑤ Annie and I are in the yoga club.

Tip

I am의 줄임말은 I'm이고, you are의 줄임말은 ❶ ________이다. and로 연결된 두 명 이상이 주어일 때 be동사의 현재형은 ❷ ________를 쓴다.

답 ❶ you're ❷ are

대표 예제 11

다음 그림을 보고, 두 사람의 대화를 알맞게 완성하시오.

A: Jiwon, ________ you absent from school yesterday?
B: Yes, ________ ________. I ________ in the hospital yesterday.

Tip

yesterday, ago, last 등과 함께 쓰일 때 be동사는 과거형을 써야 한다. 주어가 I일 때 be동사의 과거형은 ❶ ________이고, 주어가 you일 때 be동사의 과거형은 ❷ ________이다.

답 ❶ was ❷ were

대표 예제 12

다음 표는 두 사람이 할 수 있는 것과 할 수 없는 것을 나타낸 것이다. 표의 내용과 일치하는 것은?

	프랑스어	파도타기	기타 연주
Claire	×	○	○
Steve	○	×	○

① Claire can speak French.
② Claire can't surf.
③ Steve can play the guitar.
④ Steve can't speak French.
⑤ Claire and Steve can surf.

Tip

조동사 can은 '~할 수 있다'라는 의미로 주어의 능력이나 가능을 나타낸다. 조동사 다음에는 ❶ ________이 오고, can의 부정형은 cannot 또는 ❷ ________이다.

답 ❶ 동사원형 ❷ can't

>> 정답과 해설 7쪽

대표 예제 13

다음 빈칸에 공통으로 들어갈 말로 알맞은 것은?

- You ________ return books within two weeks. (너는 2주 안에 책을 반납해야 한다.)
- Jake ________ be very angry. (Jake는 매우 화가 났음이 틀림없다.)

① will ② must ③ may
④ can ⑤ has to

Tip

조동사 must는 '~해야 한다'라는 의미의 필요나 ❶ ________ 를 나타내며, '~임에 ❷ ________ '라는 의미의 강한 추측을 나타내기도 한다.

답 ❶ 의무 ❷ 틀림없다

대표 예제 14

조동사 should와 괄호 안의 단어를 이용하여 그림 속 여학생에게 할 충고를 완성하시오.

You ____________ using your cell phone before bed. (stop)

Tip

조동사 should는 충고할 때 주로 쓰이며 '❶ ________ '라고 해석한다. 조동사 뒤에는 동사의 ❷ ________ 이 온다.

답 ❶ ~해야 한다 ❷ 원형

대표 예제 15

다음 중 어법상 옳은 문장의 개수로 알맞은 것은?

ⓐ My sister cans ride a bike.
ⓑ The rumor may is true.
ⓒ You not may open the box.
ⓓ Should I say sorry to him?
ⓔ Robots will can do many things for us.

① 1개 ② 2개 ③ 3개
④ 4개 ⑤ 5개

Tip

조동사는 주어의 인칭이나 수에 따라 형태가 변하지 ❶ ________ . 조동사 뒤에는 항상 동사원형이 오고, will can과 같이 조동사 두 개를 나란히 쓸 수 ❷ ________ .

답 ❶ 않는다 ❷ 없다

대표 예제 16

다음 두 문장이 같은 의미가 되도록 will, may, should 중 알맞은 조동사를 골라 문장을 완성하시오.

(1) Can I take pictures here?
= ________ I ________ pictures here?

(2) He is going to throw a surprise party for her.
= He ________ ________ a surprise party for her.

Tip

조동사 can이 '~해도 좋다'라는 허가의 의미를 나타낼 때 조동사 ❶ ________ 로 바꿔 쓸 수 있다. be going to는 가까운 ❷ ________ 의 일이나 계획을 나타낸다.

답 ❶ may ❷ 미래

1주 4일 교과서 대표 전략 ❷

1 다음 빈칸에 들어갈 말로 알맞은 것은?

A: Are these your gloves?
B: No, they're not ______. They're Sarah's.

① my ② mine ③ his ④ yours ⑤ hers

Tip
빈칸 다음에 명사가 없으므로 빈칸에는 소유격을 쓸 수 ❶______. 소유대명사는 「소유격+❷______」를 나타낸다.

답 ❶ 없다 ❷ 명사

2 다음 밑줄 친 ①~⑤ 중 어법상 어색한 것은?

Mr. and Ms. Page have ①a farm. ②This's ③their farm. ④It's really big. There are many ⑤animals in the farm.

Tip
farm은 셀 수 있는 명사이다. Mr. and Ms. Page는 인칭대명사 ❶______로 바꿔 쓸 수 있으며, It's는 ❷______의 줄임말이다. There are 뒤에는 복수 명사가 온다.

답 ❶ they ❷ It is

서술형

3 다음 표를 보고, 빈칸에 알맞은 be동사를 써넣어 글을 완성하시오.

	출신	나이	작년과 올해 가입한 동아리
Yuna	Korea	14살	춤 동아리
Wei	China	14살	춤 동아리

Hi, my name ______ Yuna. I ______ from Korea. My best friend ______ Wei. She ______ from China. She and I ______ fourteen years old. We ______ in the dance club now. We ______ in the dance club last year too.

Tip
주어가 3인칭 단수일 때 be동사의 현재형은 ❶______이고, 주어가 복수일 때 be동사의 현재형은 ❷______이다.

답 ❶ is ❷ are

4 다음 그림을 설명한 문장의 빈칸에 들어갈 말로 알맞은 것은?

➡ There are ______ on the plate.

① three piece of cakes
② three pieces of cakes
③ three pieces of cake
④ three piece of a cake
⑤ three pieces of the cakes

Tip
'케이크 한 조각'은 a ❶______ of cake로 나타낸다. 복수형을 나타낼 때는 단위나 용기를 ❷______으로 쓴다.

답 ❶ piece ❷ 복수형

>> 정답과 해설 8쪽

5 다음 빈칸에 들어갈 수 없는 것은?

We should ________________.

① honest with others
② change our clothes
③ wear seat belts
④ pay attention in class
⑤ protect our environment

Tip
should는 '❶ ______'라는 의미의 의무나 충고를 나타내는 조동사이며 조동사 다음에는 동사의 ❷ ______이 온다.

답 ❶ ~해야 한다 ❷ 원형

서술형

6 다음 그림을 보고, 우리말과 일치하도록 대화를 알맞게 완성하시오.

A: Should I feed Bolt? (제가 Bolt 밥을 줘야 하나요?)
B: No, ________ ________ ________ ________. I already fed him. (아니, 너는 그럴 필요 없어. 내가 이미 밥을 줬어.)

Tip
'~할 필요가 없다'라는 의미의 대답은 don't ❶ ______ to를 이용한다. should not[shouldn't]은 '~해서는 ❷ ______'라는 의미임에 유의한다.

답 ❶ have ❷ 안 된다

7 다음 중 짝지어진 대화가 어색한 것은?

① A: Are you and Patrick brothers?
B: Yes, we are.
② A: Were you busy yesterday?
B: Yes, I was.
③ A: Is the Taj Mahal in Thailand?
B: No, it isn't. It's in India.
④ A: Can you help me with my homework?
B: Sure, I can.
⑤ A: May I touch the animals?
B: No, you may aren't.

Tip
be동사의 의문문에 대한 긍정의 답은 「Yes, 주어+❶ ______」로 하고, 부정의 답은 「No, 주어+be동사+not」으로 한다. 조동사 의문문에 대한 긍정의 답은 「Yes, 주어+조동사.」로 하고 부정의 답은 「No, 주어+조동사+❷ ______.」이다.

답 ❶ be동사 ❷ not

서술형

8 주어진 카드 중 알맞은 것을 골라 질문을 완성하시오.

draw	draws	he
cartoons	is	can

A: ________________________________
B: Yes, he can. He's really good at drawing cartoons.

Tip
조동사의 의문문은 「❶ ______+주어+동사원형 ~?」의 형태이다. B의 대답에 쓰인 조동사 ❷ ______으로 질문을 시작해야 한다.

답 ❶ 조동사 ❷ can

1주 누구나 합격 전략

1 다음 빈칸에 들어갈 말이 순서대로 바르게 짝지어진 것은?

- He is ______ honest student.
- Staff should wear ______ uniform.
- Bella painted a picture. ______ picture was wonderful.

① a … an … The ② a … a … An
③ an … a … The ④ an … an … A
⑤ the … an … The

2 다음 문장의 빈칸에 들어갈 수 없는 것은?

__________ eyes are big and beautiful.

① Its ② Your ③ Their
④ Hers ⑤ Jina's

3 다음 중 밑줄 친 부분의 의미가 나머지 넷과 다른 것은?

① Megan and I are at the gym.
② They are volleyball players.
③ Those boys are his sons.
④ My mom is a famous writer.
⑤ History is his favorite subject.

서술형

4 다음 문장을 괄호 안의 지시대로 바꿔 쓰시오.

(1) He is in the stadium. (주어를 They로)
➡ ______________________________

(2) Today is Regina's birthday. (부정문으로)
➡ ______________________________

(3) These songs are popular. (의문문으로)
➡ ______________________________

서술형

5 다음 그림을 보고, 대화를 알맞게 완성하시오.

(1)
A: Is Mr. Lee an English teacher?
B: ________, ________ ________. He teaches Chinese.
A: Where is he?
B: ________ in the classroom now.

(2)
A: ________ you and your friend at the theater last night?
B: Yes, ________ ________.

>> 정답과 해설 9쪽

서술형

6 조동사 must를 이용하여 다음 표지판의 의미를 완성하시오.

You ____________ throw away trash.

서술형

7 다음 그림 속 남학생에게 할 충고를 완성하시오. (단, 괄호 안의 단어를 이용할 것)

➡ You ______________________________.

(should, waste, water)

8 〈보기〉의 밑줄 친 부분과 같은 의미로 쓰인 것은?

보기

He can't speak Korean at all. He must be a foreigner.

① We must keep our promises.

② The baby must be very hungry.

③ Students must study for an exam.

④ They must make money for a living.

⑤ You must not give food to the guide dog.

9 다음 우리말을 어법상 바르게 영작한 것은?

① 그녀는 스케이트보드를 탈 수 있다.

➡ She is going to ride a skateboard.

② 그는 그의 방을 청소해야 한다.

➡ He has to clean his room.

③ 그들은 내일 일찍 일어날 필요가 없다.

➡ They must not get up early tomorrow.

④ 나는 다시는 늦지 않을게.

➡ I won't late again.

⑤ Aaron은 그녀의 전화번호를 알지도 모른다.

➡ Aaron must know her phone number.

서술형

10 다음 그림을 보고, 질문에 대한 대답을 〈조건〉에 맞게 쓰시오.

조건

1. 비인칭 주어를 이용할 것
2. 괄호 안의 표현을 이용하여 완전한 문장으로 쓸 것

(1)

A: What time is it now?

B: ____________________ (o'clock)

(2)

A: How was the weather in Hong Kong?

B: ____________________ (hot and sunny)

1주 창의·융합·코딩 전략 ①

1 다음 Step 1과 Step 2의 지시를 따르시오.

Step 1 빈칸에 a나 an 중 알맞은 것을 쓰시오.

(1) ___ tomato (2) ___ egg
(3) ___ onion (4) ___ ingredient
(5) ___ mushroom (6) ___ sandwich

Step 2 밑줄 친 ①~⑤ 중 어법상 어색한 것을 두 개 찾아 번호를 쓰고 바르게 고쳐 쓰시오.

Let's make delicious ①sandwichs!
Ingredients: a loaf of bread, two eggs, ②two slices of cheese, some ③butters, three ④mushrooms, two onions, three ⑤tomatoes

(1) ______ ➡ ______________
(2) ______ ➡ ______________

Tip

셀 수 있는 명사가 하나일 때 「부정관사 a[an]+명사」로 쓴다. 이때, 명사의 발음이 자음으로 시작하면 ❶ ________를 쓰고, 모음으로 시작하면 an을 쓴다. butter, water, salt 등과 같이 셀 수 없는 명사는 복수형이 ❷ ________.

답 ❶ a ❷ 없다

2 다음 그림 속 여학생이 자신에 대해 이야기한 내용을 참고하여 여학생을 소개하는 글을 완성하시오.

My name is Bomi. I'm in the first year of middle school. I'm really into fantasy books. These books are mine. My favorite book is the *Harry Potter* series. I'm not good at writing, but I want to be a writer some day.

Her name is Bomi. ________ in the first year of middle school. ________ really into fantasy books. These books are ________. ________ favorite book is the *Harry Potter* series. ________ ________ good at writing, but ________ wants to be a writer some day.

Tip

주어인 I를 she로 바꿀 때 인칭대명사 및 be동사의 형태에 주의해야 한다. she의 소유격은 her이고, 소유대명사는 ❶ ________이다. 주어가 she일 때 be동사는 is를 쓰고, she is는 ❷ ________로 줄여 쓴다.

답 ❶ hers ❷ she's

>> 정답과 해설 10쪽

3 다음 두 사람의 대화를 알맞게 완성하시오.

Anna: Are you busy now?

Eddie: No, (1) ________ ________. Why?

Anna: I have a favor to ask you. My family will go out to celebrate my mom's birthday this evening. (2) ________ ________ take care of my dog Mango?

Eddie: Sure, I can.

Anna: Thanks a lot!

Eddie: (3) ________ your dog friendly?

Anna: Yes, he is. You'll love him.

Tip

be동사의 의문문은 「❶ ________ +주어 ~?」로 나타내고 조동사의 의문문은 「❷ ________ +주어+동사원형 ~?」으로 나타낸다.

답 ❶ be동사 ❷ 조동사

4 (A)와 (B)에서 각각 알맞은 말을 골라 표지판이 나타내는 의미를 완성하시오. (단, 중복 사용 가능)

(A)

should　　shouldn't

(B)

feed animals
bring a pet
stay with an adult

Rules at the Zoo

- Children (1) ________ ________.
- Visitors (2) ________ ________. Human food may make them sick.
- Visitors (3) ________ ________ into the zoo.

Tip

조동사 should는 '~해야 한다'라는 의미로 의무나 충고, 제안 등을 나타낸다. 부정형인 should not은 줄여서 ❶ ________로 쓸 수 있으며 조동사 뒤에는 항상 동사의 ❷ ________이 온다.

답 ❶ shouldn't ❷ 원형

1주 창의·융합·코딩 전략 ❷

5 다음 Step 1과 Step 2의 지시를 따르시오.

Step 1 그림 속에서 우리말에 해당하는 표현을 찾아 쓰시오.

(1) 흥분한, 신이 난: ____________

(2) 활동적인: ____________

(3) 체육: ____________ ____________

Step 2 제시된 정보와 Step 1의 표현을 이용하여 글을 완성하시오. (단, 현재형으로 쓸 것)

> Hi, everyone. My name is Duri. I am from Busan. I ____________________. My favorite subject ____________________. I am on the baseball team. We'll have a big match this weekend. My team members and I ____________________ now!

Tip

be동사는 '~이다, (~에) 있다, (상태가) ❶ ________'라는 의미를 나타낸다. I가 주어일 때 be동사의 현재형은 am이고, and로 연결된 두 명 이상이 주어일 때 be동사의 현재형은 ❷ ________이다.

답 ❶ ~하다 ❷ are

6 다음 그림을 보고, be동사를 이용하여 〈보기〉와 같이 문장을 완성하시오.

an hour ago

now

보기

> The vase wasn't on the table an hour ago. It is on the table now.

(1) A Christmas tree ________ in the living room an hour ago. It ________ in the living room now.

(2) Two cats ________ in the box an hour ago. They ________ on the sofa now.

Tip

ago는 과거의 시점을 나타내며 '❶ ________'라는 의미이다. 따라서 한 시간 전의 일은 be동사의 과거형인 was나 ❷ ________를 이용해서 나타내야 한다. now는 '지금'이라는 의미이므로 be동사의 현재형과 함께 쓴다.

답 ❶ ~ 전에 ❷ were

5 다음 중 어법상 어색한 것은?

① He walks his dog every day.
② Mia broke her leg a month ago.
③ It will rain a lot tomorrow night.
④ They're plant some seeds now.
⑤ She didn't go to the movies yesterday.

Tip
매일 반복되는 습관은 ❶ ______ 시제로 나타내고, 현재 진행 중인 일시적인 동작은 현재 ❷ ______ 형으로 나타낸다.
답 ❶ 현재 ❷ 진행

서술형
6 다음 그림을 보고, 괄호 안의 단어를 이용하여 대화를 알맞게 완성하시오.

(1)

A: Does Olivia ________ climbing? (enjoy)
B: ________, ________ ________. She ________ climbing every weekend. (go)

(2)

A: Are they ________ TV now? (watch)
B: ________, ________ ________. They ________ ________ in a market. (shop)

Tip
의문문이 Does로 시작하면 대답도 ❶ ______ 를 이용하고, be동사로 시작하면 대답도 ❷ ______ 동사를 이용한다.
답 ❶ does ❷ be

서술형
7 다음 Luna의 일정표를 보고, Luna가 지난주에 한 일과 하지 않은 일을 나타낸 문장을 〈보기〉와 같이 완성하시오.

요일	할 일	실천 여부
Mon	(practice dancing)	○
Wed	(fix her bike)	×
Fri	(write a science report)	○
Sun	(meet her friends)	○

보기
Luna practiced dancing on Monday.

(1) Luna ______________________ on Wednesday.
(2) Luna ______________________ on Friday.
(3) Luna ______________________ on Sunday.

Tip
지난주에 한 일이므로 ❶ ______ 시제로 나타내야 한다. 하지 않았던 일은 동사원형 앞에 ❷ ______ 을 쓴다.
답 ❶ 과거 ❷ did not[didn't]

2주 누구나 합격 전략

1 다음 중 단어의 과거형이 바르게 짝지어진 것은?

① run ⋯ run
② know ⋯ knew
③ speak ⋯ speech
④ hit ⋯ hitted
⑤ keep ⋯ keeped

2 다음 중 빈칸에 Does[does]를 쓸 수 없는 것은?

① ________ the bank close at 4?
② My brother ________ not eat fish.
③ He ________ not want a new car.
④ ________ her parents work here?
⑤ It ________ not rain much in the desert.

3 다음 괄호 안에서 알맞은 것끼리 짝지어진 것은?

- The sun (A) (rises / rose) in the east.
- We (B) (performed / will perform) at the school festival next month.
- The accident (C) (happens / happened) about three hours ago.

	(A)	(B)	(C)
①	rises	⋯ performed	⋯ happens
②	rises	⋯ will perform	⋯ happens
③	rises	⋯ will perform	⋯ happened
④	rose	⋯ performed	⋯ happens
⑤	rose	⋯ will perform	⋯ happened

서술형

4 다음 그림을 보고, 주어진 표현을 이용하여 Stanley의 아침 일과를 완성하시오. (단, 현재형으로 쓸 것)

In the morning, Stanley gets up at 7. He ________ for half an hour, and then he ________ a shower. He ________ bread and milk for breakfast and ________ to school at 8:30.

서술형

5 다음 문장을 각각 부정문과 의문문으로 바꿀 때, 빈칸에 알맞은 말을 쓰시오.

(1) His sister studies art.
(부정문) ➡ His sister ________ ________ art.
(의문문) ➡ ________ his sister ________ art?

(2) They have much in common.
(부정문) ➡ They ________ ________ much in common.
(의문문) ➡ ________ they ________ much in common?

>> 정답과 해설 19쪽

서술형

6 다음 그림을 보고, 두 문장이 같은 의미가 되도록 빈칸에 알맞은 말을 쓰시오.

We will visit our grandparents' farm this weekend.
= We ________ ________ ________ visit our grandparents' farm this weekend.

7 다음 빈칸에 공통으로 들어갈 말로 알맞은 것은?

- It ________ going to be sunny in the afternoon.
- ________ Katie searching the Internet?

① do[Do]　② is[Is]
③ does[Does]　④ did[Did]
⑤ are[Are]

8 다음 우리말을 바르게 영작한 것은?

Lisa는 그녀의 숙제를 하지 않았다.

① Lisa didn't do her homework.
② Lisa didn't does her homework.
③ Lisa didn't did her homework.
④ Lisa wasn't do her homework.
⑤ Lisa doesn't did her homework.

9 다음 대화 중 어법상 어색한 것은?

① **A**: Is it snowing now?
B: Yes, it does.
② **A**: Do Mr. and Ms. Harris teach English?
B: Yes, they do.
③ **A**: Does Sam like math?
B: No, he doesn't.
④ **A**: Did she change her hairstyle?
B: Yes, she did.
⑤ **A**: Are you going to join the tennis club?
B: No, I'm not.

서술형

10 다음 그림을 보고, 〈조건〉에 맞게 글을 완성하시오.

조건
1. fly와 draw를 이용할 것
2. 진행시제를 이용할 것

Hajun ________________ a kite an hour ago. He ________________ a picture now.

2주 창의·융합·코딩 전략 ❶

1 다음 두 사람이 좋아하는 것과 싫어하는 것을 나타낸 정보를 보고, 문장을 알맞게 완성하시오. (단, 동사 like를 이용하여 현재형으로 쓰되, 부정문은 줄임말로 쓸 것)

Name / I like ~	Eunji	Taemin
webtoons	😊	😊
water sports	😊	☹
cookies	☹	☹

(1) Eunji and Taemin ____________ webtoons.

(2) Eunji ____________ water sports but Taemin ____________ water sports.

(3) Eunji and Taemin ____________ cookies.

Tip

주어가 Eunji 또는 Taemin일 때 일반동사의 3인칭 ❶ ______ 현재형으로 써야 한다. 주어가 Eunji and Taemin일 때 일반동사의 현재형은 동사의 ❷ ______으로 쓴다.

답 ❶ 단수 ❷ 원형

2 다음 인터뷰 내용을 바탕으로 기사를 완성하시오.

Hi, nice to meet you. Please say hello to our readers.

Hi, I'm happy to be here. I'm Annie Clark.

Tell me about your job, Annie.

I write children's books. I have many fans around the world.

What do you do in your free time?

I take pictures of animals and post them on my blog.

Annie Clark ________ children's books. She ________ many fans around the world. She ________ pictures of animals and ________ them on her blog in her free time.

Tip

인터뷰 내용을 기사로 바꿀 때 주어인 Annie Clark(She)는 3인칭 ❶ ______이고 현재시제로 나타내야 하므로 일반동사는 동사원형 다음에 ❷ ______나 -es가 붙은 형태로 쓴다.

답 ❶ 단수 ❷ -s

3 다음 그림을 보고, 괄호 안의 동사를 알맞게 고쳐 과거에 있었던 일을 설명한 문장을 완성하시오.

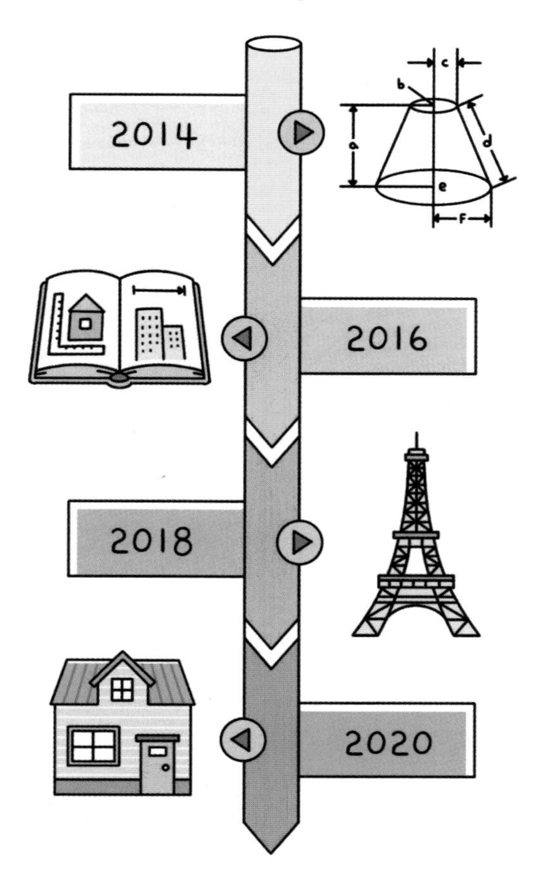

(1) I ________ math in high school in 2014. (teach)

(2) I ________ to study architecture in 2016. (begin)

(3) I ________ to Paris in 2018. (move)

(4) I ________ my first house in 2020. (build)

Tip

「in+과거년도」를 이용하여 과거의 시점을 나타내고 있으므로 일반동사는 모두 ❶ ________ 형으로 써야 한다. move의 과거형은 뒤에 ❷ ________ 를 붙여 만들고 teach, begin, build는 모두 과거형이 불규칙적으로 변하는 동사이다.

답 ❶ 과거 ❷ -d

4 다음 만화의 대사를 영어로 옮겼을 때, 밑줄 친 문장 ⓐ~ⓕ 중 어법상 어색한 것을 두 개 골라 기호를 쓴 뒤 바르게 고치시오.

Dan: ⓐ Did you watch the baseball game yesterday?
Amy: ⓑ No, I didn't. ⓒ I went home early. ⓓ Did our team won?
Dan: No. ⓔ We lose the game, but it was an exciting game. ⓕ Brad hit a homerun.
Amy: Wow, that's surprising!

(1) ____ : ________ ➡ ________

(2) ____ : ________ ➡ ________

Tip

어제 있었던 일을 이야기하고 있으므로 ❶ ________ 시제로 나타내야 한다. 일반동사 과거형의 의문문에서는 주어의 인칭이나 수에 관계없이 ❷ ________ 를 맨 앞에 쓰고 주어를 쓴 뒤 동사원형을 쓴다.

답 ❶ 과거 ❷ Did

5 다음 그림과 어울리는 내용끼리 연결하고 현재진행형 문장이 되도록 완성하시오.

(1) • • ⓐ play *baduk*

(2)

• • ⓑ cut the cake

(3)

• • ⓒ cry loudly

(4)

• • ⓓ make paper animals

(1) A girl ______________________.

(2) Two men ______________________.

(3) A boy ______________________.

(4) Two girls ______________________.

Tip

현재진행형은 「am/are/❶ [   ]+동사원형-ing」의 형태이다. cut과 같이 「단모음+단자음」으로 끝나는 단어는 마지막 ❷ [   ]을 한 번 더 쓰고 -ing를 붙인다.

답 ❶ is ❷ 자음

6 다음은 보미가 어제 했던 일을 시간별로 나타낸 것이다. 〈조건〉에 맞게 질문에 답하시오.

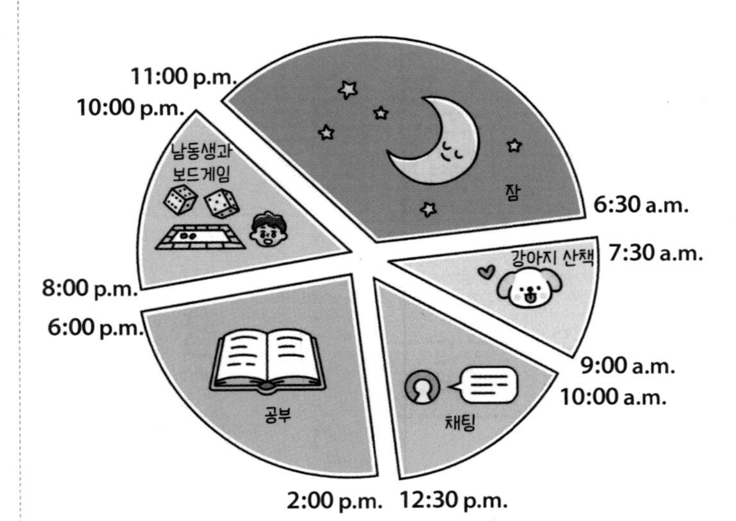

조건

1. 주어는 인칭대명사를 이용할 것
2. 과거진행형 문장으로 완성할 것
3. play board games, walk her dog, chat on the Internet을 각각 한 번씩 이용할 것

(1) What was Bomi doing at 8 a.m.?

➡ ______________________

(2) What was Bomi doing at 11 a.m.?

➡ ______________________

(3) What were Bomi and her brother doing at 9 p.m.?

➡ ______________________

Tip

대답할 때 Bomi는 인칭대명사 She로 바꿔 쓰고, Bomi and her brother는 3인칭 복수이므로 ❶ [   ]로 바꿔 쓴다. 과거진행형은 「was/ ❷ [   ]+동사원형-ing」의 형태로 '~하고 있었다'라고 해석한다.

답 ❶ They ❷ were

>> 정답과 해설 20쪽

7

다음 글을 읽고, 각 질문에 대한 답을 완성하시오.

> Eddie is from Toronto, Canada. He and his family live in Daegu. He likes skiing, but it does not snow very much in Daegu. Now he has a new hobby. On Saturdays, he goes climbing and takes pictures of nature. He will go back to Toronto next year, and he will take the new hobby with him.

(1) **Q**: Does Eddie live in Toronto now?

A: ________, he ________. He ________ in ________.

(2) **Q**: What does he do on Saturdays?

A: He ________ climbing and ________ ________ of nature.

(3) **Q**: Will he go back to Toronto?

A: Yes, he ________ ________ back there ________ ________.

Tip

주어인 Eddie는 3인칭 단수이므로 일반동사의 의문문은 ❶ ________로 시작하며 대답도 does를 이용해야 한다. 조동사 will은 '~일[할] 것이다'라는 의미로 ❷ ________의 일 또는 계획을 나타낸다.

답 ❶ Does ❷ 미래

8

다음은 세호가 제주도에서 할 일과 하지 않을 일을 나타낸 것이다. 괄호 안의 표현과 be going to를 이용하여 〈보기〉와 같이 완전한 문장을 쓰시오.

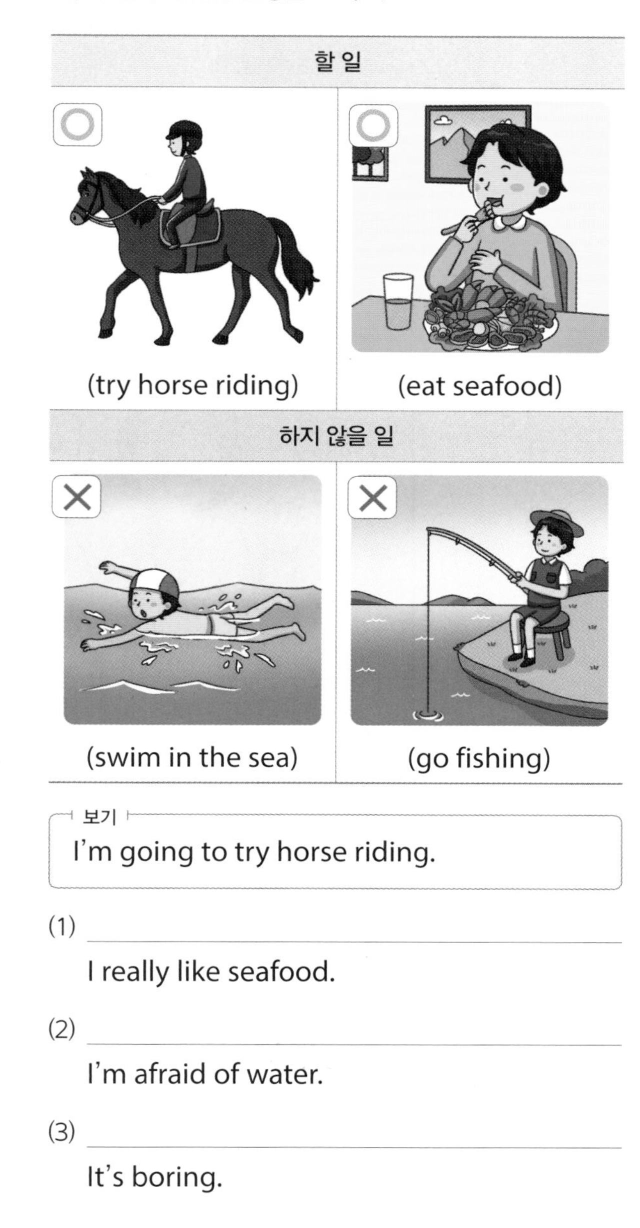

보기

I'm going to try horse riding.

(1) ______________________________

I really like seafood.

(2) ______________________________

I'm afraid of water.

(3) ______________________________

It's boring.

Tip

be going to 다음에 ❶ ________이 오면 '~할 것이다, ~할 예정이다'라는 의미로 미래의 계획을 나타낸다. 부정문은 be동사 다음에 ❷ ________을 쓴다.

답 ❶ 동사원형 ❷ not

BOOK 1 마무리 전략

1 〈보기〉에서 알맞은 단어 카드를 골라 만화를 완성하시오. (단, 한 번씩만 쓸 것)

보기

am	are	is	isn't	aren't
it	its	should	dishs	dishes

>> 정답과 해설 21쪽

2 괄호 안의 표현을 이용하여 그림의 상황에 맞게 각각 대화를 완성하시오.

(1)

Beth Let's watch *A Scary Place*.
Ted Well, I ❶ ____________ (like) horror movies. How about *Charlie and Me*?
Beth Sorry, but I already ❷ ____________ (see) it a week ago.

(2)

Lisa I ❶ ________________ (be going to, visit) *Andong Hahoe Village* next month.
Kevin I ❷ ____________ (visit) there last summer.
Lisa Really? ❸ ________________ (you, have) fun there?
Kevin Yes, I did. I ❹ ____________ (watch) a traditional mask dance and it was fun.

(3)

Ashley Are you ❶ ____________ (cook) dinner now?
Steve No, I ❷ ________________ (take) my cat to the vet.
Ashley ❸ ________________ (he, have) any problems?
Steve Yes, he does. He coughs and ❹ ____________ (sneeze) a lot.

신유형·신경향·서술형 전략

1 다음 표를 보고, 빈칸에 알맞은 말을 쓰시오. (단, 현재형으로 쓸 것)

Name	Age	Hometown	Nickname	Interest
Amelia	14	France	Little Picasso	Korean dramas
Jonathan	14	Mexico	Chatterbox	Korean dramas

(1) Amelia ______ 14 years old. She ______ from France. Her nickname ______ Little Picasso.

(2) **A**: ______ Jonathan from Spain?

B: No, ______ ______. ______ from Mexico.

(3) Amelia and Jonathan ______ interested in Korean dramas.

Tip

be동사는 '~이다, (~에) 있다, (상태가) ~하다'라는 의미로, 주어의 인칭과 수에 따라서 형태가 ❶ ______. be동사의 의문문에 대한 대답이 긍정이면 「Yes, 주어+be동사.」로, 부정이면 「No, 주어+be동사+❷ ______.」으로 답한다. 답할 때 주어는 인칭대명사를 쓴다.

답 ❶ 다르다 ❷ not

2 다음 문장의 밑줄 친 부분을 괄호 안의 수로 바꿔 문장을 다시 쓰시오.

(1) I have a puppy. (three)

➡ ______________________________

(2) We saw a mouse in the attic. (five)

➡ ______________________________

(3) She drinks a glass of water every morning. (two)

➡ ______________________________

Tip

셀 수 있는 명사의 복수형을 만들 때 「자음+y」로 끝나는 명사는 y를 i로 고치고 ❶ ______를 붙인다. 복수형이 불규칙하게 변하는 명사는 mouse, tooth, foot, man, woman, child 등이 있다. 셀 수 없는 명사의 수는 담는 용기를 ❷ ______형으로 만든다.

답 ❶ -es ❷ 복수

3 다음 그림을 보고, 대화의 빈칸에 공통으로 들어갈 말을 쓰시오.

A: What time is ______ now?

B: ______ is 1:30 p.m.

Tip

시간, 날씨, 요일, 계절 등을 나타낼 때 비인칭 주어 ❶ ______을 쓴다. 이때 it은 해석하지 ❷ ______.

답 ❶ it ❷ 않는다

>> 정답과 해설 22쪽

4 다음 그림을 보고, 각 인물에게 해야 할 말을 조동사 must와 〈보기〉의 표현들을 이용하여 완성하시오.

보기

run	talk on the phone
take pictures	stay behind the line

(1) You ______________________.

(2) You ______________________.

(3) You ______________________.

(4) You ______________________.

Tip

조동사 must는 '~해야 한다'라는 의미로 의무를 나타낸다. 금지를 나타낼 때는 must ❶ ______을 쓴다. 조동사 다음에는 항상 동사의 ❷ ______을 써야 한다.

답 ❶ not ❷ 원형

5 주어진 문장을 괄호 안의 지시대로 잘못 바꾼 학생의 이름을 쓰고 문장을 바르게 고쳐 쓰시오.

Dain

① Her favorite color is blue. (의문문으로)
➡ Is her favorite color blue?

Haram

② The man is lying on the grass. (부정문으로)
➡ The man isn't lying on the grass.

Yura

③ They picked up some oranges. (과거진행형으로)
➡ They were picking up some oranges.

Jaemin

④ Gabrielle swims in the pool. (과거시제로)
➡ Gabrielle swam in the pool.

Sohee

⑤ He doesn't have enough clothes. (과거시제로)
➡ He doesn't had enough clothes.

잘못 바꾼 학생: ________ ➡ ______________________

Tip

be동사의 의문문은 「❶ ______동사+주어 ~?」의 형태이다. 진행시제의 부정문은 be동사 다음에 not을 쓴다. 일반동사 swim의 과거형은 ❷ ______이다. 일반동사의 과거형 부정문은 주어의 인칭과 수에 관계없이 동사원형 앞에 ❸ ______을 쓴다.

답 ❶ be ❷ swam ❸ did not[didn't]

6 다음 두 사람의 정보를 나타낸 표를 보고, 〈보기〉와 같이 문장을 완성하시오. (단, 현재형으로 쓰고, 부정문은 줄임말을 이용할 것)

	Yumi	Sejin
like action movies	○	×
(1) keep a diary	○	×
(2) have a brother	×	○
(3) walk to school	×	×

보기
Yumi likes action movies, but Sejin doesn't like action movies.

(1) Yumi ____________, but Sejin ____________.
(2) Yumi ____________, but Sejin ____________.
(3) Yumi and Sejin ____________.

Tip
3인칭 단수(he / she / it)가 주어일 때 일반동사의 현재형은 동사원형에 -(e)s를 붙여 만들고 부정문은 동사원형의 ❶ ______에 doesn't를 쓴다. have는 불규칙하게 변화하는 동사로서 3인칭 단수 현재형은 ❷ ______이다.

답 ❶ 앞 ❷ has

7 다음 그림을 보고, 〈보기〉의 단어를 과거형으로 바꿔 글을 완성하시오. (단, 한 번씩만 쓸 것)

보기
go have ride take buy enjoy

Last Saturday, Suho and I ________ to the amusement park. We ________ a roller coaster and really ________ it. Also, we ________ many photos and ________ some souvenirs. We ________ a lot of fun.

Tip
일반동사의 과거형은 동사원형 다음에 ❶ ______를 붙여 만든다. 〈보기〉에서 go, have, ride, ❷ ______, buy는 불규칙하게 변화하는 동사이다.

답 ❶ -(e)d ❷ take

>> 정답과 해설 22쪽

8 다음 그림을 보고, 〈조건〉에 맞게 대화를 완성하시오.

조건

play, surf, make를 각각 한 번씩 이용하여 현재진행형 문장으로 완성할 것

Mom: What is everybody doing?
John: I'm (1) ____________ a sandcastle. Monica and Justin (2) ____________ with a ball. Michelle (3) ____________ in the ocean.

Tip

현재진행형은 「am/are/is+동사원형-ing」로 나타낸다. 3인칭 단수가 주어일 때 be동사는 is를 써야 하고, and로 연결된 두 명 이상이 주어일 때 be동사는 ❶ ________를 써야 한다. make는 ❷ ________를 삭제하고 -ing를 붙여야 한다.

답 ❶ are ❷ e

9 지수네 가족의 다음 주 일정표를 보고, be going to를 이용하여 각 인물의 계획을 〈보기〉와 같이 완성하시오.

보기

Dad is going to wash his car next Monday.

(1) Dad and Mom ________________________ next Tuesday.

(2) Jisu ________________________ next Wednesday.

(3) Jiwon ________________________ next Thursday.

(4) Jisu and Jiwon ________________________ next Friday.

Tip

be going to는 '~할 것이다, ~할 예정이다'라는 뜻으로 ❶ ________의 계획을 나타낸다. be going to 다음에는 ❷ ________이 온다.

답 ❶ 미래 ❷ 동사원형

적중 예상 전략 | ❶

1 다음 빈칸에 들어갈 수 없는 것은?

_______ are interested in music.

① We ② My cousin
③ His sisters ④ Those children
⑤ Dave and I

2 다음 중 명사의 복수형이 잘못 짝지어진 것은?

① box … boxes ② baby … babies
③ scarf … scarves ④ foot … foots
⑤ plant … plants

3 다음 그림 속 남학생의 질문에 대한 여자의 대답으로 알맞은 것은?

① Yes, you may. ② No, you may not.
③ Sure, I can. ④ No, I won't.
⑤ I'm sorry, but I can't.

4 다음 밑줄 친 부분을 알맞은 인칭대명사로 바꾼 것을 모두 고르면?

① This is Mr. and Ms. Miller's car.
➡ their

② They help my sister and me a lot.
➡ we

③ I have a cat. The cat's name is Blacky.
➡ Its

④ I will borrow his sunglasses.
➡ him

⑤ Are you and Toby classmates?
➡ your

5 다음 문장을 줄임말로 바꿔 쓴 문장이 어법상 옳은 것은?

① I am not nervous.
➡ I amn't nervous.

② It is her new album.
➡ Its her new album.

③ She is not on her way home.
➡ She isn't on her way home.

④ This is my sister's guitar.
➡ This's my sister's guitar.

⑤ They were not happy about the news.
➡ They wasn't happy about the news.

6 다음 그림을 보고, 빈칸에 들어갈 말이 순서대로 바르게 짝지어진 것은?

A: Are these shoes ________?
B: No, they aren't. ________ are black ones.

① Julie ··· Her
② Julie's ··· She's
③ Julie's ··· Hers
④ her ··· She's
⑤ her ··· Hers

7 다음 중 밑줄 친 부분의 의미가 나머지 넷과 다른 것은?

① You must do your best.
② Andrew must be very sick.
③ You must wear a helmet.
④ We must recycle things.
⑤ People must wait for a green light.

8 다음 중 밑줄 친 부분이 〈보기〉의 It과 쓰임이 다른 것은?

보기
It will be a cold winter.

① It is five to eleven.
② It is a cool movie.
③ Was it rainy last night?
④ It is Doran's birthday today.
⑤ It is about ten kilometers from here.

9 다음 중 짝지어진 대화가 어색한 것은?

① A: Are you in the baseball club?
B: No, we aren't.
② A: Is Ms. Lewis a famous actress?
B: Yes, she is.
③ A: Was your brother in Seattle last year?
B: No, he isn't.
④ A: Can Martin and Jean play tennis?
B: Yes, they can.
⑤ A: Should I finish this by tomorrow?
B: Yes, you should.

10 다음 중 어법상 어색한 부분을 잘못 고친 학생은?

① He should pays the bill.

pays는 pay로 고쳐야 해.

② We not must drink too much soda.

not must는 aren't must로 고쳐야 해.

③ I willn't meet him again.

willn't는 won't로 고쳐야 해.

④ My sister have to study for the test.

have to는 has to로 고쳐야 해.

⑤ Will you going to skate this weekend?

Will은 Are로 고쳐야 해.

11 다음 중 밑줄 친 부분의 의미가 옳은 것은?

① The story may be true. (허가)
② Adrian must be a liar. (의무)
③ I can speak Spanish fluently. (허가)
④ He is going to wash his car. (의무)
⑤ Can you give me a ride to the station? (요청)

12 다음 중 어법상 옳은 문장의 개수로 알맞은 것은?

보기
ⓐ Sophia is a fashion designer.
ⓑ The books aren't interesting.
ⓒ Is this red cap yours?
ⓓ Ruth and I was in the classroom then.
ⓔ The strong sunlight isn't good for skin.

① 1개 ② 2개 ③ 3개
④ 4개 ⑤ 5개

13 다음 두 문장의 뜻이 서로 다른 것은?

① Drivers must slow down here.
= Drivers have to slow down here.
② May I take off my shoes?
= Can I take off my shoes?
③ She can solve this puzzle.
= She is able to solve this puzzle.
④ I'm going to watch a musical.
= I will watch a musical.
⑤ You must not stay there.
= You don't have to stay there.

서술형

14 다음 그림은 하준이가 할 수 있는 것과 할 수 없는 것을 나타낸 것이다. 조동사 can과 괄호 안의 표현을 이용하여 문장을 완성하시오.

할 수 있는 것	(play the guitar)
할 수 없는 것	(ride a horse)

(1) 할 수 있는 것: Hajun ______________.
(2) 할 수 없는 것: Hajun ______________.

서술형

15 다음 두 사람에 대한 정보를 보고, 대화를 알맞게 완성하시오. (단, 현재형을 쓸 것)

이름	나이	출신지	성격
Alice	14	New Zealand	active
Matt	14	Switzerland	active

(1) **A**: Are Alice and Matt the same age?
B: ________, ________ ________.
(2) **A**: Is Matt from New Zealand?
B: ________, ________ ________. He's from Switzerland.
(3) **A**: ________ Alice and Matt shy?
B: No, ________ ________. ________ active.

>> 정답과 해설 23쪽

서술형

16 다음 문장을 각각 괄호 안의 지시대로 바꿔 쓰시오.

(1) I am angry at you.
(부정문으로)
➡ ______________________

(2) She will go there by bus.
(의문문으로)
➡ ______________________

(3) These are our photos.
(밑줄 친 부분을 인칭대명사로)
➡ ______________________

(4) She is in the park now.
(밑줄 친 부분을 yesterday로)
➡ ______________________

서술형

17 조동사 should와 괄호 안의 표현을 이용하여 다음 두 사람에게 할 충고를 완성하시오.

	고민	충고
Terry	학교에 지각하는 것	일찍 자러 갈 것 (go to bed early)
Olivia	용돈을 낭비하는 것	필요 없는 것들을 사지 말 것 (buy unnecessary things)

(1) Terry, you ______________________.

(2) Olivia, you ______________________.

서술형

18 다음 그림을 보고, 빈칸에 알맞은 말을 쓰시오.

A: What's the weather like in Yeosu?
B: ________ is snowy.

서술형

19 다음 그림을 보고, 두 문장의 의미가 같도록 빈칸에 알맞은 말을 쓰시오.

You must water the plants three times a week.
= You ________ ________ water the plants three times a week.

적중 예상 전략 | ❷

1 다음 중 동사의 3인칭 단수 현재형이 잘못 짝지어진 것은?

① pay … pays ② copy … copyes
③ push … pushes ④ solve … solves
⑤ discuss … discusses

2 다음 빈칸에 들어갈 말이 순서대로 바르게 짝지어진 것은?

> Jasmine ________ up early and ________ jogging every day.

① get … go ② get … going
③ got … goes ④ gets … go
⑤ gets … goes

3 다음 빈칸에 공통으로 들어갈 말로 알맞은 것은?

> • It ________ not going to happen again.
> • The winner ________ waving the flag.

① is ② are ③ do
④ does ⑤ will

4 다음 중 질문에 대한 대답이 어색한 것은?

① **A**: Were you sweeping the floor then?
B: No, I wasn't.

② **A**: Do the boys live close to the school?
B: No, they don't.

③ **A**: Does the concert end before 7?
B: Yes, it does.

④ **A**: Did Mr. Watson answer the phone?
B: No, he wasn't.

⑤ **A**: Is Mindy going to study Chinese this summer?
B: Yes, she is.

[5~6] 다음 빈칸에 들어갈 수 없는 것을 고르시오.

5

> Angela didn't ________________.

① call her mom ② practice the piano
③ take the subway ④ go see a doctor
⑤ sent the letter to me

6

> We found the missing dog ____________.

① then ② tomorrow
③ yesterday ④ last month
⑤ ten minutes ago

>> 정답과 해설 25쪽

7 다음 밑줄 친 ⓐ ~ ⓖ 중 어법상 옳은 것의 개수는?

Last weekend, Eugene ⓐ volunteered at a children's hospital near her home. Some of the children there were bored. She ⓑ read to them and ⓒ played with them. She ⓓ cheered them up and they all ⓔ haved a great time. She ⓕ feeled happy when she ⓖ saw their smiles.

① 2개 ② 3개 ③ 4개 ④ 5개 ⑤ 6개

8 다음 밑줄 친 부분 중 어법상 어색한 것은?

① Jay is setting the table.

② They are staying at their uncle's.

③ My dog is lieing on the grass.

④ The foxes are hiding behind the rocks.

⑤ We are acting out Shakespeare's play.

9 다음 우리말을 바르게 영작한 것은?

그는 직장으로 차를 운전하고 있던 중이었니?

① Was he driving to work?

② Did he drove to work?

③ Were he driving to work?

④ Did he driving to work?

⑤ Does he going to drive to work?

10 다음 괄호 안의 지시대로 바꿔 쓴 것 중 어색한 것은?

① The wind blows hard.
(현재진행형으로) ➡ The wind is blowing hard.

② Eric spent a lot of money on the trip.
(의문문으로) ➡ Did Eric spend a lot of money on the trip?

③ Jack and Ted seem disappointed.
(부정문으로) ➡ Jack and Ted doesn't seem disappointed.

④ The zookeeper feeds the baby pandas.
(과거시제로) ➡ The zookeeper fed the baby pandas.

⑤ Bella brought her sister to the party.
(부정문으로) ➡ Bella didn't bring her sister to the party.

11 다음 중 밑줄 친 did의 쓰임이 나머지 넷과 다른 것은?

① Jessica did not come.

② Why did she get angry?

③ He did not hand in his report.

④ I did everything for my family.

⑤ Did she put out fires and save lives?

12 다음 중 현재진행형으로 바꿀 수 없는 것은?

① He shouts loudly.

② I have dinner with Anne.

③ She waters the trees.

④ They enjoy the party.

⑤ Kevin knows the truth.

13 다음 중 어법상 옳은 것끼리 짝지어진 것은?

ⓐ Do you have a pet?
ⓑ Julia don't like sweet things.
ⓒ I'm not listening to music.
ⓓ The plane is going to took off soon.
ⓔ He heard a strange sound last night.

① ⓐ, ⓑ, ⓓ　② ⓐ, ⓒ, ⓔ

③ ⓐ, ⓓ, ⓔ　④ ⓑ, ⓒ, ⓓ

⑤ ⓑ, ⓒ, ⓔ

서술형

14 주어진 문장의 밑줄 친 부분을 괄호 안의 표현으로 바꿔 문장을 다시 쓰시오.

(1) I fix the copy machine. (the repairman)

➡ ____________________

(2) My dog sleeps on the sofa every night. (last night)

➡ ____________________

서술형

15 다음 문장을 각각 괄호 안의 지시대로 바꿔 쓰시오.

(1) The computer works well. (부정문으로)

➡ ____________________

(2) She sold her car. (의문문으로)

➡ ____________________

(3) We made a cake for Mom. (과거진행형으로)

➡ ____________________

서술형

16 다음 글에서 밑줄 친 부분을 어법상 바르게 고쳐 쓰시오.

Maggie (1) is having a teddy bear. It is her favorite toy. Her mom (2) buy it for her a year ago.

(1) is having ➡ ____________

(2) buy ➡ ____________

서술형

17 다음 표는 세 사람이 일요일마다 하는 활동을 표시한 것이다. 표의 내용과 일치하도록 대답을 알맞게 완성하시오.

	I	Tina	Andy
play soccer	✓		✓
study math			✓
do volunteer work		✓	

(1) **A**: Do you play soccer on Sundays?
B: ________, I ________.

(2) **A**: What does Tina do on Sundays?
B: She ________ ________ ________.

(3) **A**: Does Andy do volunteer work on Sundays?
B: ________, he ________. He ________ soccer and ________ math.

서술형

18 다음 그림을 보고, 〈보기〉에서 알맞은 말을 골라 현재진행형 문장을 완성하시오.

보기
run float drink

(1) Yena ____________ milk.

(2) Semi and Hajin ____________ along the river.

(3) Ducks ____________ on the river.

서술형

19 다음 그림을 보고, 주어진 우리말을 〈조건〉에 맞게 영작하시오.

그녀는 이집트(Egypt)로 여행 갈 것이다.

조건
be going to, travel to를 이용할 것

➡ ________________________________

서술형

20 다음 그림을 보고, 〈보기〉를 어제의 상황으로 바꾼 글을 알맞게 완성하시오.

보기
Chris gets up at 7. He leaves his house and goes to school at 8. He eats a sandwich for lunch. He comes home at 4. He rides a bike in the evening.

⬇

Yesterday, Chris ________ up at 7. He ________ his house and ________ to school at 8. He ________ a sandwich for lunch. He ________ home at 4. He ________ a bike in the evening.

문법·쓰기

영어전략

중학 1

시험에 잘 나오는

개념BOOK 2

차례

개념BOOK 하나면
영어 공부 끝!

to부정사의 명사적 용법

>> 정답 p. 44

- to부정사는 「to+동사원형」의 형태로 문장에서 명사, 형용사, 부사의 역할을 한다.
- to부정사가 문장에서 주어, 보어, 목적어의 역할을 할 때 to부정사의 ❶ [　　　　] 적 용법이라고 한다. 이때 to부정사는 '~하는 것, ~하기'로 해석한다.
- 주어로 쓰인 to부정사(구)는 단수 취급한다.

  To make true friends *is* hard. 진실한 친구를 사귀는 것은 어렵다.
- to부정사가 주어로 쓰일 때 보통 가주어 ❷ [　　　　] 을 문장의 맨 앞에 쓰고 to부정사는 문장의 뒤로 보낸다.

답 ❶ 명사 ❷ it

바로 확인

밑줄 친 to부정사의 역할로 알맞은 것을 고르시오.

❶ I want to be a famous writer. (주어 / 보어 / 목적어)

❷ Her hobby is to listen to music. (주어 / 보어 / 목적어)

❸ To take care of pets is hard work. (주어 / 보어 / 목적어)

개념 02 to부정사의 형용사적 용법

>> 정답 p. 44

- to부정사가 형용사처럼 명사나 대명사를 꾸며줄 때 to부정사의 ❶ [ ] 적 용법이라고 한다. 이때 to부정사는 명사나 대명사의 ❷ [ ] 에 쓰며, '~할, ~하는'으로 해석한다.

He has many chores **to do**. 그는 해야 할 집안일이 많다.

Do you want something **to drink?** 너는 마실 무언가를 원하니?

답 ❶ 형용사 ❷ 뒤

바로 확인

괄호 안에서 알맞은 것을 고르시오.

❶ There is (nothing to do / to do nothing).

❷ I want (eat to something / something to eat).

❸ Many animals are losing (places to live / to live places).

1주

개념 03

to부정사의 부사적 용법_목적

>> 정답 p. 44

- to부정사가 부사처럼 동사, 형용사 등을 꾸며주는 역할을 할 때 to부정사의 ❶ ______ 적 용법이라고 한다. 이때 to부정사는 목적이나 감정의 원인 등을 나타낸다.
- 목적을 나타내는 to부정사는 '~하기 ❷ ______ '라고 해석하며 in order to와 바꿔 쓸 수 있다.

  We got up early **to see**[**in order to see**] the sunrise.

  우리는 일출을 보기 위해 일찍 일어났다.

답 ❶ 부사 ❷ 위해

바로 확인

밑줄 친 부분에 유의하여 해석을 완성하시오.

❶ We hurried to catch the train.

➡ 우리는 기차를 ______________ 서둘렀다.

❷ Carol studies hard to get good grades.

➡ Carol은 좋은 성적을 ______________ 열심히 공부한다.

1주

개념 04

to부정사의 부사적 용법_감정의 원인

>> 정답 p. 44

- to부정사는 감정을 나타내는 형용사 뒤에 쓰여 ❶ ________의 원인을 나타내며 이 때 해석은 '~해서, ~하니'로 한다.
- 감정을 나타내는 형용사는 happy(행복한), glad(기쁜), sad(슬픈), excited(흥분한), pleased(기쁜), sorry(미안한, 유감인), surprised(❷ ________) 등이 있다.

I was happy **to see** him again. 나는 그를 다시 만나서 행복했다.

답 ❶ 감정 ❷ 놀란

바로 확인

밑줄 친 부분에 유의하여 해석을 완성하시오.

❶ They were excited to win the game.

➡ 그들은 경기에서 ____________ 흥분했다.

❷ I was pleased to get a letter from Louis.

➡ 나는 Louis로부터 편지를 ____________ 기뻤다.

동명사

>> 정답 p. 44

- 동명사는 「동사원형+ ❶ 」의 형태로 명사 역할을 한다.
- 동명사는 문장에서 주어, 보어, 목적어(동사의 목적어, 전치사의 목적어) 역할을 하며 '~하는 것, ~하기'로 해석한다.

  Saying thanks is not so easy. 고맙다고 말하는 것이 그렇게 쉬운 일은 아니다.
- 주어로 쓰인 동명사(구)는 ❷ 취급한다.

답 ❶ -ing ❷ 단수

바로 확인

괄호 안의 단어를 동명사 형태로 바꿔 쓰시오.

❶ __________ goals is important. (set)

❷ Elena loves __________ a song. (write)

❸ My dream is __________ an animal shelter. (build)

동명사 vs. 현재분사

>> 정답 p. 44

• 동명사는 진행형에서 쓰는 현재분사와 형태가 같지만 역할과 의미가 서로 ❶ ______.

	동명사	현재분사
형태	「동사원형+-ing」	
역할	명사 역할 (주어, 보어, ❷ ______)	be동사와 함께 쓰여 진행의 의미를 나타냄
의미	~하는 것, ~하기	~하고 있다

답 ❶ 다르다 ❷ 목적어

바로 확인

밑줄 친 부분의 역할로 알맞은 것을 고르시오.

❶ My brother is baking cookies. (동명사 / 현재분사)

❷ My job is teaching history. (동명사 / 현재분사)

❸ Her hobby is running marathons. (동명사 / 현재분사)

to부정사 vs. 동명사 ①

>> 정답 p. 44

- 동사에 따라 to부정사만을 목적어로 쓰기도 하고, ❶ [ ] 만을 목적어로 쓰기도 한다.

to부정사만 목적어로 쓰는 동사	want, hope, plan, need, learn, decide, expect, agree, promise 등
동명사만 목적어로 쓰는 동사	enjoy, finish, keep, stop, quit, mind, avoid, practice, recommend, give up 등

주의 「stop+동명사」: ~하는 것을 멈추다(동명사가 목적어로 쓰인 경우)
「stop+to부정사」: ~하기 위해 멈추다(to부정사의 ❷ [ ] 적 용법)

답 ❶ 동명사 ❷ 부사

바로 확인

괄호 안에서 알맞은 것을 고르시오.

❶ I finished (to read / reading) his novel.

❷ It stopped (to rain / raining), so we went out for a walk.

❸ They are planning (to visit / visiting) the palace.

개념 08 to부정사 vs. 동명사 ②

>> 정답 p. 44

- to부정사와 동명사를 둘 다 ❶ [ ] 로 쓰는 동사들이 있다.

to부정사와 동명사를 둘 다 목적어로 쓰는 동사	start, begin, like, love, hate, prefer, continue 등

It started **to snow.** 눈이 오기 시작했다.
= It started ❷ [ ].

답 ❶ 목적어 ❷ snowing

바로 확인

괄호 안의 단어를 이용하여 빈칸에 알맞은 말을 쓰시오. (단, 답이 두 개인 경우 둘 다 쓸 것)

❶ Edward hates ____________ alone. (eat)

❷ The baby began ____________. (cry)

❸ Everyone in my class likes ____________ jeans. (wear)

개념 09 의문사 who, whose, what, which

>> 정답 p. 45

- 의문사는 구체적인 정보를 물을 때 의문문의 맨 ❶ ____ 에 쓴다.

be동사가 쓰인 경우	「의문사+be동사+주어 ~?」
일반동사가 쓰인 경우	「의문사+do/does/did+주어+동사원형 ~?」
의문사가 주어인 경우	「의문사+동사 ~?」

- 의문사가 있는 의문문에는 Yes/No로 답할 수 ❷ ____.

who	누구, 누가	사람의 이름, 신분, 관계 등을 물을 때
whose	누구의, 누구의 것	소유를 물을 때
what	무엇, 무슨 ~	사물의 이름, 직업, 역할 등을 물을 때
which	어느 것, 어느 ~	제한된 수의 대상들 중 어느 쪽을 선택할지 물을 때

답 ❶ 앞 ❷ 없다

바로 확인

괄호 안에서 알맞은 것을 고르시오.

1. (Who / What) sent you the letter? – Mike did.
2. (Who / Which) do you prefer, meat or fish? – I prefer fish.
3. (What / Whose) did you do last Sunday? – I went hiking with Esther.

개념 10 의문사 when, where, how, why

>> 정답 p. 45

when	언제	시간, 날짜 등을 물을 때
where	어디에, 어디서	장소나 위치를 물을 때
how	어떻게	방법, 수단, 안부, 상태 등을 물을 때
why	왜	원인이나 이유를 물을 때

- 의문사 why에 대한 대답은 주로 ❶ (~ 때문에)를 이용한다.
- Why don't you[we] ~?는 '~하는 게 ❷ ?'라는 의미로 권유나 제안을 할 때 쓴다.

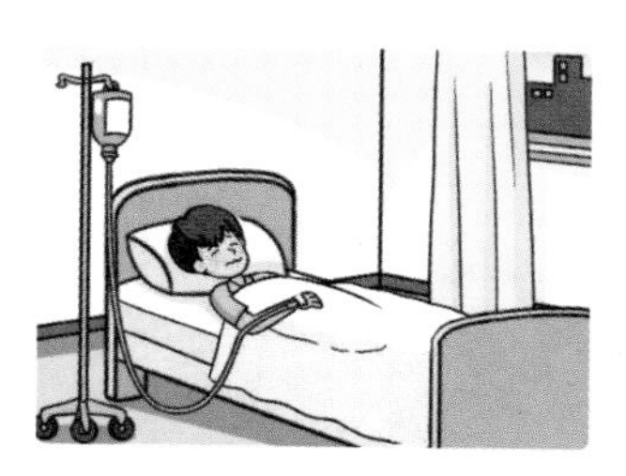

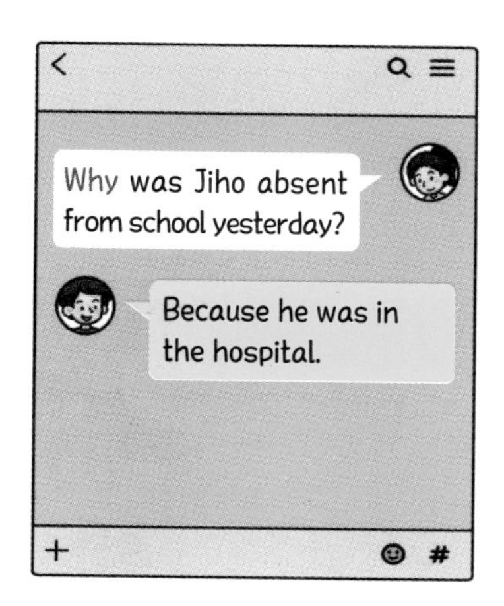

답 ❶ because ❷ 어때

바로 확인

괄호 안에서 알맞은 것을 고르시오.

1. (Where / How) do you go to work? – By subway.
2. (When / Where) are you going to leave? – Right after dinner.
3. (Why / How) does he look upset? – Because he lost the game.

How+형용사/부사 ~?

>> 정답 p. 45

- 「How+형용사/부사 ~?」의 형태로 다양한 의문문을 만들 수 있다.
- how many는 셀 수 있는 명사와 함께 쓰고 how much는 셀 수 ❶ ______ 명사와 함께 쓴다.

how many	수	얼마나 많은
how much	양, 가격	얼마나 많은, 얼마
how long	기간, 길이	얼마나 오래, 얼마나 긴
how far	거리	얼마나 먼
how old	나이	얼마나 나이 든
how tall/high	키, 높이	얼마나 키가 큰, 얼마나 높은
how often	빈도	얼마나 ❷ ______
how fast	빠르기	얼마나 빠른

답 ❶ 없는 ❷ 자주

바로 확인

괄호 안에서 알맞은 것을 고르시오.

❶ (How often / How fast) do you go jogging? – Twice a week.

❷ (How high / How long) is Mt. Halla? – About 1,947m.

❸ (How many / How much) languages can she speak?

– She can speak three languages.

개념 12 명령문

>> 정답 p. 45

- 명령문은 주어 You가 ❶ [ ] 된 형태로 상대방에게 명령이나 권유, 요구할 때 쓴다.
- 긍정 명령문은 동사원형으로 시작하고 부정 명령문은 「❷ [ ] +동사원형 ~.」의 형태이다.

긍정 명령문 (~해라)	동사원형 ~.	Enter my room. 내 방에 들어 와.
부정 명령문 (~하지 마라)	Don't + 동사원형 ~.	Don't enter my room. 내 방에 들어오지 마.

답 ❶ 생략 ❷ Don't

바로 확인

다음 문장을 괄호 안의 지시대로 바꿨을 때 빈칸에 알맞은 말을 쓰시오.

❶ You are polite to the elderly. (긍정 명령문으로)

➡ ________ ________ to the elderly.

❷ You feed the animals. (부정 명령문으로)

➡ ________ ________ the animals.

개념 13 How로 시작하는 감탄문

>> 정답 p. 45

- 감탄문은 기쁨, 슬픔, 놀람 등의 감정을 나타내는 문장으로 How 또는 ❶ ______ 으로 시작하며 '정말 ~하구나!'라는 의미를 나타낸다.
- 감탄문에서 「주어+동사」는 생략할 수 ❷ ______.

How로 시작하는 감탄문	How+형용사/부사(+주어+동사)!
	She is very kind. → **How kind she is!** 그녀는 정말 친절하구나!

답 ❶ What ❷ 있다

바로 확인

우리말과 일치하도록 괄호 안의 단어를 바르게 배열하시오.

❶ 너는 정말 운이 좋구나! (are, you, lucky, how)

➡ ______________________________

❷ 그는 정말 빨리 걷는구나! (quickly, he, how, walks)

➡ ______________________________

What으로 시작하는 감탄문

>> 정답 p. 45

- What으로 시작하는 감탄문은 주어 이외에 명사가 있다. 반면 How로 시작하는 감탄문은 주어 이외에 명사가 없다.
- What으로 시작하는 감탄문에서 복수 명사나 셀 수 없는 명사가 올 경우 부정관사 a나 an을 쓰지 ❶ [ ].

What으로 시작하는 감탄문	What(+a/an)+❷ [ ]+명사(+주어+동사)!
	She is a very kind girl. → **What a kind girl she is!** 그녀는 정말 친절한 소녀구나!

답 ❶ 않는다 ❷ 형용사

바로 확인

괄호 안에서 알맞은 것을 고르시오.

1. (How / What) a wonderful view this is!
2. (How / What) comfortable shoes these are!
3. (How / What) boring the movie was!

1주

개념 15

부가의문문의 형태

>> 정답 p. 45

- 부가의문문은 말한 내용을 확인하거나 상대방에게 동의를 구하기 위해 평서문 뒤에 「동사+ ❶ ______ ?」를 덧붙이는 의문문으로 '그렇지?', '그렇지 않니?'라고 해석한다.

형태	앞 문장이 긍정문 → 부가의문문은 ❷ ______ 으로 쓰기 앞 문장이 부정문 → 부가의문문은 긍정문으로 쓰기
동사	be동사나 조동사: 그대로 쓰기 일반동사 → do/does/did 쓰기
주어	대명사로 바꾸기 (대명사/사람 이름 → 대명사, this/that → it, these/those → they)

답 ❶ 주어 ❷ 부정문

바로 확인

빈칸에 알맞은 부가의문문을 쓰시오.

❶ Your sister is wearing a blue cap, ________ ________?

❷ Ted and Derek can't swim, ________ ________?

❸ He walks his dog every day, ________ ________?

부가의문문의 응답

>> 정답 p. 46

- 부가의문문에 대한 응답은 질문의 긍정, 부정과는 상관없이 답하는 내용이 긍정이면 Yes, 부정이면 ❶ ______로 한다.

Angela can ski, **can't she?** Angela는 스키를 탈 수 있지, 그렇지 않니?

— **Yes, she can.** 응, 그녀는 스키를 탈 수 있어.

— **No, she** ❷ ______. 아니, 그녀는 스키를 탈 수 없어.

답 ❶ No ❷ can't

바로 확인

우리말과 일치하도록 알맞은 부가의문문과 대답을 쓰시오.

❶ Jessica는 오늘 오지 않을 거야, 그렇지? – 아니, 그녀는 올 거야.

➡ Jessica won't come today, ______ ______?

– ______, ______ ______.

❷ 너는 Sam과 점심을 먹었지, 그렇지 않니? – 응, 그렇지 않아. 나는 Jacob과 점심을 먹었어.

➡ You had lunch with Sam, ______ ______?

– ______, ______ ______. I had lunch with Jacob.

개념 17 1형식

>> 정답 p. 46

- 1형식 문장은 「주어+ ❶ [ ] 」로 이루어진 문장으로 뒤에 부사나 전치사구가 함께 쓰이기도 한다.
- 「There+be동사」는 '~이 있다'라는 의미로 주어는 be동사 ❷ [ ] 에 온다. 주어와 시제에 따라 be동사의 형태를 달리 쓴다.

긍정문	There is+주어(단수 명사) ~. / There are+주어(복수 명사) ~.
부정문	There is not+주어(단수 명사) ~. / There are not+주어(복수 명사) ~.
의문문	Is there+주어(단수 명사) ~? / Are there+주어(복수 명사) ~? • 긍정의 대답: Yes, there is / are. • 부정의 대답: No, there isn't / aren't.

답 ❶ 동사 ❷ 뒤

바로 확인

괄호 안에서 알맞은 것을 고르시오.

❶ There (is / are) many wild plants in the jungle.

❷ There (isn't / aren't) any bread in the refrigerator.

❸ (Is / Are) there a swimming pool in the hotel?

2형식

>> 정답 p. 46

- 2형식 문장은 「주어+동사+주격 ❶ ______」로 이루어진 문장이다. 주격 보어는 주어를 보충 설명하는 말로 명사 또는 형용사를 쓴다.
- 감각동사 look(~하게 보이다), sound(~하게 들리다), smell(~한 냄새가 나다), taste(~한 맛이 나다), feel(~한 느낌이 들다) 등이 쓰였을 때는 주격 보어로 ❷ ______를 쓴다.

  This picture **looks** *strange*. 이 사진은 이상해 보여.

  주의 감각동사 뒤에 쓰이는 주격 보어는 '~하게'로 해석되지만 부사를 쓸 수 없다.

  This picture looks strangely. (X)

답 ❶ 보어 ❷ 형용사

바로 확인

괄호 안에서 알맞은 것을 고르시오.

❶ The fruit tastes (sweet / sweetly).

❷ This pizza smells (good / well).

❸ That sounds (perfect / perfectly) to me.

개념 19 3형식과 4형식

>> 정답 p. 46

- 3형식 문장은 「주어+동사+목적어」로 이루어진 문장이고, 4형식 문장은 「주어+동사+간접목적어(~에게)+직접목적어(~을)」로 이루어진 문장이다.
- 4형식 문장은 간접목적어와 직접목적어의 위치를 바꾸어 ❶ ______ 형식으로 바꿔 쓸 수 있고, 이때 쓰이는 전치사는 동사에 따라 다르다.

4형식 → 3형식	「주어+동사+간접목적어(~에게)+직접목적어(~을)」 →「주어+동사+직접목적어(~을)+전치사+간접목적어(~에게)」	
	전치사 to를 쓰는 동사	give, send, show, sell, bring, teach, tell, write, pass 등
	전치사 ❷ ______ 를 쓰는 동사	buy, make, cook, get, find, build 등
	전치사 of를 쓰는 동사	ask 등

She gave him flowers. (4형식)
= She gave flowers to him. (3형식)

답 ❶ 3 ❷ for

바로 확인

괄호 안에서 알맞은 것을 고르시오.

❶ I cooked curry and rice (to / for) Mom.

❷ She sent a Christmas card (to / for) me.

❸ The reporter asked some questions (of / for) her.

5형식

>> 정답 p. 46

- 5형식 문장은 「주어+동사+목적어+목적격 보어」로 이루어진 문장이다. 목적격 보어는 목적어를 보충 설명하는 말로 주로 ❶ ________ 나 형용사가 온다.

목적격 보어로 명사를 쓰는 동사			
make call name	+ 목적어	+ 목적격 보어:	~을 …로 만들다 ~을 …라고 부르다 ~을 …라고 이름 짓다
목적격 보어로 형용사를 쓰는 동사			
keep make find	+ 목적어	+ 목적격 보어:	~을 …하게 유지시키다 ~을 …하게 ❷ ________ ~가 …하다는 것을 알게 되다

답 ❶ 명사 ❷ 만들다

바로 확인

괄호 안에서 알맞은 것을 고르시오.

❶ They named (their baby Sylvia / Sylvia their baby).

❷ Hot cocoa will keep you (warm / warmly).

❸ His rude behavior made me (angry / angrily).

개념 21 형용사

>> 정답 p. 46

- 형용사는 명사나 대명사를 꾸며주거나 주어 또는 목적어의 상태나 성질을 설명해 준다.
- 형용사는 주로 명사의 앞에서 명사를 꾸미지만 -thing, -body, -one 등으로 끝나는 대명사는 형용사가 ❶ ______ 에서 꾸민다.
- lovely(사랑스러운), friendly(친절한, 다정한), costly(값비싼) 등은 「명사+-ly」 형태의 ❷ ______ 이다.

답 ❶ 뒤 ❷ 형용사

바로 확인

괄호 안에서 알맞은 것을 고르시오.

❶ My classmates are (kind / kindly) and (friend / friendly).

❷ She is a (successful / successfully) businesswoman.

❸ I want to try (new something / something new) this year.

개념 22 부사

>> 정답 p. 46

- 부사는 동사, 형용사, 다른 부사, 문장 전체를 꾸미고, 대개 「형용사+ ❶ ______」의 형태이다.

대부분의 부사	「형용사+-ly」	quiet(조용한) — quiet**ly** (조용하게) quick(빠른) — quick**ly**(빨리)
-y로 끝나는 형용사의 부사	y를 i로 고치고+-ly	easy(쉬운) — ❷ ______ (쉽게) lucky(운이 좋은) — luck**ily**(운 좋게)

답 ❶ -ly ❷ easily

바로 확인

괄호 안에서 알맞은 것을 고르시오.

❶ The event went (surprising / surprisingly) well.

❷ The sun is shining (bright / brightly).

❸ (Unfortunate / Unfortunately), I missed the bus.

개념 23 형용사와 형태가 같은 부사

>> 정답 p. 46

- late, hard, high, fast, early 등은 형용사와 부사의 형태가 ❶ [ ].

	형용사	부사
late	늦은	늦게
hard	어려운, 단단한	열심히
high	높은	높이
fast	빠른	빨리
early	이른	일찍

- lately(요즘, 최근에), hardly(거의 ~❷ [ ]), highly(매우) 등은 -ly가 붙어 의미가 달라지는 부사이다.

답 ❶ 같다 ❷ 않다

바로 확인

우리말과 일치하도록 괄호 안에서 알맞은 것을 고르시오.

❶ 그녀는 성공하기 위해 열심히 노력했다.

➡ She tried (hard / hardly) to succeed.

❷ 버스가 10분 늦게 왔다.

➡ The bus came ten minutes (late / lately).

2주

개념 24

수량형용사 ①

>> 정답 p. 47

- 수량형용사는 명사의 수나 양을 나타내는 형용사이며 꾸며 주는 명사가 셀 수 있는지 없는지에 따라 사용되는 수량형용사가 ❶ ______.

many(많은), a few(약간의), few(거의 없는)	+셀 수 있는 명사
much(많은), a little(약간의), little(거의 없는)	+셀 수 없는 명사

주의 a few와 a little은 '약간의, 조금 있는'이라는 긍정적인 의미를 나타내는 반면, few와 little은 '거의 ❷ ______'이라는 부정적인 의미를 나타낸다.

답 ❶ 다르다 ❷ 없는

바로 확인

괄호 안에서 알맞은 것을 고르시오.

❶ Eating too (many / much) sugar can be harmful.

❷ The interviewer asked him (a few / a little) questions.

❸ There was (few / little) time to finish the work.

개념 25 수량형용사 ②

>> 정답 p. 47

- some, any, a lot of, lots of, plenty of 등은 셀 수 있는 명사와 셀 수 없는 명사를 모두 꾸밀 수 ❶ [ ].

	셀 수 있는 명사와 셀 수 없는 명사를 모두 꾸밀 수 있는 수량형용사
약간의	긍정문: some (의문문에 쓰이면 권유의 의미) 부정문, 의문문: ❷ [ ] (긍정문에 쓰이면 '어떤 ~라도'의 의미)
많은	a lot of, lots of, plenty of

답 ❶ 있다 ❷ any

바로 확인

우리말과 일치하도록 괄호 안에서 알맞은 것을 고르시오.

1. 우리는 오늘 숙제가 많다.
   ➡ We have (a lot of / many) homework today.

2. 그는 신문을 조금도 읽지 않는다.
   ➡ He doesn't read (some / any) newspapers.

빈도부사

>> 정답 p. 47

- 빈도부사는 어떤 일이 얼마나 ❶ ______ 일어나는지 나타내는 부사이다.

빈도부사	always > usually > often > sometimes > never 항상 보통, 대개 자주 가끔 전혀 ~않는

- 빈도부사는 주로 be동사나 조동사의 뒤에 위치하고, 일반동사의 ❷ ______ 에 위치한다.

She is **never** late for school. 그녀는 절대 학교에 지각하지 않는다.
(is: be동사)

They **often** go camping together. 그들은 자주 함께 캠핑을 간다.
(go: 일반동사)

답 ❶ 자주 ❷ 앞

바로 확인

괄호 안에서 알맞은 것을 고르시오.

❶ He (is sometimes / sometimes is) late for work.

❷ I (take usually / usually take) a walk after dinner.

❸ The boy (never tells / tells never) a lie to his parents.

2주 개념 27

비교급과 최상급의 형태 ①

>> 정답 p. 47

- 형용사나 부사의 비교급은 '더 ~한[하게]'라는 의미이고 최상급은 '가장 ~한[하게]'라는 의미이다. 비교급은 형용사나 부사의 원급에 -(e)r 또는 ❶ ______ 를 붙이고, 최상급은 -(e)st 또는 most를 붙인다.

대부분의 형용사/부사	-(e)r / -(e)st	small – smaller – smallest
「단모음+단자음」으로 끝날 때	마지막 자음을 한 번 더 쓰고 +-er / -est	hot – hotter – ❷ ______
「자음+-y」로 끝날 때	y를 i로 고치고 +-er / -est	easy – easier – easiest
3음절 이상이거나 -ful, -ous, -able, -less, -ing 등으로 끝날 때	단어의 앞에 more / most	comfortable – **more** comfortable – **most** comfortable

답 ❶ more ❷ hottest

바로 확인

주어진 단어의 비교급과 최상급을 쓰시오.

❶ ugly – ______ – ______

❷ fat – ______ – ______

❸ diligent – ______ – ______

개념 28 비교급과 최상급의 형태 ②

>> 정답 p. 47

• 비교급과 최상급이 불규칙하게 변화하는 단어들을 잘 알아두어야 한다.

	비교급	최상급
good(좋은) well(건강한, 잘)	better	❶
bad(나쁜) ill(병든)	worse	worst
many(수가 많은) much(양이 많은)	more	❷
little(양이 적은)	less	least

답 ❶ best ❷ most

바로 확인

우리말과 일치하도록 괄호 안의 단어를 알맞은 형태로 고쳐 쓰시오.

❶ Amy는 Ted보다 수영을 더 잘한다. (well)
➡ Amy can swim ________ than Ted.

❷ 그것은 역대 최악의 영화이다. (bad)
➡ It is the ________ movie of all time.

개념 29 비교급을 이용한 비교

>> 정답 p. 47

- 비교급은 두 대상의 정도 차이를 비교할 때 쓰며, 「비교급+ ❶ ______」은 '~보다 더 …한[하게]'이라는 의미이다.

This summer is ❷ ______ **than** last summer.
올 여름은 작년보다 더 덥다.

Health is **more important than** money.
건강은 돈보다 더 중요하다.

답 ❶ than ❷ hotter

바로 확인

괄호 안의 단어를 비교급으로 고쳐 쓰시오.

❶ France is ______ than Italy. (large)

❷ He is ______ than his brother. (famous)

❸ Boram gets up ______ than Nara. (early)

개념 30 최상급을 이용한 비교

>> 정답 p. 47

- 최상급은 여러 대상을 비교하여 정도가 가장 높은 것을 가리킬 때 쓴다. '가장 ~한[하게]'이라는 의미로 최상급 앞에는 보통 ❶ ______ 를 쓴다.
- 최상급 뒤에는 of(~ 중에서)나 ❷ ______ (~ 안에서) 등과 같이 비교 범위를 한정하는 표현을 쓰는 경우가 많다.

Buddy is the biggest of the three.

답 ❶ the ❷ in

바로 확인

괄호 안의 단어를 최상급으로 고쳐 쓰시오.

❶ Oliver is the ______________ boy in my class. (tall)

❷ This story is the ______________ of all. (funny)

❸ *Bibimbap* is the ______________ dish in this restaurant. (popular)

2주

개념 31

시간 전치사 ①

>> 정답 p. 47

- 전치사는 명사 또는 대명사 앞에 쓰여 시간, 위치, 장소 등을 나타낸다. 시간을 나타내는 전치사로는 in, on, at 등이 있다.

in	월, 연도, 계절, 오전, 오후, 저녁	**in** December, **in** 2022, **in** spring, ❶ ______ the morning
on	날짜, 요일, 특정한 날	**on** July 10th, ❷ ______ Monday, **on** my birthday, **on** New Year's Day
at	구체적인 시각, 특정한 시점	**at** 9 o'clock, **at** noon, **at** night

답 ❶ in ❷ on

바로 확인

빈칸에 in, on, at 중 알맞은 전치사를 쓰시오.

❶ Stephanie was born __________ September 30th, 2007.

❷ Why don't we meet __________ 4 o'clock instead?

❸ Brian graduated from high school __________ 2019.

개념 32 시간 전치사 ②

>> 정답 p. 48

- 시간을 나타내는 그 외의 전치사로는 for, during, before, after 등이 있다.
- for과 during은 둘 다 '~동안'이라는 의미이지만 for는 주로 ❶ ______ 가 포함된 구체적인 시간의 길이와 함께 쓰고, during은 특정한 기간과 함께 쓴다.
- before는 '~ 하기 전에'라는 의미이고, after는 '~한 ❷ ______ '라는 의미이다.

I went to my grandparents' house during the holiday. I stayed there for two weeks.

답 ❶ 숫자 ❷ 후에

바로 확인

우리말과 일치하도록 괄호 안에서 알맞은 것을 고르시오.

❶ 우리는 크리스마스 휴가 동안 뉴욕에 갔다.

➡ We went to New York (for / during) Christmas vacation.

❷ 그 야구경기는 약 4시간 동안 계속되었다.

➡ The baseball game lasted (for / during) about four hours.

❸ 아침 식사 전에 그녀는 교복을 입었다.

➡ She put on her uniform (before / after) breakfast.

개념 33 위치·장소 전치사 ①

>> 정답 p. 48

in	~에(비교적 넓은 장소, 내부)	**in** Korea, ❶ ______ the building
on	~에(표면에 접한 상태)	**on** the table, **on** the ground
at	~에(비교적 좁은 장소, 지점)	**at** home, ❷ ______ the bus stop
over	~ 위에(표면에 접해 있지 않은 상태)	**over** the rainbow
under	~ 아래에	**under** the desk

답 ❶ in ❷ at

바로 확인

우리말과 일치하도록 빈칸에 알맞은 말을 쓰시오.

❶ 벽에 그림이 있다.

➡ There is a picture ________ the wall.

❷ 그의 여동생은 베트남에 산다.

➡ His sister lives ________ Vietnam.

개념 34 위치·장소 전치사 ②

>> 정답 p. 48

next to	~ 옆에	**next to** the chair
in front of	~ 앞에	**in front of** the house
behind	~ 뒤에	❶ ______ the tree
across from	~ 맞은편에	**across from** the post office
between *A* and *B*	A와 B ❷ ______에	**between** Sue **and** Jina

답 ❶ behind ❷ 사이

바로 확인

우리말과 일치하도록 빈칸에 알맞은 말을 쓰시오.

❶ 도서관 앞에서 만나자.

➡ Let's meet ______ ______ ______ the library.

❷ 꽃집은 카페와 학교 사이에 있다.

➡ The flower shop is ______ the cafe ______ the school.

개념 35 접속사 that

>> 정답 p. 48

- 접속사 that은 명사절을 이끌며 '~라는 것'이라고 해석한다.
- that이 이끄는 절은 think, believe, know, say, hear, learn, hope 등과 같은 동사의 ❶ [   ] 역할을 한다. 이때 접속사 that은 생략할 수 ❷ [   ].

We believe (**that**) everyone has a special talent.
우리는 모든 사람이 특별한 재능을 가지고 있다고 믿는다.

답 ❶ 목적어 ❷ 있다

바로 확인

우리말과 일치하도록 주어진 표현을 바르게 배열하시오.

❶ 나는 Tyler가 거짓말하고 있다는 것을 알았다. (was, that, Tyler, lying)

➡ I knew ______________________________.

❷ 그녀는 두통이 있다고 말했다. (she, a headache, had, that)

➡ She said ______________________________.

개념 36 접속사 that vs. 대명사/형용사 that

>> 정답 p. 48

- 접속사 that 다음에는 「주어+ ❶ ______ 」가 온다.
- that이 '저것, 그것'이라는 의미의 지시대명사로 쓰일 때 또는 '저, 그'라는 의미의 지시 ❷ ______ 로 쓰일 때와 접속사 that으로 쓰일 때를 잘 구분해야 한다. 지시대명사나 지시형용사로 쓰일 때는 가까이에 있지 않은 사람이나 사물 등을 가리킨다.

답 ❶ 동사 ❷ 형용사

바로 확인

밑줄 친 that의 쓰임으로 알맞은 것을 고르시오.

❶ Did you hear that he failed the test? (지시형용사 / 접속사)

❷ Can you pass me that blue bowl over there? (지시형용사 / 접속사)

❸ I learned today that the ocean is full of waste. (지시대명사 / 접속사)

개념 37 접속사 when

>> 정답 p. 48

- 접속사 when은 시간을 나타내는 부사절을 이끌며 '❶ ______'라고 해석한다.
- 부사절은 주절 앞에 쓰이거나 뒤에 쓰일 수 ❷ ______. 부사절이 주절 앞에 쓰일 경우 부사절의 끝에 콤마(,)를 쓴다.
- 시간을 나타내는 부사절은 현재시제가 미래시제를 대신한다.
- 의문사 when과 접속사 when을 잘 구분해야 한다. 의문사 when은 '언제'라는 의미로 쓰여 「When+동사+주어 ~?」의 어순으로 쓴다.

When you brush your teeth, turn off the water.

답 ❶ ~할 때 ❷ 있다

바로 확인

우리말과 일치하도록 괄호 안의 단어를 바르게 배열하시오.

❶ 나는 어렸을 때 가수가 되고 싶었다. (young, I, was, when)

➡ I wanted to be a singer ______________________.

❷ 그가 내게 전화했을 때 나는 자고 있었다. (he, when, me, called)

➡ ______________________, I was sleeping.

접속사 before/after

>> 정답 p. 48

- 접속사 before와 after는 시간을 나타내는 ❶ ______ 을 이끌며 각각 '~하기 전에', '~ 한 후에'라고 해석한다.
- before와 after는 전치사와 접속사 역할을 둘 다 할 수 있다. 뒤에 절이 오면 접속사 역할을 하고, 뒤에 명사구가 오면 ❷ ______ 역할을 한다.

I did my homework before I met my friends.
= I met my friends after I did my homework.

답 ❶ 부사절 ❷ 전치사

바로 확인

우리말과 일치하도록 괄호 안의 단어를 바르게 배열하시오.

❶ 나는 나가기 전에 불을 껐다. (left, I, before)
➡ I turned off the lights ______________________.

❷ 그는 저녁을 먹은 후에 TV를 봤다. (had, after, he, dinner)
➡ He watched TV ______________________.

개념 39 접속사 because

>> 정답 p. 48

- 접속사 because는 이유를 나타내는 부사절을 이끌며 '❶ ______'라고 해석한다.

  She took a taxi ❷ ______ she was late. 그녀는 늦어서 택시를 탔다.

Lucy got angry because Ben kept talking on the phone in the library.

답 ❶ ~ 때문에 ❷ because

바로 확인

우리말과 일치하도록 괄호 안의 단어를 바르게 배열하시오.

❶ 날씨가 서늘하기 때문에 나는 가을을 좋아한다. (cool, it, because, is)

➡ I like autumn ______________________.

❷ 그녀가 나를 초대하지 않았기 때문에 나는 파티에 가지 않았다.

(invite, she, because, didn't, me)

➡ I didn't go to the party ______________________.

접속사 if

>> 정답 p. 48

- 접속사 if는 조건을 나타내는 부사절을 이끌며 '만약 ❶ ______'으로 해석한다.
- 조건을 나타내는 부사절은 현재시제가 ❷ ______ 시제를 대신한다.

If it *is* sunny tomorrow, we will go to the park.
만약 내일 날씨가 맑으면 우리는 공원에 갈 것이다.

If it will be sunny tomorrow, we will go to the park. (X)

답 ❶ ~라면 ❷ 미래

바로 확인

우리말과 일치하도록 괄호 안의 동사와 if를 이용하여 문장을 완성하시오.

❶ 만약 그녀가 도착한다면 내게 알려줘. (arrive)

➡ Please let me know ______________________.

❷ 만약 내일 비가 온다면 우리는 경기를 취소할 것이다. (rain)

➡ ______________________ tomorrow, we will cancel the game.

정답

p. 4

● 롤러코스터를 타는 것은 흥미진진하다.

답 ❶ 목적어 ❷ 보어 ❸ 주어 / ❶ 나는 유명한 작가가 되고 싶다. ❷ 그녀의 취미는 음악을 듣는 것이다. ❸ 애완동물을 돌보는 것은 힘든 일이다.

p. 5

● 나는 배낭을 살 돈이 없다.

답 ❶ nothing to do ❷ something to eat ❸ places to live / ❶ 할 일이 아무것도 없다. ❷ 나는 먹을 무언가를 원한다. ❸ 많은 동물들이 살 곳을 잃어가고 있다.

p. 6

● 나는 건강해지기 위해 매일 조깅한다.

답 ❶ 타기 위해 ❷ 받기 위해

p. 7

● Chris는 어제 홈런을 쳤어. – 와! 그 말을 들으니 놀랍구나.

답 ❶ 이겨서 ❷ 받아서

p. 8

● 스키 타는 것은 언제나 재미있다.

답 ❶ Setting ❷ writing ❸ building / ❶ 목표를 세우는 것은 중요하다. ❷ Elena는 곡을 쓰기를 매우 좋아한다. ❸ 내 꿈은 동물 보호소를 짓는 것이다.

p. 9

● 우리는 춤을 추고 있어. – 우리가 가장 좋아하는 취미는 춤을 추는 것이야.

답 ❶ 현재분사 ❷ 동명사 ❸ 동명사 / ❶ 내 남동생은 쿠키를 굽고 있다. ❷ 내 직업은 역사를 가르치는 것이다. ❸ 그녀의 취미는 마라톤을 달리는 것이다.

p. 10

● 나는 기타를 연주하는 것을 즐겨. 나는 기타리스트가 되고 싶어.

답 ❶ reading ❷ raining ❸ to visit / ❶ 나는 그의 소설을 읽는 것을 끝냈다. ❷ 비가 그쳐서 우리는 산책을 하러 나갔다. ❸ 그들은 궁전에 방문하는 것을 계획하고 있다.

p. 11

● 우리는 수영하는 것을 정말 좋아해.

답 ❶ to eat[eating] ❷ to cry[crying] ❸ to wear[wearing] / ❶ Edward는 혼자 먹는 것을 싫어한다. ❷ 그 아기는 울기 시작했다. ❸ 우리 반 모두는 청바지 입기를 좋아한다.

p. 12

• 그녀의 직업은 무엇이니? – 그녀는 수의사야.

답 ❶ Who ❷ Which ❸ What / ❶ 누가 네게 편지를 보냈니? – Mike가 보냈어. ❷ 너는 고기와 생선 중 어느 것을 더 선호하니? – 나는 생선을 선호해. ❸ 너는 지난 일요일에 무엇을 했니? – 나는 Esther와 하이킹을 갔어.

p. 13

• 지호는 어제 왜 학교에 결석했니? – 그는 병원에 입원했었어.

답 ❶ How ❷ When ❸ Why / ❶ 당신은 어떻게 출근합니까? – 지하철로 출근해요. ❷ 너는 언제 떠날 거니? – 저녁 식사 직후에. ❸ 그는 왜 화가 나 보이니? – 왜냐하면 그가 경기에서 졌기 때문이야.

p. 14

• 이 토마토들은 얼마인가요? – 킬로그램당 4,000원입니다.

답 ❶ How often ❷ How high ❸ How many / ❶ 너는 얼마나 자주 조깅하러 가니? – 일주일에 두 번. ❷ 한라산은 얼마나 높니? – 약 1,947m야. ❸ 그녀는 몇 개의 언어를 말할 수 있니? – 그녀는 세 개의 언어를 말할 수 있어.

p. 15

• 나가기 전에 난방기를 꺼라.

답 ❶ Be polite ❷ Don't feed / ❶ 너는 어르신들에게 공손하다. → 어르신들에게 공손해라. ❷ 너는 동물들에게 먹이를 준다. → 동물들에게 먹이를 주지 마.

p. 16

• 불꽃이 정말 아름답구나!

답 ❶ How lucky you are! ❷ How quickly he walks!

p. 17

• 이것은 정말 재미있는 만화책이구나!

답 ❶ What ❷ What ❸ How / ❶ 이것은 정말 멋진 풍경이구나! ❷ 이것은 정말 편안한 신발이구나! ❸ 그 영화는 정말 지루했어!

p. 18

• 이 그림은 색감이 정말 화려하지, 그렇지 않니?

답 ❶ isn't she ❷ can they ❸ doesn't he / ❶ 네 여동생은 파란색 모자를 쓰고 있지, 그렇지 않니? ❷ Ted와 Derek은 수영을 할 수 없지, 그렇지? ❸ 그는 매일 그의 개를 산책시키지, 그렇지 않니?

p. 19 • 이 바지는 멋져 보이지, 그렇지 않니? – 아니, 그렇지 않아.

답 ❶ will she, Yes, she will ❷ didn't you, No, I didn't

p. 20 • 냉장고에 약간의 당근이 있어. / 냉장고에 치즈가 조금도 없어.

답 ❶ are ❷ isn't ❸ Is / ❶ 정글에는 야생 식물들이 많다. ❷ 냉장고에 빵이 조금도 없다. ❸ 호텔에 수영장이 있니?

p. 21 • 이 애플파이는 맛있어 보여.

답 ❶ sweet ❷ good ❸ perfect / ❶ 그 과일은 단 맛이 난다. ❷ 이 피자는 좋은 냄새가 난다. ❸ 그것은 내게 완벽하게 들린다.

p. 22 • 그녀는 그에게 꽃을 주었다.

답 ❶ for ❷ to ❸ of / ❶ 나는 엄마를 위해 카레라이스를 요리했다. ❷ 그녀는 내게 크리스마스카드를 보냈다. ❸ 기자는 그녀에게 몇 가지 질문을 했다.

p. 23 • 내 고양이는 나를 행복하게 만들어.

답 ❶ their baby Sylvia ❷ warm ❸ angry / ❶ 그들은 그들의 아기를 Sylvia라고 이름 지었다. ❷ 뜨거운 코코아는 너를 따뜻하게 유지시켜 줄 것이다. ❸ 그의 무례한 행동이 나를 화나게 만들었다.

p. 24 • 여기는 내가 가장 좋아하는 곳이다. 그곳은 아름답다.

답 ❶ kind, friendly ❷ successful ❸ something new / ❶ 우리 반 학생들은 친절하고 다정하다. ❷ 그녀는 성공한 여성사업가이다. ❸ 나는 올해 새로운 무언가를 시도해보고 싶다.

p. 25 • 비가 심하게 오고 있어.

답 ❶ surprisingly ❷ brightly ❸ Unfortunately / ❶ 그 행사는 놀랍게도 잘 진행되었다. ❷ 태양이 밝게 빛나고 있다. ❸ 불행하게도, 나는 버스를 놓쳤다.

p. 26 • 나는 거의 잠을 잘 수가 없다.

답 ❶ hard ❷ late

p. 27 답 ❶ much ❷ a few ❸ little / ❶ 너무 많은 설탕을 먹는 것은 해로울 수 있다. ❷ 면접관이 그에게 몇 가지 질문들을 했다. ❸ 일을 끝낼 시간이 거의 없었다.

p. 28 • 나는 많은 캔디와 쿠키, 초콜릿을 먹어.
답 ❶ a lot of ❷ any

p. 29 • 나는 여가에 보통 농구를 연습해.
답 ❶ is sometimes ❷ usually take ❸ never tells / ❶ 그는 때때로 직장에 늦는다. ❷ 나는 저녁 식사 후에 대개 산책을 한다. ❸ 그 소년은 절대로 그의 부모에게 거짓말을 하지 않는다.

p. 30 • 노란색 스웨터가 빨간색 스웨터보다 값이 더 싸다.
답 ❶ uglier, ugliest ❷ fatter, fattest ❸ more diligent, most diligent

p. 31 • 나는 너보다 더 많은 애완동물이 있어.
답 ❶ better ❷ worst

p. 32 • 나는 너보다 더 빨리 달려.
답 ❶ larger ❷ more famous ❸ earlier / ❶ 프랑스는 이탈리아보다 크다. ❷ 그는 그의 남동생보다 더 유명하다. ❸ 보람이는 나라보다 더 일찍 일어난다.

p. 33 • Buddy는 셋 중에서 가장 덩치가 크다.
답 ❶ tallest ❷ funniest ❸ most popular / ❶ Oliver는 우리 반에서 키가 가장 큰 소년이다. ❷ 이 이야기는 역대 가장 웃기다. ❸ 이 음식점에서 비빔밥이 가장 인기 있는 음식이다.

p. 34 • 우리는 만우절에 농담을 한다.
답 ❶ on ❷ at ❸ in / ❶ Stephanie는 2007년 9월 30일에 태어났다. ❷ 대신 우리 4시에 만나는 게 어때? ❸ Brian은 2019년에 고등학교를 졸업했다.

p. 35 • 나는 휴가 동안 나의 조부모님 댁에 갔다. 나는 거기서 2주 동안 머물렀다.

답 ❶ during ❷ for ❸ before

p. 36 • 방에 책상이 있다. 의자 위에 농구공이 있다.

답 ❶ on ❷ in

p. 37 • 식물은 소파 뒤에 있다. 고양이는 두 개의 쿠션 사이에 있다.

답 ❶ in front of ❷ between, and

p. 38 • 나는 스파게티가 너무 짜다고 생각해.

답 ❶ that Tyler was lying ❷ that she had a headache

p. 39 • 저 애는 수지야. 나는 그녀가 친절하다고 생각해.

답 ❶ 접속사 ❷ 지시형용사 ❸ 접속사 / ❶ 너는 그가 시험에 낙제한 것을 들었니? ❷ 저기 있는 저 파란색 그릇을 내게 건네주겠니? ❸ 나는 오늘 바다가 쓰레기로 가득하다는 것을 배웠다.

p. 40 • 네가 양치를 할 때 물을 잠그도록 해라.

답 ❶ when I was young ❷ When he called me

p. 41 • 나는 내 친구들을 만나기 전에 숙제를 했다. = 나는 숙제를 한 후에 내 친구들을 만났다.

답 ❶ before I left ❷ after he had dinner

p. 42 • Ben이 도서관에서 계속해서 통화를 했기 때문에 Lucy는 화가 났다.

답 ❶ because it is cool ❷ because she didn't invite me

p. 43 • 만약 내가 대상을 타면 나는 행복할 거야.

답 ❶ if she arrives ❷ If it rains

문법·쓰기

영어전략

중학 1

BOOK 2

이 책의 차례

BOOK 1

BOOK ❷

to부정사와 동명사, 문장의 종류·형식

1 to부정사

2 동명사

학습할 내용

❶ to부정사　❷ 동명사　❸ 문장의 종류　❹ 문장의 형식

3 의문사, 부가의문문, 명령문

남학생의 대답이 의미하는 것은?
a. 내가 쿠키를 먹었다.
b. 나는 쿠키를 먹지 않았다.

4 4형식, 5형식, 감탄문

남학생이 산 것은?
a. 고양이
b. 스웨터

답 1 a 2 b 3 b 4 b

개념 돌파 전략 ❶

개념 1 to부정사와 동명사

○ to부정사는 「to+❶ ____」의 형태로 명사, 형용사, 부사의 역할을 한다.

명사적 용법	~하는 것, ~하기	**To ride** a bike is fun.
형용사적 용법	~할, ~하는 (명사·대명사 수식)	There is nothing **to tell**.
부사적 용법	• 목적: ~하기 위해 • 감정의 원인: ~해서, ~하니	• She tried hard **to get** a job. • I'm glad **to meet** you.

○ 동명사는 「동사원형+❷ ____」의 형태로 명사 역할을 한다.

주어 역할	~하는 것은, ~하기는	**Making** friends is not easy.
보어 역할	~하는 것(이다)	My dream is **being** a famous artist.
목적어 역할	~하는 것을, ~하기를	• She enjoys **playing** the guitar. (동사의 목적어) • Thank you for **helping** me. (전치사의 목적어)

Quiz

괄호 안에서 알맞은 것을 고르시오.

(1) (Eat / To eat) breakfast is important.

(2) She went to the library (returns / to return) books.

(3) I finished (clean / cleaning) my room.

(4) (Keeps / Keeping) a diary is good for your writing skills.

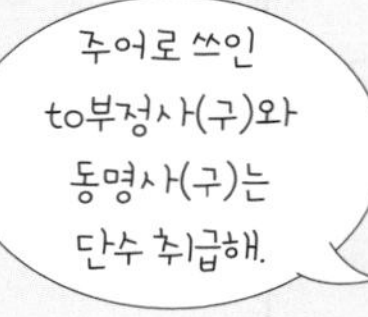

답 ❶ 동사원형 ❷ -ing / (1) To eat (2) to return (3) cleaning (4) Keeping

개념 2 의문사

○ 의문사는 who(누구), when(언제), where(어디서), what(무엇), which(어느 것), how(어떻게), ❶ ____ (왜) 등과 같이 구체적인 정보를 물을 때 쓴다.

be동사가 쓰인 경우	「의문사+be동사+주어 ~?」
일반동사가 쓰인 경우	「의문사+do/does/did+주어+동사원형 ~?」
의문사가 주어인 경우	「의문사+동사 ~?」

○ 의문사가 있는 의문문에는 Yes/No로 답할 수 ❷ ____.

○ 「how+형용사/부사 ~?」를 이용하여 다양한 의문문을 만들 수 있다.

Quiz

괄호 안에서 알맞은 것을 고르시오.

(1) **A**: (What / How) does your aunt do?
B: She is a writer.

(2) **A**: (When / Where) is the Sports Day?
B: It's on September 20.

답 ❶ why ❷ 없다 / (1) What (2) When

>> 정답과 해설 28쪽

1-1 밑줄 친 부분의 역할을 고르시오.

(1) I studied hard to get an A. (형용사 / 부사)

(2) I have homework to do. (형용사 / 부사)

(3) Drawing cartoons is fun. (주어 / 보어)

(4) Jaewon's hobby is cooking. (보어 / 목적어)

(5) The British love drinking tea. (보어 / 목적어)

풀이 | (1) 'A를 받기 위해'라는 의미로 해석되므로 부사의 역할을 한다. (2) to do는 앞의 명사 homework를 꾸며 주는 역할을 하므로 ❶ _____ 역할이다. (3) '만화를 그리는 것은'이라고 해석되므로 주어 역할을 한다. (4) Jaewon's hobby = cooking이 성립하므로 ❷ _____ 역할을 한다. (5) drinking이 동사 love의 목적어 역할을 한다.

답 (1) 부사 (2) 형용사 (3) 주어 (4) 보어 (5) 목적어 / ❶ 형용사 ❷ 보어

1-2 밑줄 친 부분의 역할을 〈보기〉에서 골라 기호를 쓰시오.

보기
ⓐ 주어 ⓑ 보어 ⓒ 목적어
ⓓ 형용사 ⓔ 부사

(1) I have something to say. _____

(2) I called him to ask something. _____

(3) They want to help sick children. _____

(4) We enjoy playing tennis. _____

(5) Using plastic bags is harmful. _____

(6) My brother's bad habit is eating snacks at night. _____

2-1 다음 빈칸에 들어갈 말로 알맞은 것은?

A: _____ were you absent yesterday?
B: Because I had a bike accident.

① Why ② How ③ When

풀이 | 의문사 why는 '❶ _____'라는 의미로 원인이나 이유를 물어볼 때 쓴다. 대답은 주로 '왜냐하면, ~ 때문에'라는 의미의 ❷ _____를 이용하여 답한다.

답 ① / ❶ 왜 ❷ because

2-2 다음 빈칸에 공통으로 들어갈 말로 알맞은 것은?

A: Good to see you again, Junsu. _____ was your trip to Busan?
B: It was wonderful.
A: _____ was the weather there?
B: It was sunny.

① Who ② How ③ Where

개념 3 명령문/감탄문/부가의문문

○ 명령문: 주어 You가 생략된 형태로 상대방에게 명령, 권유, 요구하는 문장

긍정 명령문 (~해라)	동사원형 ~.	부정 명령문 (~하지 마라)	Don't + ❶ [ ] ~.

○ 감탄문: 기쁨, 슬픔, 놀라움 등의 감정을 나타내는 문장

How로 시작하는 감탄문	How+형용사/부사(+주어+동사)!
What으로 시작하는 감탄문	What(+a/an)+형용사+명사(+주어+동사)!

○ 부가의문문: 말한 내용을 확인하거나 상대방의 동의를 구하기 위해 평서문 뒤에 「동사+주어?」를 덧붙이는 의문문

* 만드는 방법: 앞 문장이 긍정문 → ❷ [ ], 앞 문장이 부정문 → 긍정문, be동사, 조동사 → 그대로, 일반동사 → do / does / did, 주어 → 대명사

Quiz

괄호 안에서 알맞은 것을 고르시오.

(1) (Help / Helping) yourself.

(2) (How / What) a beautiful song it is!

(3) Julia is your best friend, (isn't / doesn't) she?

답 ❶ 동사원형 ❷ 부정문 / (1) Help (2) What (3) isn't

개념 4 문장의 형식

○ 문장은 문장 성분(주어 / 동사 / 보어 / 목적어)에 따라 크게 ❶ [ ] 가지 형식으로 구분된다.

1형식	• 주어 + 동사(+ 부사 / 전치사구) * 「There+be동사」: '~이 있다'라는 의미로 주어는 be동사 뒤에 온다. 주어와 시제에 따라 be동사의 형태를 달리 한다.
2형식	• 주어 + 동사 + 주격 보어 * 주격 보어: 주어를 보충 설명하는 말로 명사 또는 형용사를 쓴다. * 감각동사 look, sound, smell, taste, feel 등은 형용사와 함께 쓰인다.
3형식	• 주어 + 동사 + 목적어
4형식	• 주어 + 동사 + 간접목적어(~에게) + ❷ [ ] 목적어(~을)
5형식	• 주어 + 동사 + 목적어 + 목적격 보어 *목적격 보어: 목적어를 보충 설명하는 말로 주로 명사나 형용사가 온다.

Quiz

다음 문장에 해당하는 형식을 고르시오.

(1) You look tired. (1 / 2 / 3) 형식

(2) I bought some flowers. (1 / 2 / 3) 형식

(3) The traveler walked for a long time. (1 / 2 / 3) 형식

(4) She sent me a letter yesterday. (4 / 5) 형식

(5) His joke made her angry. (4 / 5) 형식

답 ❶ 5 ❷ 직접 / (1) 2 (2) 3 (3) 1 (4) 4 (5) 5

3-1 우리말과 일치하도록 빈칸에 알맞은 말을 쓰시오.

(1) 도서관에서 조용히 해.

➡ ________ quiet in the library.

(2) 그녀는 정말 용감하구나!

➡ ________ brave she is!

(3) Andy는 운동을 좋아하지 않아, 그렇지?

➡ Andy doesn't like sports, ________ he?

풀이 | (1) 명령문은 주어 You가 생략된 형태로 ❶ [ ] 으로 시작한다. (2) 빈칸 뒤에 「형용사+주어+동사」가 이어지므로 How로 시작하는 감탄문이다. (3) 앞 문장이 부정문이면 부가의문문은 ❷ [ ] 으로 쓴다.

답 (1) Be (2) How (3) does / ❶ 동사원형 ❷ 긍정문

3-2 다음 우리말을 어법상 바르게 영작한 것은?

① 여기서 수영하지 마.

➡ Don't swimming here.

② 그는 정말 어리석은 소년이구나!

➡ What a stupid boy he is!

③ 너는 내 생일을 잊었지, 그렇지 않니?

➡ You forgot my birthday, did you?

4-1 우리말과 일치하도록 주어진 표현을 바르게 배열한 것은?

Ryan은 그녀에게 애플파이를 만들어 주었다.
➡ Ryan ________________________.
(an apple pie, made, her)

① made her an apple pie

② made an apple pie her

③ her an apple pie made

풀이 | 「주어+동사+간접목적어(~에게)+직접목적어(~을)」로 이루어진 ❶ [ ] 형식 문장이다. 위 문장에서 간접목적어는 ❷ [ ] 이고, 직접목적어는 an apple pie이다.

답 ① / ❶ 4 ❷ her

4-2 다음 그림을 보고, 우리말과 일치하도록 주어진 표현을 바르게 배열하시오.

(1) 물 위에 배가 한 척 있다.
(is, on the water, a boat, there)

➡ ________________________

(2) 우리는 그 영화가 지루하다는 것을 알게 되었다.
(found, boring, we, the movie)

➡ ________________________

1주 1일 개념 돌파 전략 ②

CHECK UP

To learn a foreign language is not easy.
= ________ a foreign language is not easy.

➡ 주어진 문장에서 to부정사는 명사처럼 문장의 ❶ ________ 역할을 한다. 주어 역할을 하는 to부정사는 ❷ ________와 바꿔 쓸 수 있다.

답 Learning / ❶ 주어 ❷ 동명사

1 다음 빈칸에 들어갈 수 있는 말을 모두 고르면?

① Watch ② Watching ③ To watching
④ Watches ⑤ To watch

CHECK UP

(1) (How / What) strange the story is!
(2) These sunglasses aren't yours, (are they / aren't these)?

➡ (1) 주어 the story 이외에 명사가 없으므로 ❶ ________로 시작하는 감탄문이다.
(2) 앞 문장이 부정문이므로 부가의문문은 ❷ ________을 써야 한다. be동사는 그대로 쓰고, 주어는 대명사로 바꾼다.

답 (1) How (2) are they / ❶ How ❷ 긍정문

2 다음 빈칸에 들어갈 말이 순서대로 바르게 짝지어진 것은?

- ________ an interesting story it is!
- Your sister wears glasses, ________?
- ________ throw plastic bottles away.

① What … doesn't she … Don't ② What … doesn't she … Not
③ What … does she … Not ④ How … don't she … Be not
⑤ How … is your sister … Don't

CHECK UP

A: Jessica, (what / why) is your favorite dessert?
B: I like ice cream best.

➡ 좋아하는 후식을 답하고 있으므로 '❶ ________'을 뜻하는 의문사가 알맞다. why는 ❷ ________를 묻는 의문사이다.

답 what / ❶ 무엇 ❷ 이유

3 〈보기〉에서 알맞은 의문사를 골라 대화를 완성하시오.

보기
who where what which how

(1) **A**: ________ made this pancake? — **B**: Christina did.
(2) **A**: ________ high is Mt. Everest? — **B**: It's 8,849m high.
(3) **A**: ________ do you prefer, pork or beef? — **B**: I prefer beef.

>> 정답과 해설 29쪽

CHECK UP

(1) You look (good / well) in yellow.

(2) The ice keeps the water (cold / coldly).

➡ (1) look은 감각동사로 뒤에 주격 보어를 쓸 때 ❶ ______가 와야 한다.

(2) 5형식 문장에 쓰인 동사 keep 뒤에 목적격 보어로 ❷ ______가 와야 한다.

답 (1) good (2) cold / ❶ 형용사 ❷ 형용사

4 다음 그림 속 두 사람이 한 말에서 밑줄 친 부분을 어법상 바르게 고쳐 쓰시오.

(1) sourly ➡ ______________

(2) cleanly ➡ ______________

CHECK UP

(1) There (is / are) some balloons in the sky.

(2) Daniel, (was / were) there an interview last Sunday?

➡ 「There+be동사」는 '❶ ______' 라는 의미로 주어는 be동사 뒤에 온다. 주어가 단수 명사이면 is[was]를 쓰고, 복수 명사이면 ❷ ______[were]를 쓴다.

답 (1) are (2) was / ❶ ~이 있다 ❷ are

5 「There+be동사」 구문과 주어진 표현을 이용하여 〈보기〉와 같이 그림을 묘사한 문장을 완성하시오.

보기

There is a sofa in the room.

(1) ______________________ on the sofa. (a cat)

(2) ______________________ on the wall. (three paintings)

1주 2일

필수 체크 전략 ❶

전략 1 to부정사의 용법을 정확히 구분할 것!

• to부정사의 형태는 「to+동사원형」이고 to부정사는 명사, 형용사, 부사의 역할을 한다.

명사적 용법	~하는 것, ~하기	· 주어, 보어, 목적어 역할을 한다. · to부정사가 주어로 쓰일 때 보통 가주어 ❶ ______ 을 문장의 맨 앞에 쓰고 to부정사는 문장의 뒤로 보낸다. **To tell** a lie is wrong. 거짓말을 하는 것은 나쁘다. → **It** is wrong **to tell** a lie.
형용사적 용법	~할, ~하는	명사나 대명사를 ❷ ______ 에서 꾸며 준다.
부사적 용법	① 목적(~하기 위해)	「in order to+동사원형」과 바꿔 쓸 수 있다.
	② 감정의 원인 (~해서, ~하니)	「감정을 나타내는 형용사*+to부정사」의 형태로 쓴다. *happy, glad, sad, excited, pleased, sorry 등

답 ❶ it ❷ 뒤

필수 예제

다음 밑줄 친 to부정사의 쓰임이 나머지 넷과 다른 것은?

① To help others is to help yourself.

② We want to visit the island some day.

③ It is important to follow safety rules.

④ My plan is to finish the project by next week.

⑤ She needs someone to take care of her cat.

문제 해결 전략

to부정사가 명사처럼 주어, 보어, ❶ ______ 로 쓰일 때 '~하는 것, ~하기'로 해석한다. to부정사가 형용사의 역할을 할 때는 '❷ ______, ~하는'으로 해석한다.

답 ⑤ / ❶ 목적어 ❷ ~할

확인 문제

1 다음 중 밑줄 친 부분을 in order to와 바꿔 쓸 수 있는 것은?

① To say sorry is hard for me.

② I'm really pleased to join the team.

③ He hopes to get a driver's license.

④ I turned on the light to read the letter.

⑤ There is nothing to eat in the refrigerator.

2 다음 그림을 보고, 우리말과 일치하도록 동사 ride를 알맞은 형태로 쓰시오.

Ashley는 롤러코스터를 타기를 원한다.

➡ Ashley wants __________ a roller coaster.

>> 정답과 해설 30쪽

전략 2 to부정사와 동명사를 목적어로 쓰는 동사를 알아 둘 것!

• 동사에 따라 to부정사만을 목적어로 쓰기도 하고 ❶ ______ 만 쓰거나 둘 다 쓰기도 하므로 구분해서 알아둬야 한다.

to부정사만 목적어로 쓰는 동사	want, hope, plan, need, learn, decide, expect, agree, promise 등
동명사만 목적어로 쓰는 동사	enjoy, finish, keep, stop, quit, mind, avoid, practice, recommend, give up 등
to부정사와 동명사를 둘 다 목적어로 쓰는 동사	start, begin, like, love, hate, prefer, continue 등

주의 「stop+동명사」 *vs.* 「stop+to부정사」

「stop+동명사」: ~하는 것을 멈추다, 그만두다(동명사가 목적어로 쓰인 경우)
「stop+to부정사」: ~하기 ❷ ______ 멈추다(to부정사의 부사적 용법)

You should **stop drinking** too much soda.
너는 탄산음료를 너무 많이 마시는 것을 그만둬야 해.

He **stopped to drink** some water.
그는 물을 마시기 위해 멈추었다.

stop 뒤에 to부정사가 오면 목적을 나타내는 to부정사의 부사적 용법이야.

답 ❶ 동명사 ❷ 위해

필수 예제

다음 빈칸에 들어갈 수 <u>없는</u> 것은?

The little kid ________ practicing the guitar.

① planned ② enjoys ③ likes
④ hated ⑤ quit

문제 해결 전략
빈칸 뒤에 동명사가 있으므로 빈칸에는 ❶ ______ 를 목적어로 쓰는 동사가 와야 한다. like와 hate는 to부정사와 동명사를 둘 다 목적어로 쓸 수 ❷ ______.

답 ① / ❶ 동명사 ❷ 있다

확인 문제

1 다음 중 밑줄 친 부분이 어법상 어색한 것은?

① I just finished <u>building</u> a snowman.
② Did she decide <u>to move</u> to another school?
③ The actor kept <u>to talk</u> about his movie.
④ Kate avoided <u>looking</u> at her mom's eyes.
⑤ They wanted <u>to join</u> the badminton club.

2 주어진 표현을 이용하여 여학생의 말을 완성하시오.

(talk on the phone)

필수 체크 전략 ❶

전략 3 동명사와 현재분사를 구분할 것!

• 동명사는 동사원형에 -ing를 붙인 형태로 진행형에서 쓰는 현재분사와 형태가 ❶ [ ]. 하지만 역할과 의미가 서로 다르므로 잘 구분해야 한다.

	동명사	현재분사
형태	「동사원형+-ing」	
역할	명사 역할 (주어, 보어, 목적어)	be동사와 함께 쓰여 ❷ [ ]의 의미를 나타냄
의미	~하는 것, ~하기	~하고 있다

Her hobby is **swimming** in the pool. 그녀의 취미는 수영장에서 수영하는 것이다.
동명사(주격 보어 역할)

The children are **swimming** in the pool. 아이들이 수영장에서 수영하고 있다.
현재분사(진행의 의미)

답 ❶ 같다 ❷ 진행

필수 예제

다음 중 밑줄 친 부분의 성격이 나머지 넷과 다른 것은?

① The baby is crying loudly.
② Mia's job is treating sick animals.
③ Ted is good at writing a song.
④ She practiced running for the race.
⑤ Sleeping is important for your health.

문제 해결 전략

동명사와 현재분사를 구분할 때 해석하는 것이 중요하다. '~하는 것'으로 해석되면 ❶ [ ]이고, be동사와 함께 쓰여 '~하고 있다'라고 해석되면 ❷ [ ]이다.

답 ① / ❶ 동명사 ❷ 현재분사

확인 문제

1 다음 중 밑줄 친 부분의 성격이 같은 것끼리 짝지어진 것은?

ⓐ His bad habit is biting his nails.
ⓑ She was watching a movie last night.
ⓒ Is he practicing basketball in the gym?
ⓓ My dream is building a school for poor children.

① ⓐ, ⓑ
② ⓐ, ⓒ
③ ⓐ, ⓓ
④ ⓑ, ⓓ
⑤ ⓑ, ⓒ, ⓓ

2 다음 그림을 보고, 밑줄 친 부분에 유의하여 문장을 우리말로 해석하시오.

Sam enjoys baking cookies.

해석 ➡ ______________________

>> 정답과 해설 30쪽

전략 4 다양한 의문사의 쓰임을 파악할 것!

who	누구, 누가	사람의 이름, 신분, 관계 등을 물을 때
whose	누구의, 누구의 것	소유를 물을 때
what	무엇, 무슨 ~	사물의 이름, 직업, 역할 등을 물을 때
which	어느 것, 어느 ~	제한된 수의 대상들 중 어느 쪽을 선택할지 물을 때
when	언제	시간, 날짜 등을 물을 때
where	어디에, 어디서	장소나 위치를 물을 때
how	어떻게	방법, 수단, 안부, 상태 등을 물을 때
why	왜	원인이나 이유를 물을 때(대답은 주로 ❶ ______ 를 이용한다.) *Why don't you[we] ~?: ~하는 게 어때? (권유·제안)

• 「how+형용사/부사 ~?」 형태의 의문문

how many: 얼마나 많은(수)
how ❷ ______ : 얼마나 많은, 얼마(양, 가격)
how long: 얼마나 오래, 얼마나 긴(기간, 길이)
how far: 얼마나 먼(거리)
how old: 얼마나 나이 든(나이)
how tall/high: 얼마나 키가 큰, 얼마나 높은(키, 높이)
how often: 얼마나 자주(빈도)
how fast: 얼마나 빠른(빠르기)

how many는 셀 수 있는 명사와 함께 쓰고, how much는 셀 수 없는 명사와 함께 써야 해.

답 ❶ because ❷ much

필수 예제

다음 빈칸에 공통으로 들어갈 말로 알맞은 것은?

• ________ do you go to school? By bus?
• ________ far is it from here to your house?

① What ② How ③ Who
④ Where ⑤ When

문제 해결 전략

첫 번째 질문은 학교에 가는 ❶ ______ 을 묻고 있고, 두 번째 질문은 여기서부터 집까지의 ❷ ______ 를 묻고 있다.

답 ② / ❶ 방법[수단] ❷ 거리

확인 문제

1 다음 중 빈칸에 What이 들어갈 수 없는 것은?

① ________ grade are you in?
② ________ are you reading now?
③ ________ does your sister look like?
④ ________ do you do in your free time?
⑤ ________ do you like better, summer or winter?

2 우리말과 일치하도록 주어진 표현을 바르게 배열하시오.

(1) 그 영화는 언제 시작하니?
➡ ________________________
(the movie, does, when, start)

(2) 너는 하루에 얼마나 많은 양의 물을 마시니?
➡ ________________________ a day?
(water, do, how, drink, you, much)

1주 2일 필수 체크 전략 ❷

1 다음 두 문장이 의미가 통하도록 빈칸에 알맞은 말을 쓰시오.

Helen wanted to borrow a book, so she went to the library.
= Helen went to the library ________ ________ a book.

문제 해결 전략

주어진 문장은 Helen이 책을 빌리기 위해 도서관에 갔다는 내용의 문장으로 바꿔 쓸 수 있다. 따라서 목적을 나타내는 ❶ ________를 이용하는 것이 알맞다. to부정사는 「to+❷ ________」의 형태이다.

답 ❶ to부정사 ❷ 동사원형

2 다음 중 밑줄 친 to부정사의 쓰임이 나머지 넷과 다른 것은?

① I was excited to see the shooting stars.
② He promised to walk his dog every day.
③ It is fun to learn about different cultures.
④ Jennifer's goal is to run her own flower shop.
⑤ He wants to get a bike for his birthday present.

문제 해결 전략

to부정사는 명사, 형용사, ❶ ________의 역할을 한다. 명사적 용법으로 쓰인 경우에 '~하는 것, ~하기'로 해석하며, 부사적 용법으로 쓰인 경우 중 감정의 원인을 나타낼 때 '❷ ________, ~하니'로 해석한다.

답 ❶ 부사 ❷ ~해서

3 다음 중 짝지어진 대화가 어색한 것은?

① **A**: Who broke your glasses? — **B**: Lily did.
② **A**: How did you like the steak? — **B**: It was delicious.
③ **A**: Why didn't you come to the party? — **B**: That sounds great.
④ **A**: How often do you feed your cat? — **B**: Twice a day.
⑤ **A**: What subject do you like best? — **B**: I like science best.

문제 해결 전략

How do[did] you like ~?는 상대방의 느낌이나 생각을 묻는 말로 '~는 어때[어땠니]?'라는 의미이다. Why didn't you ~?는 '너는 ❶ ________ ~하지 않았니?'라는 의미이다. How often ~?은 '얼마나 ❷ ________ ~?'라는 의미로 빈도를 물을 때 쓴다.

답 ❶ 왜 ❷ 자주

4 다음 그림 속 대화에서 어법상 어색한 부분을 찾아 바르게 고치시오.

______ ➡ ______

문제 해결 전략

동사에 따라 to부정사 또는 동명사를 ❶ ______로 쓰기 때문에 동사를 확인해야 한다. mind는 '꺼리다, 싫어하다'라는 의미로 ❷ ______를 목적어로 쓰는 동사이다.

답 ❶ 목적어 ❷ 동명사

5 다음 중 〈보기〉의 밑줄 친 부분과 쓰임이 같은 것은?

보기
My favorite hobby is reading comic books.

① Her fans are shouting with joy.
② Was Peter sleeping on the floor?
③ Stephanie is cutting the onions.
④ My uncle's job is selling used cars.
⑤ My friends and I are planning to go skiing.

문제 해결 전략

〈보기〉에서 'My favorite hobby = reading comic books'가 성립하므로 reading은 주격 보어 역할을 하는 ❶ ______이다. 동명사는 '~하는 것, ~하기'로 해석하고 진행형에 쓰인 현재분사는 '❷ ______'로 해석한다.

답 ❶ 동명사 ❷ ~하고 있다

6 다음 그림을 보고, 자연스러운 대화가 되도록 〈조건〉에 맞게 질문을 완성하시오.

조건
you, need, many, much, how, tomatoes, do 중 필요 없는 한 단어를 제외하고 의문문을 만들 것

A: ______________________

B: I need five tomatoes.

문제 해결 전략

how many 뒤에는 셀 수 ❶ ______ 명사가 오고 how much 뒤에는 셀 수 ❷ ______ 명사가 온다.

답 ❶ 있는 ❷ 없는

1주 3일 필수 체크 전략 ❶

전략 1 명령문과 감탄문의 형태를 익힐 것!

(1) 명령문은 동사원형으로 시작하고 부정 명령문은 「Don't+동사원형 ~.」의 형태이다.

Be on time. 제시간에 와. **Don't be late.** 늦지 마.

(2) 감탄문은 How 또는 What으로 시작하며 '정말 ~하구나!'라는 의미를 나타낸다.

How로 시작하는 감탄문	What으로 시작하는 감탄문
How+형용사/부사(+주어+동사)!	What(+a/an)+형용사+❶ ______ (+주어+동사)!
The movie was very exciting. → **How exciting the movie was!** 그 영화는 정말 재미있었어!	It was a very exciting movie. → **What an exciting movie it was!** 그것은 정말 재미있는 영화였어!

주의 What으로 시작하는 감탄문에서 복수 명사나 셀 수 없는 명사가 올 경우 부정관사 a나 an을 쓰지 ❷ ______.

What beautiful eyes she has! 그녀는 정말 아름다운 눈을 가졌구나!

답 ❶ 명사 ❷ 않는다

필수 예제

다음 빈칸에 들어갈 말이 순서대로 바르게 짝지어진 것은?

- ________ in line.
- ________ an expensive watch it is!

① Stand ··· What ② Stand ··· How ③ Stands ··· How
④ Stands ··· What ⑤ Standing ··· What

문제 해결 전략

명령문은 '~해라'라는 의미로 ❶ ______ 으로 시작한다. 감탄문에서 주어를 제외하고 명사가 있는 경우 ❷ ______ 으로 시작해야 한다.

답 ① / ❶ 동사원형 ❷ What

확인 문제

1 다음 중 빈칸에 들어갈 말이 나머지 넷과 다른 것은?

① ________ fast he runs!
② ________ well she sings!
③ ________ diligent the boy is!
④ ________ boring the book was!
⑤ ________ a lovely day it is!

2 괄호 안의 지시에 따라 문장을 알맞게 바꿔 쓰시오.

(1) Tell it to Ben. (부정 명령문으로)

➡ ________________________

(2) The puppy is very smart.
(How로 시작하는 감탄문으로 쓰되, 주어와 동사를 생략하지 말 것)

➡ ________________________

>> 정답과 해설 32쪽

전략 2 부가의문문의 형태와 대답에 주의할 것!

(1) 부가의문문은 말한 내용을 확인하거나 상대방에게 동의를 구하기 위해 평서문 뒤에 「❶ ______ +주어?」를 덧붙이는 의문문으로 '그렇지?', '그렇지 않니?'라고 해석한다.

형태	앞 문장이 긍정문 → 부가의문문은 부정문으로 쓰기 앞 문장이 부정문 → 부가의문문은 ❷ ______ 으로 쓰기
동사	be동사나 조동사 → 그대로 쓰기 일반동사 → do/does/did 쓰기
주어	대명사로 바꾸기 (대명사/사람 이름 → 대명사, this/that → it, these/those → they)

주의 부가의문문에 대한 대답은 질문의 긍정, 부정과는 상관없이 답하는 내용이 긍정이면 Yes, 부정이면 No로 한다.

Tina didn't call you yesterday, **did she?** Tina는 어제 네게 전화하지 않았지, 그렇지?

— **Yes, she did.** 아니, 그녀는 내게 전화했어.

— **No, she didn't.** 응, 그녀는 내게 전화하지 않았어.

(2) 명령문의 부가의문문은 긍정, 부정에 상관없이 will you?로 쓴다.

답 ❶ 동사 ❷ 긍정문

필수 예제

다음 빈칸에 들어갈 말로 알맞은 것은?

> Mr. and Ms. Anderson are on vacation, ________?

① is he ② was he ③ are they
④ aren't they ⑤ don't they

문제 해결 전략

앞 문장이 긍정문이므로 부가의문문은 ❶ ______ 으로 쓴다. 또한 앞 문장에 be동사가 쓰였으므로 부가의문문에서 ❷ ______ 를 그대로 쓴다.

답 ④ / ❶ 부정문 ❷ be동사

확인 문제

1 다음 중 밑줄 친 부분이 어법상 옳은 것은?

① They cannot speak Spanish, do they?
② Their son hates math, isn't he?
③ This picture is wonderful, is this?
④ Ms. Green doesn't have a niece, has she?
⑤ You passed the English test, didn't you?

2 다음 그림을 보고, 알맞은 부가의문문과 대답을 쓰시오.

> A: The food wasn't delicious, ______ ______?
> B: ______, ______ ______. It was too salty.

필수 체크 전략 ❶

전략 3 「There+be동사」 구문과 보어가 필요한 동사를 익힐 것!

(1) 「There+be동사」(1형식)

'~이 있다'라는 의미로 There is[was]는 단수 명사나 셀 수 없는 명사와 쓰고, There are[were]는 ❶ ______ 명사와 쓴다. 부정문은 be동사 다음에 not을 쓰고, 의문문은 there과 be동사의 위치를 서로 바꾼다. 의문문에 대한 긍정의 대답은 「Yes, there is / are.」로 하고, 부정의 대답은 「No, there isn't / aren't.」로 한다.

(2) 「주어+감각동사+주격 보어」(2형식)

감각동사는 look, sound, smell, taste, feel 등과 같이 감각을 나타내는 동사이며, 주격 보어 자리에는 ❷ ______ 를 쓴다.

The roses **look** *beautiful*. 그 장미들은 아름다워 보인다.

감각동사 뒤에 쓰이는 단어는 부사처럼 '~하게'로 해석되지만 형용사를 쓰는 것에 유의해야 해.
* The roses look beautifully. (X)

(3) 「주어+동사+목적어+목적격 보어」(❸ ______ 형식)

목적격 보어로 명사를 쓰는 동사				목적격 보어로 형용사를 쓰는 동사			
make call name	+목적어	+목적격 보어:	~을 …로 만들다 ~을 …라고 부르다 ~을 …라고 이름 짓다	keep make find	+목적어	+목적격 보어:	~을 …하게 유지시키다 ~을 …하게 만들다 ~가 …하다는 것을 알게 되다

답 ❶ 복수 ❷ 형용사 ❸ 5

필수 예제

다음 빈칸에 들어갈 수 없는 것은?

There is ________ on the table.

① a vase ② a book ③ cherries
④ an egg ⑤ some bread

문제 해결 전략

There is ~는 '~이 있다'라는 의미로 단수 명사 또는 셀 수 ❶ ______ 명사와 함께 쓴다. 따라서 셀 수 있는 명사의 복수형과는 함께 쓸 수 ❷ ______.

답 ③ / ❶ 없는 ❷ 없다

확인 문제

1 빈칸에 들어갈 말이 순서대로 바르게 짝지어진 것은?

• This sweater feels ________.
• The news made everyone ________.

① soft … sad ② soft … sadly
③ softly … sadness ④ softly … sad
⑤ softly … sadly

2 괄호 안의 표현을 이용하여 우리말을 영작하시오.

(1) 그것은 이상하게 들려.

➡ ____________________
(it, sound, strange)

(2) 여기 근처에 동물 병원이 있니?

➡ ____________________
(there, an animal hospital, near here)

>> 정답과 해설 32쪽

전략 4 4형식 문장의 3형식 문장으로의 전환을 익힐 것!

• 4형식 문장은 간접목적어와 직접목적어의 위치를 바꾸어 ❶ ______ 형식으로 쓸 수 있다. 이때 동사에 따라 쓰이는 전치사가 다르므로 구분해서 알아두어야 한다.

4형식 → 3형식	「주어+동사+간접목적어(~에게)+직접목적어(~을)」 → 「주어+동사+직접목적어(~을)+❷ ______ +간접목적어(~에게)」	
	전치사 to를 쓰는 동사	give, send, show, sell, bring, teach, tell, write, pass 등
	전치사 for를 쓰는 동사	buy, make, cook, get, find, build 등
	전치사 of를 쓰는 동사	ask 등

직접목적어가 간접목적어 앞에 올 때, 간접목적어 앞에 전치사를 써야 해.

(4형식) She gave me(간접목적어) a surprise gift(직접목적어). 그녀는 내게 깜짝 선물을 주었다.

(3형식) → She gave a surprise gift(직접목적어) **to** me(간접목적어).

답 ❶ 3 ❷ 전치사

필수 예제

다음 문장을 3형식으로 바르게 바꿔 쓴 것은?

Bella showed them an album.

① Bella showed to them an album.
② Bella showed them to an album.
③ Bella showed for an album them.
④ Bella showed an album to them.
⑤ Bella showed an album of them.

문제 해결 전략

주어진 문장의 간접목적어 ❶ ______ 과 직접목적어 an album의 위치를 바꾸어 3형식으로 만들 수 있다. 이때 간접목적어 앞에 전치사를 써야 한다. give, send, show 등은 전치사 ❷ ______ 를 쓰는 동사이다.

답 ④ / ❶ them ❷ to

확인 문제

1 다음 빈칸에 들어갈 말로 알맞은 것을 모두 고르면?

The old woman ________ cookies for the kid.

① gave ② made ③ sent
④ bought ⑤ passed

2 다음 문장을 3형식으로 바꿔 쓰시오.

Ms. Dale teaches the students math.

➡ ________________________

1주 3일 필수 체크 전략 ②

1 다음 빈칸에 들어갈 말로 알맞은 것을 모두 고르면?

You look ________.

① upset ② happily ③ tired
④ calmly ⑤ lovely

문제 해결 전략

감각동사 look은 '❶ ______'라는 의미이다. 빈칸은 주격 보어 자리이므로 품사가 ❷ ______인 단어를 모두 찾아야 한다.

답 ❶ ~하게 보이다 ❷ 형용사

2 다음 중 밑줄 친 부분이 어법상 옳은 것은?

① There isn't any sugar.
② Don't forgets to lock the door.
③ What sweet this cake looks!
④ This will keep the vegetables freshly.
⑤ Steven was not sleeping then, wasn't he?

문제 해결 전략

「There+be동사 ~.」구문은 주어가 단수 명사인지 복수 명사인지를 확인한다. 부정 명령문은 「Don't+❶ ______ ~.」으로 쓴다. 「5형식 동사 keep+목적어+목적격 보어」는 '~을 …하게 유지시키다'라는 의미로 목적격 보어 자리에 ❷ ______가 온다.

답 ❶ 동사원형 ❷ 형용사

3 〈보기〉에서 알맞은 말을 골라 그림의 내용과 일치하도록 문장을 완성하시오. (단, 「There+is/are ~.」 구문을 이용할 것)

보기
a pillow a lamp five books three balls

(1) ______________________ on the bed.
(2) ______________________ on the shelf.
(3) ______________________ on the floor.
(4) ______________________ on the drawer.

문제 해결 전략

There is 다음에는 단수 명사 또는 셀 수 없는 명사가 와야 하고, There ❶ ______ 다음에는 복수 명사가 온다. 셀 수 있는 명사의 단수형 앞에는 부정관사 ❷ ______나 an을 쓴다.

답 ❶ are ❷ a

>> 정답과 해설 33쪽

4 다음 문장에서 어법상 어색한 부분을 고쳐 다시 쓰시오. (단, 형식에 맞게 쓸 것)

She bought a cap her son.
(1) (4형식) ➡ ______________________
(2) (3형식) ➡ ______________________

문제 해결 전략

주어진 문장에서 직접목적어에 해당하는 것은 ❶ ______ 이고 간접목적어에 해당하는 것은 her son이다. 직접목적어가 간접목적어 앞에 올 때, 간접목적어 앞에 전치사를 써야 한다. buy는 전치사 ❷ ______ 를 쓰는 동사이다.

답 ❶ a cap ❷ for

5 다음 그림을 보고, 알맞은 부가의문문과 대답을 이용하여 대화를 완성하시오.

A: Sumin looks angry, ________ ________?
(수민이는 화가 나 보여, 그렇지 않니?)
B: ________, ________ ________. (응, 그래 보여.)

문제 해결 전략

앞 문장이 긍정문이면 부가의문문은 ❶ ______ 으로 써야 한다. 또한 앞 문장에 일반동사가 쓰인 경우 부가의문문에는 do동사를 쓰는데, 이때 시제와 인칭에 주의해야 한다. 부가의문문에 대한 대답의 내용이 긍정이므로 ❷ ______ 로 시작하여 답해야 한다.

답 ❶ 부정문 ❷ Yes

6 다음 중 주어진 문장을 감탄문으로 잘못 바꾼 것은?

① She is very strong. ➡ How strong she is!
② It is a very great painting. ➡ What a great painting it is!
③ The monkey is very clever. ➡ How clever the monkey is!
④ The song was very funny. ➡ How a funny song it was!
⑤ These are very cheap sneakers. ➡ What cheap sneakers these are!

문제 해결 전략

감탄문은 How 또는 What으로 시작하며 '정말 ~하구나!'라는 의미를 나타낸다. How로 시작할 때 「How+ ❶ ______ 또는 부사(+주어+동사)!」의 어순이고, What으로 시작하는 감탄문은 「What(+ ❷ ______)+형용사+명사(+주어+동사)!」의 어순이다.

답 ❶ 형용사 ❷ a/an

1주 4일 교과서 대표 전략 ❶

대표 예제 1

다음 빈칸에 공통으로 들어갈 말로 알맞은 것은?

- My New Year's goal is ________ a musical instrument.
- She is planning ________ German during the vacation.

① learn ② learns ③ learning
④ to learn ⑤ to learning

Tip

첫 번째 빈칸에는 주격 보어 역할을 하는 to부정사 또는 ❶ ________가 올 수 있다. 두 번째 빈칸에는 동사 plan의 목적어가 와야 하므로 ❷ ________만 가능하다.

답 ❶ 동명사 ❷ to부정사

대표 예제 2

다음 우리말을 바르게 영작한 것을 두 개 고르면?

전기를 절약하는 것은 필수적이야.

① Save electricity is necessary.
② To save electricity is necessary.
③ It is necessary save electricity.
④ It is necessary to saving electricity.
⑤ It is necessary to save electricity.

Tip

to부정사가 문장에서 ❶ ________ 역할을 할 때 '~하는 것은[이]'으로 해석한다. 이때 주어 자리에 가주어 ❷ ________을 쓰고 진주어인 to부정사는 뒤로 보낼 수 있다.

답 ❶ 주어 ❷ it

대표 예제 3

다음 두 문장의 의미가 서로 통하도록 빈칸에 알맞은 말을 두 단어로 쓰시오.

I met my favorite singer, so I was excited.
➡ I was excited ________ my favorite singer.

Tip

주어진 문장은 감정의 ❶ ________을 나타내는 to부정사의 ❷ ________적 용법으로 나타낼 수 있다.

답 ❶ 원인 ❷ 부사

대표 예제 4

다음 중 〈보기〉의 밑줄 친 to부정사와 쓰임이 다른 것은?

보기
I want something to drink.

① We have no time to waste.
② There are many places to visit in Korea.
③ What is the best way to learn English?
④ Here's a simple fact to remember.
⑤ He went to the store to buy some milk.

Tip

to부정사가 명사를 꾸미는 ❶ ________ 역할을 할 때 '~할, ~하는'으로 해석하고, ❷ ________을 나타내는 부사 역할을 할 때 '~하기 위해'라고 해석한다.

답 ❶ 형용사 ❷ 목적

대표 예제 5

다음 빈칸에 들어갈 말이 순서대로 바르게 짝지어진 것은?

- We need ________ food waste.
- I decided ________ up for the camp.
- He practices ________ the piano.

① to reduce … to sign … playing
② to reduce … to sign … to play
③ to reduce … signing … to play
④ reducing … to sign … playing
⑤ reducing … signing … to play

Tip

want, hope, need, decide, learn 등은 ❶ ________ 를 목적어로 쓰는 동사이고 enjoy, finish, mind, practice 등은 ❷ ________ 를 목적어로 쓰는 동사이다.

답 ❶ to부정사 ❷ 동명사

대표 예제 6

다음 중 빈칸에 한 번도 들어가지 않는 것은?

ⓐ ________ sent you the flowers?
ⓑ ________ don't you stay longer?
ⓒ ________ old is your dog?
ⓓ ________ do you want, the red cap or yellow one?

① How ② Who ③ Which
④ When ⑤ Why

Tip

제안 또는 권유를 할 때 「❶ ________ don't you ~?」로 묻고, 정해진 대상들 중 어느 쪽을 선택할지 물을 때는 의문사 ❷ ________ 를 쓴다.

답 ❶ Why ❷ Which

대표 예제 7

다음 질문에 대한 대답으로 알맞은 것은?

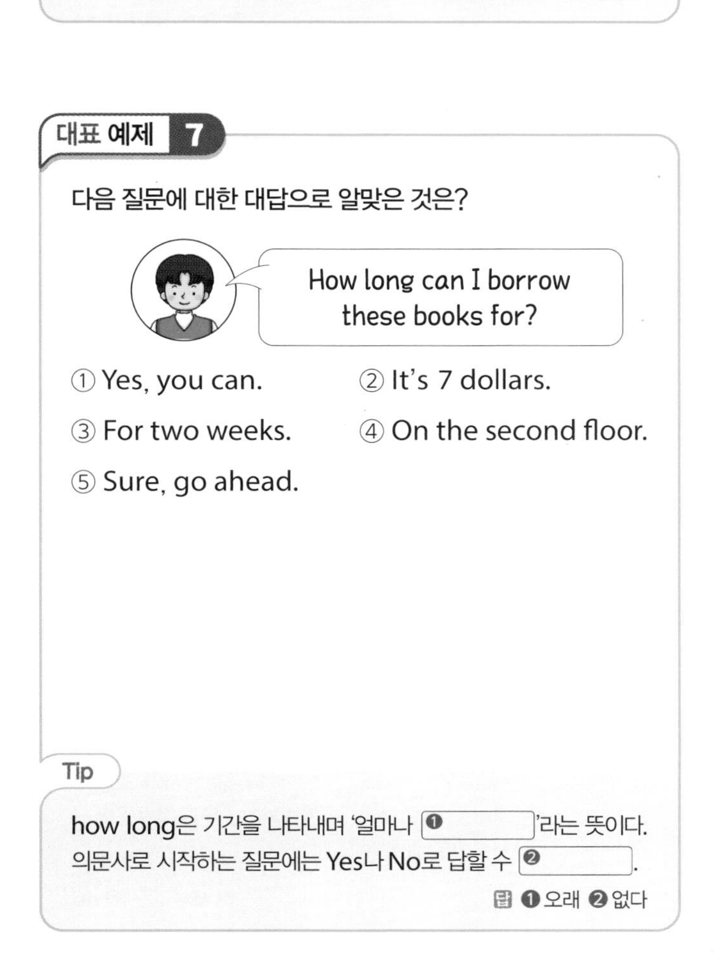

① Yes, you can. ② It's 7 dollars.
③ For two weeks. ④ On the second floor.
⑤ Sure, go ahead.

Tip

how long은 기간을 나타내며 '얼마나 ❶ ________'라는 뜻이다. 의문사로 시작하는 질문에는 Yes나 No로 답할 수 ❷ ________.

답 ❶ 오래 ❷ 없다

대표 예제 8

다음 중 밑줄 친 부분의 성격이 나머지 넷과 다른 것은?

① Growing vegetables takes time.
② Why is she talking to the teacher?
③ I'm not interested in joining the club.
④ My hobby is listening to hip-hop music.
⑤ Did you enjoy making your own board game?

Tip

동명사는 문장에서 ❶ ________ 역할을 하는 반면, 현재분사는 be동사와 함께 쓰여 ❷ ________ 의 의미를 나타낸다.

답 ❶ 명사 ❷ 진행

대표 예제 9

다음 중 빈칸에 들어갈 수 있는 말을 〈보기〉에서 모두 고른 것은?

There is __________ in the house.

보기
ⓐ a yard　ⓑ two bedrooms
ⓒ a lot of guests　ⓓ smoke
ⓔ a swimming pool　ⓕ some mice

① ⓐ, ⓒ, ⓔ　② ⓐ, ⓓ, ⓔ　③ ⓐ, ⓔ, ⓕ
④ ⓑ, ⓓ, ⓕ　⑤ ⓑ, ⓒ, ⓓ

Tip

「There+be동사 ~.」는 '❶ ______'라는 의미이다. There is는 ❷ ______ 명사 또는 셀 수 없는 명사와 함께 쓴다.

답 ❶ ~이 있다 ❷ 단수

대표 예제 10

다음 그림을 보고, 질문에 알맞은 답을 쓰시오.

A: Are there ducks on the water?
B: __________, __________ __________.

Tip

'~이 있니?'라고 물을 때 Is[Are] ❶ ______ ~?로 나타낸다. 긍정의 대답은 Yes, there is[are].로 하고 부정의 대답은 No, there ❷ ______[aren't].로 한다.

답 ❶ there ❷ isn't

대표 예제 11

다음 그림을 보고, 우리말과 일치하도록 괄호 안의 단어를 바르게 배열하시오.

Mary는 그녀의 고양이를 Buddy라고 이름 지었다.
(named, Mary, her, Buddy, cat)

➡ ______________________________

Tip

name은 '이름을 짓다'라는 의미의 ❶ ______형식 동사이므로 「주어+name+목적어+❷ ______」의 어순으로 쓴다.

답 ❶ 5 ❷ 목적격 보어

대표 예제 12

다음 중 밑줄 친 부분이 어법상 어색한 것은?

① Turn off the light, will you?
② He can't drive a car, can he?
③ They were not in the room, were they?
④ You love shopping, don't you?
⑤ Anna read the novel, doesn't she?

Tip

앞 문장이 긍정문이면 부가의문문은 부정문으로, 앞 문장이 부정문이면 부가의문문은 ❶ ______으로 쓴다. be동사와 조동사는 부가의문문에서 그대로 쓰고, 일반동사는 부가의문문에서 ❷ ______동사를 이용하여 쓴다.

답 ❶ 긍정문 ❷ do

>> 정답과 해설 34쪽

대표 예제 13

다음 중 어법상 어색한 것은?

① They don't know you, do they?
② Don't make noise in the museum.
③ How a terrible handwriting he has!
④ Alicia gave a present to her dad.
⑤ They found the book interesting.

Tip

부정 명령문은 「❶ [ ] +동사원형 ~.」의 형태로 쓴다. 주어 이외에 명사가 쓰인 감탄문은 ❷ [ ] 으로 시작한다. 「give+직접목적어+전치사 ❸ [ ] +간접목적어」는 '~을 …에게 주다'라는 의미이다.

답 ❶ Don't ❷ What ❸ to

대표 예제 14

다음 빈칸에 들어갈 수 없는 것은?

This coffee tastes ________.

① great ② sweet ③ bitterly
④ bad ⑤ delicious

Tip

동사 taste는 '~한 맛이 나다'라는 의미의 ❶ [ ] 동사이다. 이때 주격 보어는 형용사가 와야 하며 부사는 올 수 ❷ [ ].

답 ❶ 감각 ❷ 없다

대표 예제 15

다음 중 빈칸에 들어갈 말이 나머지 넷과 다른 것은?

① I will send some pictures ______ you.
② Mr. Jones cooked lunch ______ his wife.
③ Peter passed the ball ______ the captain.
④ Jessica told a scary story ______ her brother.
⑤ He showed his driver's license ______ the police officer.

Tip

3형식에서 간접목적어 앞에 쓰는 전치사는 ❶ [ ] 에 따라 다르다. send, pass, tell, show 등은 전치사 ❷ [ ] 를 쓰는 동사이고, cook, buy, make 등은 전치사 for를 쓰는 동사이다.

답 ❶ 동사 ❷ to

대표 예제 16

괄호 안의 표현을 이용하여 주어진 우리말을 4형식과 3형식으로 각각 영작하시오.

나는 그에게 생일 초대장을 썼다.
(write, a birthday invitation card)

(1) ______________________________ (4형식)
(2) ______________________________ (3형식)

Tip

4형식 문장은 「주어+동사+간접목적어+❶ [ ] 목적어」의 어순이며, 3형식 문장은 「주어+동사+직접목적어+❷ [ ] +간접목적어」의 어순이다.

답 ❶ 직접 ❷ 전치사

1주 4일 교과서 대표 전략 ❷

1 다음 빈칸에 들어갈 말이 순서대로 바르게 짝지어진 것은?

- This isn't the right key, __________?
- You made a huge mistake, __________?

① is it … did you
② isn't this … did you
③ is it … didn't you
④ isn't it … weren't you
⑤ is this … aren't you

Tip

앞 문장이 긍정문이면 부가의문문은 ❶ [   ]으로, 앞 문장이 부정문이면 부가의문문은 긍정문으로 쓴다. 주어가 this/that일 때 부가의문문에서는 대명사 ❷ [   ]으로 바꿔 쓴다.

답 ❶ 부정문 ❷ it

2 다음 중 그림의 내용과 일치하지 않는 것은?

① There are six eggs.
② There aren't any grapes.
③ There is a slice of pizza.
④ There isn't any milk.
⑤ There are some apples.

Tip

There is ~는 단수 명사 또는 셀 수 없는 명사와 쓰고, There are ~는 ❶ [   ] 명사와 쓴다. '~이 없다'라고 할 때는 There is[are] ❷ [   ] ~을 이용한다.

답 ❶ 복수 ❷ not

3 다음 중 빈칸에 들어갈 말이 나머지 넷과 다른 것은?

① She taught English ______ us.
② I made a doghouse ______ my dog.
③ The king built a palace ______ his queen.
④ I will get some orange juice ______ you.
⑤ They bought a toy ______ their baby.

Tip

teach, send, give, tell 등은 3형식으로 쓸 때 전치사 ❶ [   ]를 쓰는 동사이고, make, build, get, buy 등은 전치사 ❷ [   ]를 쓰는 동사이다.

답 ❶ to ❷ for

서술형

4 괄호 안의 단어를 알맞은 형태로 고쳐 빈칸에 쓰시오.

A: I want __________ healthy. (be)
B: I think you should quit __________ fatty foods. (eat)

Tip

want는 목적어로 ❶ [   ]를 쓰는 동사이고, quit은 목적어로 ❷ [   ]를 쓰는 동사이다.

답 ❶ to부정사 ❷ 동명사

>> 정답과 해설 35쪽

서술형

5 우리말과 일치하도록 주어진 단어를 바르게 배열하시오.

그것들은 정말 아름다운 장미구나!
(roses, what, are, they, beautiful)

➡ ____________________

Tip
What으로 시작하는 감탄문의 어순은 「What(+a/an)+ ❶ ______ +명사(+주어+동사)!」이다. 복수 명사가 올 경우 a나 an을 쓰지 ❷ ______.

답 ❶ 형용사 ❷ 않는다

6 〈보기〉의 밑줄 친 to부정사와 쓰임이 같은 것의 개수는?

보기
The children like to eat sweets.

ⓐ We have several things to buy.
ⓑ He finally learned to ride a bike.
ⓒ I went to the airport to pick him up.
ⓓ Brad practiced hard to be a good dancer.
ⓔ I was happy to spend time with him.

① 1개 ② 2개 ③ 3개 ④ 4개 ⑤ 5개

Tip
〈보기〉에서 to부정사는 '~하는 것, ~하기'로 해석되어 ❶ ______ 적 용법이다. to부정사가 형용사적 용법일 때는 '~할, ~하는'이라는 의미이고 ❷ ______ 적 용법일 때는 목적이나 감정의 원인 등을 나타낸다.

답 ❶ 명사 ❷ 부사

서술형

7 다음 문장에서 어법상 어색한 부분을 찾아 고쳐 쓰시오.

The soup smells badly.

__________ ➡ __________

Tip
감각동사 smell은 '~한 ❶ ______ 가 나다'라는 의미로 주격 보어 자리에 ❷ ______ 가 와야 한다.

답 ❶ 냄새 ❷ 형용사

8 다음 우리말을 잘못 영작한 것은?

① 여기서 스케이트 타는 것은 위험하다.
➡ It is dangerous to skate here.
② 젓가락을 사용하는 것은 어렵지 않다.
➡ Using chopsticks is not difficult.
③ 우리는 내년에 아프리카로 여행 가기를 바란다.
➡ We hope to travel to Africa next year.
④ 그는 변호사가 되는 것을 포기했다.
➡ He gave up becoming a lawyer.
⑤ 나는 행진을 보기 위해 멈추었다.
➡ I stopped watching the parade.

Tip
to부정사가 주어 역할을 할 때 가주어 ❶ ______ 을 맨 앞에 쓴다. 동명사(구) 주어는 ❷ ______ 로 취급한다. 목적을 나타낼 때는 부사적 용법의 to부정사를 쓴다.

답 ❶ it ❷ 단수

1주 누구나 합격 전략

1 다음 빈칸에 들어갈 수 없는 것은?

Ralph ________ to make new friends.

① wants　② enjoys
③ hopes　④ decided
⑤ loves

서술형

2 자연스러운 대화가 되도록 빈칸에 알맞은 의문사를 쓰시오.

A: ________ were you late for the class?
B: Because I missed the bus.

3 다음 중 밑줄 친 to부정사의 쓰임이 나머지 넷과 다른 것은?

① To stay healthy, I go jogging every day.
② She learned French to get a job in France.
③ Jonathan promised to fix her computer.
④ I turned on the TV to watch the news.
⑤ Sarah went home early to pack for her camping trip.

4 다음 괄호 안에서 알맞은 것끼리 짝지어진 것은?

- The reporter asked a lot of questions (A) (of / to) him.
- This backpack looks (B) (nice / nicely).
- Wearing a seat belt keeps you (C) (safe / safely).

	(A)		(B)		(C)
①	of	…	nice	…	safe
②	of	…	nice	…	safely
③	of	…	nicely	…	safe
④	to	…	nicely	…	safely
⑤	to	…	nice	…	safe

서술형

5 다음 그림을 보고, 우리말과 일치하도록 대화를 완성하시오.

A: The final exam was difficult, ________ ________?
(기말고사는 어려웠어, 그렇지 않았니?)
B: ________, ________ ________. (응, 어려웠어.)

6 다음 중 어법상 어색한 것은?

① How exciting!

② How colorful they are!

③ What a talented singer she is!

④ What fast the cheetah runs!

⑤ What an unlucky day it was!

7 다음 중 <보기>의 밑줄 친 부분과 성격이 같은 것은?

보기
You should avoid using paper cups.

① The workers are wearing masks.

② Why is the dog barking at you?

③ David was not reading comic books.

④ Are they planting flowers in the garden?

⑤ His main goal is winning the championship.

8 다음 빈칸에 Are[are]를 쓸 수 없는 것은?

① ________ there any other questions?

② There ________ three doughnuts on the plate.

③ There ________ a lot of people in the stadium.

④ There ________ some butter in the refrigerator.

⑤ There ________ many places to see here.

9 다음 중 밑줄 친 부분을 어법상 바르게 고친 것은?

① It is helpful learn English.
➡ to learning

② I was surprised hear the news.
➡ to hear

③ Robert finished wash the dishes.
➡ to wash

④ They are planning go hiking.
➡ going

⑤ She went to the post office sends a letter.
➡ sending

서술형

10 다음 그림 속의 각 인물에게 할 충고를 <조건>에 맞게 완성하시오.

(wear, run)

조건
1. 괄호 안의 단어를 이용할 것 2. 명령문이 되도록 완성할 것

(1) ________ near the pool, Minsu.

(2) ________ your swimming cap, Jina.

1주 창의·융합·코딩 전략 ❶

1 다음 그림을 보고, 〈보기〉와 같이 질문에 답하시오.

보기
Are there carrots in the fridge?
— Yes, there are.

(1) Is there a watermelon in the fridge?
— ________, ________ ________.

(2) Are there any onions in the fridge?
— ________, ________ ________.

(3) Are there lemons in the fridge?
— ________, ________ ________.

(4) Is there any milk in the fridge?
— ________, ________ ________.

Tip
수박과 레몬은 냉장고에 있다고 답해야 하고, 양파와 우유는 ❶ ________고 답해야 한다. 의문문에 대한 긍정의 대답은 Yes, there is / are.로 하고, 부정의 대답은 No, there isn't / ❷ ________.로 한다.

답 ❶ 없다 ❷ aren't

2 다음 휴대 전화 메시지를 읽고, 밑줄 친 ⓐ~ⓔ 중 어법상 어색한 것을 두 개 찾아 기호를 쓴 뒤 바르게 고치시오.

(1) ______ ➡ ________

(2) ______ ➡ ________

Tip
감각동사 look은 '❶ ________'라는 의미이며 주격 보어로 형용사를 쓴다. 「make+직접목적어+전치사 ❷ ________+간접목적어」는 '~에게 …을 만들어 주다'라는 의미이다. How로 시작하는 감탄문은 뒤에 주어 이외의 명사가 없다.

답 ❶ ~하게 보이다 ❷ for

>> 정답과 해설 37쪽

3 다음 그림을 보고, 〈보기〉에서 알맞은 말을 골라 두 사람이 이곳에 온 목적을 나타내시오. (단, to부정사를 이용할 것)

보기
interview the actor
film a movie

(1) Robert came here ____________________.

(2) Jean came here ____________________.

Tip

to부정사의 형태는 「to+ ❶ ________ 」이며, to부정사를 이용하여 '~하기 위해'라는 ❷ ________ 의 의미를 나타낼 수 있다.

답 ❶ 동사원형 ❷ 목적

4 다음 Step1과 Step2의 지시를 따르시오.

Step 1 부가의문문과 알맞은 대답을 이용하여 두 사람의 대화를 완성하시오.

Step 2 위 대화에서 알 수 있는 사실을 동사 eat을 사용하여 완성하시오.

Amy enjoys (1) ____________ spicy food, but Sam doesn't like (2) ____________ spicy food.

Tip

남학생의 마지막 말인 I never eat spicy food.로 보아 그는 '매운 음식을 먹을 수 ❶ ________.'라고 답하는 것이 적절하다. enjoy는 ❷ ________ 를 목적어로 쓰는 동사이고 like는 to부정사와 동명사를 둘 다 목적어로 쓸 수 있다.

답 ❶ 없다 ❷ 동명사

5 괄호 안에서 ⓐ와 ⓑ 중 알맞은 것을 선택하여 얻은 단어를 빈칸에 순서대로 적어 여학생의 말을 완성하시오.

(1) The dog kept (ⓐ barking / ⓑ to bark) at me.

ⓐ How　　ⓑ What

(2) Linda decided (ⓐ taking / ⓑ to take) a trip to China.

(3) Jamie expected (ⓐ winning / ⓑ to win) the race.

(4) Did you finish (ⓐ painting / ⓑ to paint) the wall?

ⓐ are　　ⓑ is

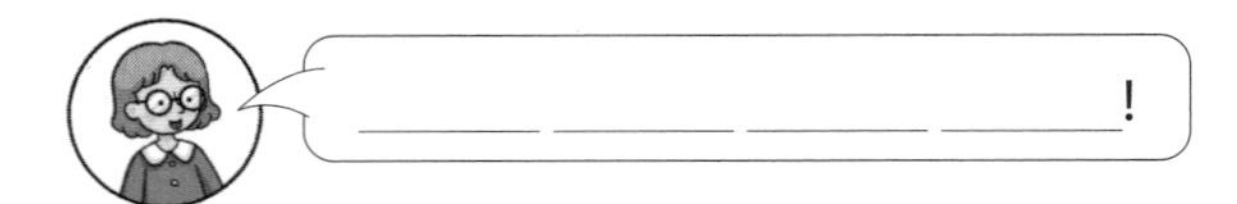

Tip

keep, finish, enjoy, stop 등은 ❶ _____ 를 목적어로 쓰는 동사이고, decide, expect, want, hope 등은 ❷ _____ 를 목적어로 쓰는 동사이다.

답 ❶ 동명사 ❷ to부정사

6 다음 포스터의 물감이 묻은 부분에 들어갈 알맞은 단어 카드를 골라 쓰시오.

FLEA MARKET

Do you want (1) _____ things at low prices? Many people come and shop at our flea market (2) _____ money. Most items are under 5,000 won. Why don't you come and save money?

When: 11 a.m. – 6 p.m.
every 4th Sunday
Where: In Green Park

If you want more information, visit *www.fleamarket.org.*

We welcome sellers!

(3) _____ throw away your old stuff. Bring them (4) _____ us!

Don't	Doesn't	to buy	buying
to	for	save	to save

Tip

want, hope, need, learn 등은 ❶ _____ 를 목적어로 쓰는 동사이다. 부정 명령문은 '~하지 마라'라는 의미로 「❷ _____ +동사원형 ~.」으로 쓴다.

답 ❶ to부정사 ❷ Don't

>> 정답과 해설 37쪽

7 다음 규칙에 따라 성의 비밀번호 여섯 자리를 완성하시오.

HINT
ⓐ The boys chatted loudly.
ⓑ Everyone calls him a hero.
ⓒ Tiffany sent me a postcard.
ⓓ His apple pie tastes great.
ⓔ The visitors kept him busy.
ⓕ She wrote many famous books.

	ⓐ	ⓑ	ⓒ	ⓓ	ⓔ	ⓕ
비밀번호:	1					

Tip

1형식 문장은 「주어+동사(+부사/전치사구)」로 이루어지고, 2형식 문장은 「주어+동사+주격 ❶ ______」로 이루어진다. 3형식 문장은 목적어가 한 개이고, 4형식 문장은 목적어가 ❷ ______ 개이다. 5형식 문장은 「주어+동사+목적어+목적격 보어」로 이루어진다.

답 ❶ 보어 ❷ 두(2)

8 다음 그림을 보고, 우리말과 일치하도록 필요한 단어 카드를 골라 바르게 배열하시오. (단, 괄호 안의 숫자대로 단어 카드를 고를 것)

(1) Bradley는 우리에게 그의 정원을 보여주었다. (4개)

➡ Bradley ______________________.

us	our	garden
showed	his	for

(2) Michelle은 "이것은 정말 놀라운 정원이군요!"라고 말했다. (6개)

➡ Michelle said, "______________________!"

a	an	garden	is
what	how	amazing	this

Tip

(1) 주어진 단어 카드 중 간접목적어는 '우리에게'라는 의미의 ❶ ______ 이고, 직접목적어는 '그의 정원을'이라는 의미의 his garden이다.
(2) amazing은 첫소리가 모음으로 시작하는 단어이므로 부정관사는 a가 아닌 ❷ ______ 으로 써야 한다.

답 ❶ us ❷ an

형용사와 부사, 비교, 전치사, 접속사

1 형용사

다음 문장이 나타내는 고속도로는?

There are few cars on the highway.

a. I-25   b. I-80

2 비교

두 사람이 살 케이크는?

a. 딸기 케이크

b. 초콜릿 케이크

학습할 내용

❶ 형용사와 부사 ❷ 비교 ❸ 전치사 ❹ 접속사

3 전치사

4 접속사

답 1 a 2 b 3 a 4 a

2주 1일 개념 돌파 전략 ❶

개념 1 형용사와 부사

- 형용사는 명사나 대명사를 꾸며 주거나 주어나 목적어의 상태나 성질을 설명해 준다. 부사는 동사, 형용사, 다른 부사, 문장 전체를 꾸미고, 대개 「형용사+-ly」의 형태이다.
- 수량형용사는 명사의 수나 양을 나타내는 형용사이다.

수량형용사	many(많은), a few(약간의), few(거의 없는)	+ 셀 수 있는 명사
	much(많은), a little(약간의), little(거의 없는)	+ 셀 수 ❶ ______ 명사

- 빈도부사는 어떤 일이 얼마나 자주 일어나는지 나타내는 부사로 always(항상), usually(보통), often(자주), sometimes(❷ ______), never(전혀 ~않는) 등이 있다.

Quiz

괄호 안에서 알맞은 것을 고르시오.

(1) He was a (brave / bravely) soldier.

(2) We solved the problem (easy / easily).

(3) She has (a few / a little) friends.

답 ❶ 없는 ❷ 가끔 / (1) brave (2) easily (3) a few

개념 2 비교급과 최상급

- 비교급은 두 대상의 정도 차이를 ❶ ______ 할 때 쓰며, 「비교급+than」은 '~보다 더 …한[하게]'이라는 의미이다. 비교급은 원급에 -(e)r 또는 more를 붙인다.
- 최상급은 여러 대상을 비교하여 정도가 가장 높은 것을 나타낸다. 보통 「❷ ______ +최상급」의 형태이며 '가장 ~한[하게]'이라는 의미이다. 최상급은 원급에 -(e)st 또는 most를 붙인다.

대부분의 형용사/부사	-(e)r / -(e)st	fast – fast**er** – fast**est**
「단모음+단자음」으로 끝날 때	마지막 자음을 한 번 더 쓰고 +-er / -est	big – big**ger** – big**gest**
「자음+-y」로 끝날 때	y를 i로 고치고 +-er / -est	easy – eas**ier** – eas**iest**
3음절 이상이거나 -ful, -ous, -able, -less, -ing 등으로 끝날 때	단어의 앞에 more / most	beautiful – **more** beautiful – **most** beautiful

Quiz

단어의 비교급과 최상급이 바르게 연결된 것을 모두 골라 기호를 쓰시오.

ⓐ wise – wiser – wisest
ⓑ cold – colder – coldest
ⓒ useful – usefuler – usefulest
ⓓ fat – fater – fatest
ⓔ pretty – prettyer – prettyest

➡ ______

답 ❶ 비교 ❷ the / ⓐ, ⓑ

1-1 괄호 안에서 알맞은 것을 고르시오.

(1) It rained (heavy / heavily).

(2) I heard a (strange / strangely) story.

(3) Please speak (clear / clearly).

풀이 | (1) 동사나 형용사, 다른 부사, 문장 전체를 꾸미는 것은 ❶ ______ 이다. (2) 명사나 대명사를 꾸며 주는 것은 형용사이다. (3) 동사 speak를 꾸미므로 부사인 ❷ ______ 가 알맞다.

답 (1) heavily (2) strange (3) clearly / ❶ 부사 ❷ clearly

2-1 다음 포스터와 표를 보고, 괄호 안의 단어를 이용하여 두 영화를 비교한 문장을 완성하시오.

	Bailey	*The Mars*
상영 시간	1시간 50분	2시간 30분
코믹함	★★★★★	★★★

(1) *The Mars* is ________ than *Bailey*. (long)

(2) *Bailey* is ________ than *The Mars*. (funny)

풀이 | 두 영화 중 상영 시간이 더 긴 것은 〈The Mars〉이고, 더 웃긴 것은 〈Bailey〉이므로 주어진 단어 long과 funny를 ❶ ______ 으로 고쳐야 한다. long은 -er을 붙여 비교급을 만들고 funny는 y를 i로 고치고 ❷ ______ 을 붙여 비교급을 만든다.

답 (1) longer (2) funnier / ❶ 비교급 ❷ -er

1-2 다음 중 밑줄 친 단어의 쓰임이 어법상 어색한 것은?

① The situation became seriously.

② I had a scary dream last night.

③ Fortunately, no one was hurt.

2-2 다음은 다섯 동물의 지능지수를 나타낸 것이다. 〈조건〉에 맞게 문장을 완성하시오.

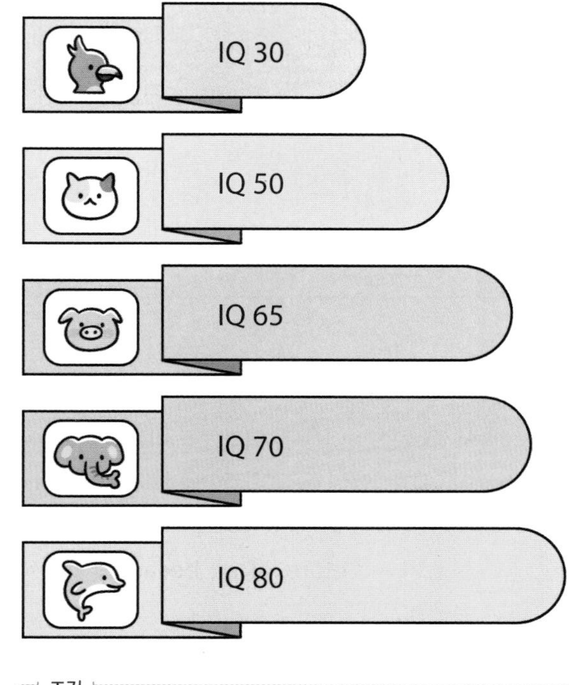

조건

smart를 이용하여 동물들의 지능지수를 서로 비교할 것

(1) The pig is ________ than the cat.

(2) The dolphin is ________ ________ of the five.

개념 돌파 전략 ❶

개념 3 전치사

- 전치사는 명사나 대명사 앞에 쓰여 시간, 위치나 장소, 방향 등을 나타낸다.

	시간을 나타낼 때	위치·장소를 나타낼 때
in	월, 연도, 계절, 오전, 오후, 저녁 **in** April, **in** 2022, **in** spring, **in** the morning	나라·도시 등 비교적 넓은 장소, 공간의 내부 **in** Seoul, ❶ ___ the building
on	날짜, 요일, 특정한 날 **on** March 1st, **on** Monday, ❷ ___ my birthday	표면에 접한 상태 **on** the wall, **on** the table, **on** the second floor
at	구체적인 시각, 특정한 시점 **at** 6 o'clock, **at** noon	장소의 한 지점, 비교적 좁은 장소 **at** the bus stop, **at** the airport

Quiz

괄호 안에서 알맞은 것을 고르시오.

(1) They got married (in / on) 2020.

(2) The musical starts (on / at) 3:30.

(3) There is a picture (in / on) the wall.

답 ❶ in ❷ on / (1) in (2) at (3) on

개념 4 명사절 / 부사절을 이끄는 접속사

- 접속사 that은 '~라는 것'이라는 의미로 명사절을 이끈다.
- that이 이끄는 절이 목적어 역할을 할 때 접속사 that을 생략할 수 ❶ ___.
  I think (**that**) you are right. 나는 네가 옳다고 생각한다.
- 접속사 when, before, after, because, if는 시간, 이유, 조건 등을 나타내는 부사절을 이끈다.

시간	when(~할 때), before(~ 하기 전에), ❷ ___ (~ 한 후에)
이유	because(~ 때문에) *cf.* 등위접속사 so: '그래서'라는 의미로 so 앞의 절은 원인을 나타내고, 뒤의 절은 결과를 나타낸다.
조건	if(만약 ~라면)

Quiz

우리말과 일치하도록 알맞은 것을 고르시오.

(1) 그녀는 치통이 심하다고 말했다.
➡ She said (that / if) she had a bad toothache.

(2) 나는 어렸을 때 키가 작았다.
➡ (Before / When) I was young, I was short.

부사절은 주절 앞이나 뒤에 모두 쓰일 수 있어. 주절 앞에 쓰일 때는 부사절 끝에 콤마(,)를 써야 해.

답 ❶ 있다 ❷ after / (1) that (2) When

3-1 다음 빈칸에 공통으로 들어갈 전치사로 알맞은 것은?

> The 21st FIFA World Cup took place ________ Russia ________ 2018.

① in ② at ③ on

풀이 | 첫 번째 빈칸 다음에 ❶ [ ] 인 러시아가 나오고, 두 번째 빈칸 다음에는 연도가 나오므로 공통으로 들어갈 전치사는 ❷ [ ] 이다.

답 ① / ❶ 나라 ❷ in

3-2 〈보기〉에서 알맞은 전치사를 골라 쓰시오.

> 보기
> in at on

(1) Nick went to bed ________ midnight.

(2) It is usually warm ________ May.

(3) Tony, what are you going to do ________ Valentine's Day?

4-1 다음 두 문장의 의미가 통하도록 빈칸에 들어갈 말로 알맞은 것은?

> The traffic was bad, so Monica was late for the meeting.
> ➡ Monica was late for the meeting ________ the traffic was bad.

① if ② that ③ because

풀이 | 차가 막힌 것은 Monica가 모임에 늦은 ❶ [ ] 를 나타낸다. 따라서 빈칸에는 이유를 나타내는 부사절을 이끄는 접속사 ❷ [ ] 가 알맞다.

답 ③ / ❶ 이유 ❷ because

4-2 다음 두 문장을 한 문장으로 바꿔 쓸 때, 빈칸에 알맞은 접속사를 〈보기〉에서 골라 쓰시오.

> 보기
> If Before After

> Ted washed the dishes. Then he watched TV.
> ➡ ________ Ted washed the dishes, he watched TV.

2주 1일 개념 돌파 전략 2

CHECK UP

A: Brian, what did you buy at the supermarket?

B: I bought (a few / a little) eggs.

➡ 수량형용사 a few와 a little은 둘 다 '❶ ______'라는 의미를 나타내는데, 셀 수 ❷ ______ 명사인 egg와 함께 쓸 수 있는 것을 고른다.

답 a few / ❶ 약간의 ❷ 있는

1 다음 중 밑줄 친 부분이 어법상 어색한 것은?

① There was few water in the pond.

② Julia drinks much milk every day.

③ We ate a little bread for breakfast.

④ There are many tall buildings in Seoul.

⑤ I have to buy a few things at the market.

CHECK UP

Jack and his brother get along well so they (usually / never) fight.

➡ 빈도부사 ❶ ______는 '보통, 대개'라는 의미이고 never는 '❷ ______'이라는 의미이다.

답 never / ❶ usually ❷ 절대 ~않는

2 Lisa의 일상생활에 관한 다음 표와 일치하는 설명은?

	Mon	Tue	Wed	Thur	Fri	Sat	Sun
go jogging	○	○	○	○	○	○	○
study math	○	○	○	×	×	×	×
eat breakfast	×	×	×	×	×	×	×

① Lisa sometimes goes jogging.

② Lisa studies math once a week.

③ Lisa never eats breakfast.

④ Lisa often eats breakfast.

⑤ Lisa studies math every day.

CHECK UP

I put on a coat (so / because) it was getting cold.

➡ 접속사 so는 '❶ ______'라는 의미로 결과를 나타내는 절을 이끌고 접속사 because는 '~ 때문에'라는 의미로 ❷ ______를 나타내는 부사절을 이끈다. 코트를 입은 것은 결과이고 날씨가 추워진 것은 이유를 나타낸다.

답 because / ❶ 그래서 ❷ 이유

3 다음 그림을 보고, 괄호 안의 표현 중 필요한 것만 골라 문장을 완성하시오.

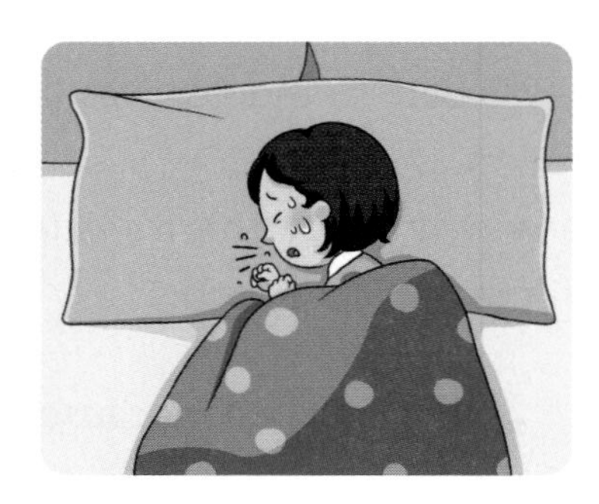

Lily couldn't go skating ______________________.
(had, a cold, so, because, she, her)

CHECK UP

(1) 학교는 9시에 시작한다.
→ School begins (at / in) nine.
(2) 몇몇 아이들이 잔디 위에 앉아 있다.
→ Several kids are sitting (in / on) the grass.

➡ (1) 9시는 구체적인 ❶ [ ]을 나타내므로 전치사 at과 함께 쓴다.
(2) 잔디의 표면에 접해 앉아 있는 상태를 나타내므로 '❷ [ ]'라는 의미의 전치사 on이 알맞다.

답 (1) at (2) on / ❶ 시각 ❷ ~(위)에

4 다음 빈칸에 들어갈 말이 순서대로 바르게 짝지어진 것은?

• Lots of people go to the beach ________ summer.
• My family usually has lunch ________ noon.
• Someone spilled coffee ________ the carpet.

① in … at … on　② in … on … at　③ on … in … at
④ on … at … in　⑤ at … on … in

CHECK UP

We think (it / that) money can't buy happiness.

➡ 의미상 '우리는 돈이 행복을 살 수 없다고 생각한다'라고 해야 하므로 동사 think의 ❶ [ ] 역할을 하는 접속사 that이 알맞다. it은 문장과 문장을 연결할 수 ❷ [ ].

답 that / ❶ 목적어 ❷ 없다

5 다음 중 접속사 that이 들어갈 위치로 알맞은 곳은?

Many (①) people (②) believe (③) a four-leaf clover (④) brings (⑤) good luck.

CHECK UP

(1) Mt. Jiri is (high / higher) than Mt. Seorak.
(2) Mt. Everest is the (highest / most highest) mountain in the world.

➡ (1) '~보다'라는 의미의 ❶ [ ] 앞에는 비교급이 와야 한다.
(2) high의 최상급은 ❷ [ ]를 붙여 만든다.

답 (1) higher (2) highest / ❶ than ❷ -est

6 다음 그림을 보고, short 또는 tall을 이용하여 문장을 완성하시오.

(1) Emma is ________ ________ Susan.
(2) Kate is ________ ________ of the three.

2주 2일 필수 체크 전략 ❶

전략 1 형용사와 부사의 쓰임을 구분할 것!

(1) 형용사는 주로 명사의 앞에서 명사를 꾸며 준다. -thing, -body, -one 등으로 끝나는 대명사는 형용사가 ❶ ______ 에서 꾸민다.

I want a **special** present. 나는 특별한 선물을 원한다.

I want something **special**. 나는 특별한 어떤 것을 원한다.

(2) 형용사는 주어나 목적어의 상태나 성질을 설명해 준다.

The girl looks **sad**. 그 소녀는 슬퍼 보인다.

(3) 부사는 동사, 형용사, 다른 부사, 문장 전체를 꾸며 주며, 주로 형용사 뒤에 -ly를 붙여 만든다.

-y로 끝나는 형용사는 y를 i로 고치고 ❷ ______ 를 붙인다.

He stopped **suddenly**. 〈동사 수식〉 그는 갑자기 멈췄다.

Her new hair style is **pretty** cool. 〈형용사 수식〉 그녀의 새 헤어스타일은 꽤 멋지다.

주의 late, hard, high, fast, early 등은 형용사와 부사의 형태가 같다.

cf. lately(요즘, 최근에), hardly(거의 ~않다), highly(매우) 등은 -ly가 붙어 의미가 달라지는 부사이다.

「명사+-ly」 형태의 형용사를 부사로 착각하지 않도록 주의해야 해. lovely(사랑스러운), friendly(친절한, 다정한), costly(값비싼) 등은 모두 형용사야.

답 ❶ 뒤 ❷ -ly

필수 예제

다음 중 밑줄 친 fast의 역할이 나머지 넷과 다른 것은?

① Don't walk too fast.

② Can you swim fast?

③ He is a pretty fast reader.

④ How fast can a cheetah run?

⑤ The boat was sinking fast in the ocean.

문제 해결 전략

fast는 형용사와 부사의 형태가 ❶ ______ 단어이다. 명사 앞에서 명사를 꾸미는 것은 형용사이고, 동사를 꾸미는 것은 ❷ ______ 이다.

답 ③ / ❶ 같은 ❷ 부사

확인 문제

1 다음 중 짝지어진 단어의 관계가 나머지 넷과 다른 것은?

① slow … slowly

② calm … calmly

③ safe … safely

④ hopeful … hopefully

⑤ friend … friendly

2 괄호 안의 단어를 바르게 배열하여 대화를 완성하시오.

A: ______________________ on TV?
(interesting, anything, there, is)

B: Yes, I'm watching *Comedy House*. It's my favorite show.

>> 정답과 해설 40쪽

전략 2 혼동하기 쉬운 수량형용사를 주의할 것!

• 수량형용사는 명사의 수나 ❶ ______ 을 나타내는 형용사이다. 꾸며 주는 명사가 셀 수 있는지 없는지에 따라 사용되는 수량형용사가 다르니 주의한다.

	셀 수 있는 명사 앞	셀 수 없는 명사 앞
많은	many	much
	a lot of, lots of, plenty of	
약간의	a few	a little
	긍정문: some (의문문에 쓰이면 권유의 의미) 부정문, 의문문: any (긍정문에 쓰이면 '어떤 ~라도'의 의미)	
거의 없는	few	little

some, any, a lot of, lots of, plenty of 등은 셀 수 있는 명사와 셀 수 없는 명사를 모두 꾸밀 수 있어.

셀 수 없는 명사에는 time, money, information, food, homework, advice, bread, salt 등이 있어.

주의 a few와 a little은 '약간의, 조금 있는'이라는 긍정적인 의미를 나타내는 반면, ❷ ______ 와 little은 '거의 없는'이라는 부정적인 의미를 나타낸다.

답 ❶ 양 ❷ few

필수 예제

다음 빈칸에 들어갈 말이 순서대로 바르게 짝지어진 것은?

• Dinner will be ready in ________ minutes.
• I need ________ money to buy a new cell phone.

① little … some ② few … little ③ a few … a little
④ a little … few ⑤ much … many

문제 해결 전략

'약간의'라는 의미를 나타내는 표현 중, 셀 수 ❶ ______ 명사를 꾸미는 것은 a few이고, 셀 수 ❷ ______ 명사를 꾸미는 것은 a little이다.

답 ③ / ❶ 있는 ❷ 없는

확인 문제

1 다음 중 빈칸에 들어갈 수 없는 것은?

They saw ________ trees and flowers there.

① some ② a little
③ a few ④ lots of
⑤ many

2 다음 우리말과 일치하도록 빈칸에 알맞은 말을 쓰시오.

작년 여름에 비가 거의 오지 않았다.

➡ We had ________ rain last summer.

필수 체크 전략 ①

전략 3 빈도부사의 위치에 주의할 것!

(1) 빈도부사는 어떤 일이 얼마나 자주 일어나는지 나타내는 부사이다.

빈도부사	always > usually > often > sometimes > never 항상 보통, 대개 자주, 종종 가끔, 때때로 전혀 ~않는

(2) be동사나 조동사가 있는 문장에서는 주로 be동사나 조동사의 ❶ ______ 에 위치한다.

Amy is **always** cheerful. Amy는 항상 명랑하다.
(is: be동사, always: 빈도부사)

(3) 일반동사가 있는 문장에서는 주로 일반동사의 ❷ ______ 에 위치한다.

Brad **usually** eats hamburgers for lunch. Brad는 대개 점심으로 햄버거를 먹는다.
(usually: 빈도부사, eats: 일반동사)

빈도부사 sometimes는 문장의 맨 앞이나 맨 뒤에 위치하기도 해.

답 ❶ 뒤 ❷ 앞

필수 예제

다음 우리말을 어법상 바르게 영작한 것은?

그는 절대 포기하지 않을 것이다.

① He will never give up.
② He will never gives up.
③ He never will give up.
④ He never will be give up.
⑤ He will be never give up.

문제 해결 전략

'결코 ~않는'이라는 의미의 빈도부사인 ❶ ______ 를 이용해야 하며, 빈도부사의 위치는 조동사 will의 ❷ ______ 에 와야 한다.

답 ① / ❶ never ❷ 뒤

확인 문제

1 다음 중 밑줄 친 빈도부사의 위치가 어색한 것은?

① Jeremy is never late for school.
② You should always be on time.
③ My dog sometimes barks at night.
④ The kids often visit their grandparents.
⑤ She does usually her homework after dinner.

2 Ellen이 저녁에 하는 일을 체크한 표를 보고, 질문에 알맞게 답하시오. (단, 괄호 안의 단어를 이용할 것)

	Mon	Tue	Wed	Thur	Fri	Sat	Sun
ride a bike	✓					✓	
go to the movies					✓		
walk her dog	✓	✓	✓	✓		✓	✓

Q: What does Ellen usually do in the evening?
A: She ______________. (usually)

≫ 정답과 해설 40쪽

전략 4 비교급과 최상급의 쓰임과 형태를 익힐 것!

(1) 비교급과 최상급의 쓰임

비교급	「비교급+❶ ______」(~보다 더 …한[하게])
최상급	the+최상급 (가장 ~한[하게])

(2) 비교급과 최상급을 만드는 방법

규칙 변화	대부분의 형용사/부사	-(e)r / -(e)st	old – old**er** – old**est**
	「단모음+단자음」으로 끝날 때	마지막 자음을 한 번 더 쓰고 +-er / -est	hot – hot**ter** – hot**test**
	「자음+-y」로 끝날 때	y를 i로 고치고 -er / -est	happy – happ**ier** – ❷ ______
	3음절 이상이거나 -ful, -ous, -able, -less, -ing 등으로 끝날 때	단어의 앞에 more / most	dangerous – **more** dangerous – **most** dangerous
불규칙 변화	good / well – **better** – **best** many / much – **more** – **most**	bad / ill – **worse** – **worst** little – **less** – **least**	

답 ❶ than ❷ happiest

필수 예제

다음 중 비교급과 최상급이 잘못 짝지어진 것은?

① lazy … lazier … laziest
② thin … thiner … thinest
③ good … better … best
④ hard … harder … hardest
⑤ famous … more famous … most famous

문제 해결 전략

thin은 「단모음+단자음」으로 끝나는 형용사이므로 마지막 자음인 n을 ❶ ______ 번 더 쓰고, -er과 ❷ ______를 붙여 비교급과 최상급을 만든다.

답 ② / ❶ 한 ❷ -est

확인 문제

1 다음 빈칸에 들어갈 말이 순서대로 바르게 짝지어진 것은?

> • It was the ________ question of all.
> • The final exam was ________ than the midterm exam.

① easier … more difficult
② easier … most difficult
③ easiest … the most difficult
④ easiest … most difficult
⑤ easiest … more difficult

2 괄호 안의 단어를 이용하여 비교하는 문장을 완성하시오.

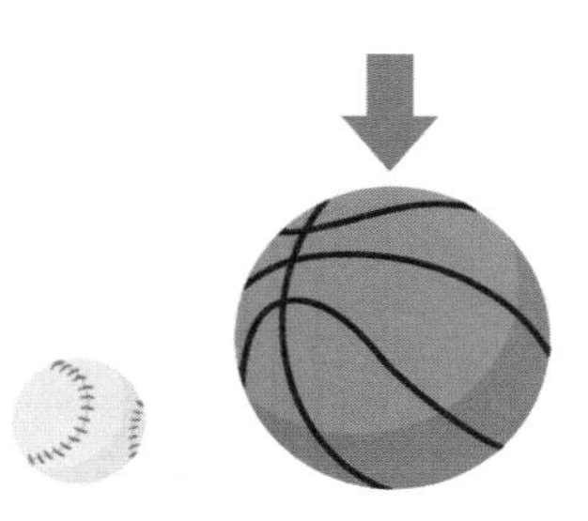

> The basketball is ________ ________ the baseball. (big)

2주 2일 필수 체크 전략 ❷

1

다음 중 밑줄 친 부분의 해석이 잘못된 것은?

① I don't feel like myself lately. (→ 최근에)

② She is a highly successful lawyer. (→ 매우)

③ I could hardly hear her voice. (→ 열심히)

④ Most tulips bloom in the early spring. (→ 이른)

⑤ They are pretty busy these days. (→ 매우)

문제 해결 전략

형용사/부사 형태에 -ly가 붙어 다른 의미를 나타내는 단어들이 있다. 예를 들어 late는 '늦은; 늦게'라는 의미이지만 lately는 '❶ ____'라는 의미이다. hard는 '어려운, 단단한; 열심히'라는 의미이지만 ❷ ____는 '거의 ~않다'라는 의미이다.

답 ❶ 최근에[요즘] ❷ hardly

2

다음 그림을 보고, 괄호 안의 빈도부사를 알맞은 위치에 넣어 문장을 다시 쓰시오.

(1) He exercises in the morning. (usually)

➡ ______________________________

(2) The place is full of people. (always)

➡ ______________________________

문제 해결 전략

빈도부사는 어떤 일이 얼마나 자주 일어나는지 나타내는 부사이다. 빈도부사는 주로 be동사나 ❶ ____의 뒤, 일반동사의 ❷ ____에 위치한다.

답 ❶ 조동사 ❷ 앞

>> 정답과 해설 42쪽

3 다음 중 어법상 어색한 것은?

① She wrote a little beautiful songs.
② Do you want some orange juice?
③ You don't need any special skills.
④ Too much sugar can harm your health.
⑤ There are plenty of wild plants here.

문제 해결 전략

'약간의'라는 의미의 수량형용사 중 셀 수 있는 명사와 함께 쓰는 것은 a few이고, 셀 수 없는 명사와 함께 쓰는 것은 ❶ ______ 이다. 수량형용사 some, any, plenty of는 셀 수 있는 명사와 셀 수 없는 명사 앞에 모두 쓸 수 ❷ ______.

답 ❶ a little ❷ 있다

4 다음 세 마리 개에 대한 표를 보고, 〈조건〉에 맞게 문장을 완성하시오.

	Coco	Mango	Buddy
Age	3	12	7
Weight	11.8 kg	5.5 kg	20.7 kg

조건
old, young, heavy를 각각 한 번씩 이용할 것

(1) Coco is __________ than Buddy.
(2) Buddy is __________ __________ of the three.
(3) Mango is __________ __________ of the three.

문제 해결 전략

(1)은 빈칸 뒤에 '~보다'라는 의미의 ❶ ______ 이 쓰였으므로 비교급이 와야 한다. (2)와 (3)은 뒤에 비교 범위를 한정하는 표현인 of the three가 쓰였으므로 여럿을 서로 비교하여 그 중 가장 정도가 높은 것에 관해 말할 때 쓰는 ❷ ______ 이 와야 한다.

답 ❶ than ❷ 최상급

2주 3일 필수 체크 전략 ❶

전략 1 혼동하기 쉬운 전치사의 쓰임에 주의할 것!

(1) 시간을 나타내는 전치사

in	~에(월, 연도, 계절, 오전, 오후, 저녁)	for	~ 동안(구체적인 시간의 길이)
on	~에(날짜, ❶ ______, 특정한 날)	during	~ 동안(특정 기간)
at	~에(구체적인 시각, 특정한 시점)	before / after	~ 전에 / ~ 후에

전치사 for는 주로 숫자가 포함된 구체적인 시간의 길이와 함께 쓰여.

(2) 위치·장소를 나타내는 전치사

in	~에(넓은 장소, 내부)	**in** Canada	in front of	~ 앞에	**in front of** the church
on	~에(표면에 접한 상태)	**on** the ground	behind	~ 뒤에	**behind** the tree
at	~에(좁은 장소, 지점)	**at** the corner	next to	~ 옆에	**next to** the bank
over	~ 위에(표면에 접해 있지 않은 상태)	**over** the rainbow	across from	~ 맞은편에	**across from** the gym
under	~ 아래에	**under** the chair	between *A* and *B*	A와 B ❷ ______	**between** Tim **and** me

답 ❶ 요일 ❷ 사이에

필수 예제

다음 빈칸에 들어갈 수 없는 것은?

Henry was born in ________.

① 2009 ② November ③ autumn ④ London ⑤ New Year's Day

문제 해결 전략

연도, 월, 계절, 도시 앞에는 전치사 ❶ ______을 쓴다. 설날과 같이 특정한 날 앞에는 전치사 ❷ ______을 쓴다.

답 ⑤ / ❶ in ❷ on

확인 문제

1 다음 중 밑줄 친 부분이 어법상 옳은 것은?

① I go swimming at Saturdays.
② Maria does her homework on the evening.
③ The Chinese restaurant opens in eleven.
④ The festival takes place in July 5th.
⑤ I will visit my aunt during the vacation.

2 다음 그림을 보고, 문장을 알맞게 완성하시오.

The flower shop is ________ the bookstore ________ the bakery.

>> 정답과 해설 42쪽

전략 4 시간·조건의 부사절의 시제에 주의할 것!

(1) 시간을 나타내는 부사절에서는 미래의 일을 ❶ ______ 시제로 나타낸다.

When I *go* to Paris, I will visit the Louvre Museum.

파리에 가면, 나는 루브르 박물관을 방문할 거야.

주의 When I will go to Paris, I will visit the Louvre Museum. (X)

(2) 조건을 나타내는 부사절에서는 미래의 일을 ❷ ______ 시제로 나타낸다.

If he *comes* tomorrow, we will tell him about the accident.

만약 그가 내일 오면, 우리는 그에게 사고에 대해 알려줄 것이다.

주의 If he will come tomorrow, we will tell him about the accident. (X)

답 ❶ 현재 ❷ 현재

필수 예제

다음 문장의 밑줄 친 부분을 어법상 바르게 고친 것은?

If Christine <u>hear</u> the news, she will be surprised.

① hears ② will hear ③ heard
④ hearing ⑤ is heard

문제 해결 전략

접속사 if는 ❶ ______을 나타내는 부사절을 이끈다. 이때 미래의 일을 ❷ ______ 시제로 나타내는 것에 주의한다.

답 ① / ❶ 조건 ❷ 현재

확인 문제

1 다음 대화의 밑줄 친 ①~⑤ 중 어법상 <u>어색한</u> 것은?

A: Mom, I just finished ① <u>packing</u> for the school trip tomorrow.
B: Great. ② <u>Remember</u> to give me a call when you ③ <u>will get</u> to the campsite.
A: Okay, Mom. I'll ④ <u>probably</u> call you ⑤ <u>around</u> noon.

2 우리말과 일치하도록 〈보기〉에서 알맞은 말을 골라 빈칸에 쓰시오.

보기: it will because if snow snows

오늘 밤에 눈이 온다면, 나는 눈사람을 만들 거야.

➡ ______________________ tonight, I will make a snowman.

2주 3일 필수 체크 전략 ❷

1 다음 그림의 내용과 일치하지 않는 설명은?

① There is a teddy bear on the bed.
② There is a backpack under the desk.
③ A dog is next to a backpack.
④ A bookshelf is between a desk and a closet.
⑤ A vacuum cleaner is behind a closet.

문제 해결 전략

전치사 on은 '(표면과 닿은 바로) ~ 위에'라는 의미이고, ❶ ______는 '~ 아래에', next to는 '~ 옆에', behind는 '❷ ______'라는 의미이다.

답 ❶ under ❷ ~ 뒤에

2 다음 중 빈칸에 on이 들어갈 수 없는 것은?

① Jenny dropped a fork ______ the floor.
② Matt was born ______ August 17th, 2008.
③ Americans eat turkey ______ Thanksgiving Day.
④ My friends and I do volunteer work ______ Sundays.
⑤ You have to get up ______ seven o'clock to catch the train.

문제 해결 전략

날짜, 요일, 특정한 날 앞이나 표면에 접한 상태(~ 위에)를 나타낼 때는 전치사 ❶ ______을 쓰고, 구체적인 시각 앞에는 전치사 ❷ ______을 쓴다.

답 ❶ on ❷ at

3 다음 우리말을 〈조건〉에 맞게 영작하시오.

그는 그 소문이 사실이라고 믿는다. (believe, the rumor, true)

조건
1. 접속사 that과 괄호 안의 표현을 이용할 것
2. 총 7단어로 완성할 것

➡ ______________________

문제 해결 전략

접속사 that이 이끄는 절은 believe, think, know, say 등과 같은 동사의 ❶ ______ 역할을 한다. 접속사 that 다음에는 「주어+❷ ______」가 온다.

답 ❶ 목적어 ❷ 동사

>> 정답과 해설 43쪽

4 다음 대화의 밑줄 친 부분을 어법상 바르게 고쳐 쓰시오.

will leave ➡ ___________

문제 해결 전략

접속사 before(~하기 전에)가 이끄는 ❶ [   ]을 나타내는 부사절에서는 미래의 일을 ❷ [   ]시제로 써야 한다.

답 ❶ 시간 ❷ 현재

5 우리말과 일치하도록 괄호 안의 표현을 바르게 배열하시오.

(1) 나는 여유가 있을 때, 만화책을 읽는다.

➡ ______________________________, I read comic books.

(have, when, I, free time)

(2) 비가 많이 왔기 때문에 우리는 캠핑을 가지 않았다.

➡ We didn't go camping ______________________________.

(a lot, rained, it, because)

문제 해결 전략

when과 because는 ❶ [   ]을 이끄는 접속사이다. 접속사 다음에는 「❷ [   ]+동사」의 어순이다.

답 ❶ 부사절 ❷ 주어

2주 4일 교과서 대표 전략 1

대표 예제 1

다음 빈칸에 들어갈 수 없는 것은?

Sandra is a __________ girl.

① funny ② wisely
③ diligent ④ friendly
⑤ lovely

Tip

빈칸에는 명사를 꾸미는 역할을 하는 ❶ ______가 와야 한다. 부사는 보통 「형용사+❷ ______」의 형태이다.

답 ❶ 형용사 ❷ -ly

대표 예제 2

다음 우리말과 일치하도록 괄호 안의 단어를 배열할 때 다섯 번째로 오는 것은?

나는 어떤 어리석은 짓도 하지 않았다.
(do, did, stupid, not, anything, I)

① do ② did
③ stupid ④ not
⑤ anything

Tip

anything과 같이 ❶ ______으로 끝나는 대명사는 형용사가 ❷ ______에서 꾸민다.

답 ❶ -thing ❷ 뒤

대표 예제 3

괄호 안의 단어를 이용하여 질문에 대한 대답을 완성하시오.

A: Does Henry go to school by bike?
B: Yes, he ______ ______ ______ ______ ______ ______. (usually)

Tip

빈도부사 usually는 '❶ ______'(이)라는 의미로, 일반동사의 ❷ ______에 쓴다.

답 ❶ 보통[대개] ❷ 앞

대표 예제 4

다음 빈칸에 공통으로 들어갈 말로 알맞은 것은?

- I got __________ presents last Christmas.
- It usually takes __________ time to learn a foreign language.

① many ② much
③ a lot of ④ a few
⑤ a little

Tip

present는 셀 수 ❶ ______ 명사이고, time은 셀 수 ❷ ______ 명사이다. 따라서 빈칸에는 셀 수 있는 명사와 셀 수 없는 명사 앞에 모두 쓸 수 있는 수량형용사가 필요하다.

답 ❶ 있는 ❷ 없는

>> 정답과 해설 44쪽

대표 예제 5

다음 그림을 보고, (A)와 (B)에서 각각 알맞은 말을 하나씩 골라 문장을 완성하시오. (단, 필요한 경우 형태를 고칠 것)

(A)
a few
a little

(B)
juice
sandwich

(1) There is ______________ in the bottle.

(2) There are ______________ in the basket.

Tip

a few는 셀 수 있는 명사 앞에 쓰고, a little은 셀 수 없는 명사 앞에 쓴다. juice는 셀 수 ❶ ______ 명사이고, sandwich는 셀 수 ❷ ______ 명사이다.

답 ❶ 없는 ❷ 있는

대표 예제 6

다음 중 단어의 비교급과 최상급이 잘못 짝지어진 것은?

① cute … cuter … cutest
② tasty … tastyer … tastyest
③ hot … hotter … hottest
④ bad … worse … worst
⑤ boring … more boring … most boring

Tip

비교급과 최상급을 만들 때 형용사나 부사에 -(e)r/-(e)st를 붙인다. 「자음+-y」로 끝나는 경우 y를 ❶ ______ 로 고치고 -er/-est를 붙인다. -ful, -ous, -ing 등으로 끝나는 단어의 비교급과 최상급은 각각 앞에 ❷ ______ 와 most를 쓴다.

답 ❶ i ❷ more

대표 예제 7

다음 그림을 보고, 괄호 안의 단어를 알맞은 형태로 고쳐 쓰시오.

➡ Jinho runs ____________ than Minwoo. (fast)

Tip

진호가 민우보다 더 빨리 달리고 있으므로 fast의 비교급으로 고쳐야 한다. fast의 비교급은 ❶ ______ 을 붙여 만든다. 비교급 다음에 쓰이는 than은 '❷ ______ '라는 의미이다.

답 ❶ -er ❷ ~보다

대표 예제 8

괄호 안의 우리말과 일치하도록 밑줄 친 부분을 어법상 바르게 고치시오.

(1) I feel good than yesterday.
(나는 어제보다 기분이 더 좋다.)
➡ ______________

(2) Health is important thing in life.
(건강은 삶에서 가장 중요한 것이다.)
➡ ______________

Tip

good의 비교급은 ❶ ______ 이고, 최상급은 best로 불규칙적으로 변화한다. 최상급 앞에는 보통 ❷ ______ 를 쓴다.

답 ❶ better ❷ the

대표 예제 9

학생들에게 인기 있는 운동을 조사한 그래프를 보고, 내용과 일치하도록 문장을 완성하시오. (단, popular의 비교급 또는 최상급을 이용할 것)

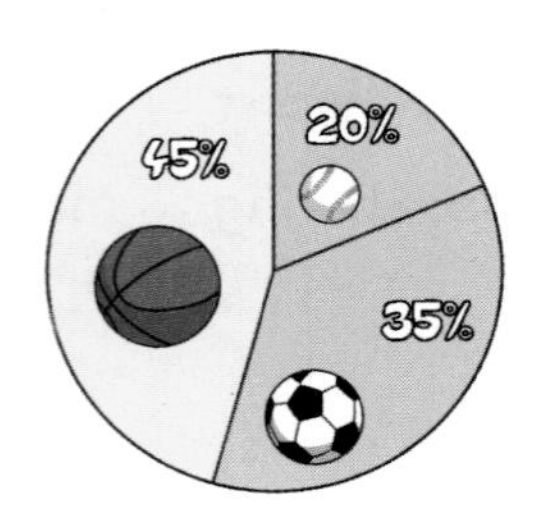

(1) Soccer is ________________ baseball.

(2) Basketball is ________________ sport among students.

Tip

두 대상의 정도 차이를 비교할 때는 ❶ ______ 을 쓰고, 여러 대상을 비교하여 가장 높은 정도를 나타낼 때는 ❷ ______ 을 쓴다.

답 ❶ 비교급 ❷ 최상급

대표 예제 10

다음 그림을 보고, 대답을 알맞게 완성하시오.

A: Where is my cell phone?

B: It's ________ ________ the vase ________ the table.

Tip

휴대 전화의 위치는 탁자 위의 꽃병 ❶ ______ 에 있다고 해야 한다. 표면에 접해 있는 상태를 나타낼 때 전치사 ❷ ______ 을 쓴다.

답 ❶ 옆 ❷ on

대표 예제 11

다음 중 밑줄 친 부분이 어법상 어색한 것은?

① We had a lot of fun on Halloween.

② The leaves turn red and yellow in fall.

③ Aaron usually stays up late at night.

④ I will be in L.A. during three weeks.

⑤ Karen's family moved to Korea in 2018.

Tip

for과 during은 둘 다 '❶ ______'이라는 의미의 전치사이지만 ❷ ______ 는 주로 숫자가 포함된 구체적인 시간의 길이와 함께 쓰며, during은 특정 기간을 나타내는 명사구와 함께 쓴다.

답 ❶ ~ 동안 ❷ for

대표 예제 12

다음 빈칸 ⓐ~ⓔ에 들어갈 말이 잘못된 것은?

- He lives ⓐ______ an old apartment.
- Get off ⓑ______ the next stop.
- Mr. Park wrote the answer ⓒ______ the board.
- The Taj Mahal is ⓓ______ India.
- The shoe store is ⓔ______ the second floor.

① ⓐ: in ② ⓑ: at ③ ⓒ: on

④ ⓓ: at ⑤ ⓔ: on

Tip

나라, 도시와 같은 넓은 장소나 건물의 내부를 나타낼 때는 전치사 ❶ ______ 을 쓰고, 비교적 좁은 장소나 하나의 지점을 나타낼 때는 전치사 ❷ ______ 을 쓴다.

답 ❶ in ❷ at

>> 정답과 해설 44쪽

대표 예제 13

다음 밑줄 친 부분의 쓰임이 나머지 넷과 다른 것은?

① When did the car accident happen?

② Kate eats sweets when she feels blue.

③ When I saw him, he was dancing.

④ When the doorbell rang, my dog began to bark.

⑤ What did you want to be when you were young?

Tip

when이 의문사로 쓰이면 '❶ ______'라고 해석하고 시간을 나타내는 부사절을 이끄는 접속사로 쓰이면 '❷ ______'라고 해석한다.

답 ❶ 언제 ❷ ~할 때

대표 예제 14

다음 두 문장의 의미가 같도록 〈보기〉에서 알맞은 말을 골라 쓰시오.

보기
if　because　before　after　until

(1) It was too dark, so I got lost.
= I got lost ______ it was too dark.

(2) Janice put on her school uniform and then she brushed her hair.
= Janice put on her school uniform ______ she brushed her hair.

Tip

so는 '그래서'라는 의미로 so의 앞에는 원인이, 뒤에는 ❶ ______가 온다. 시간을 나타내는 접속사 before는 '❷ ______'라는 의미이고, after는 '~한 후에'라는 의미이다.

답 ❶ 결과 ❷ ~하기 전에

대표 예제 15

우리말과 일치하도록 괄호 안의 표현을 바르게 배열하시오.

(1) 그녀는 우정이 중요하다고 생각한다.
➡ She ______________________.
(is, that, important, friendship, thinks)

(2) 내가 버스를 기다리고 있었을 때, 나는 Dennis를 보았다.
➡ ______________________, I saw Dennis.
(I, waiting, was, when, for the bus)

Tip

접속사 that은 목적어 역할을 하는 명사절을 이끌고, 접속사 when은 ❶ ______을 나타내는 부사절을 이끈다. 접속사 다음에는 「❷ ______+동사」가 와야 한다.

답 ❶ 시간 ❷ 주어

대표 예제 16

괄호 안의 단어를 이용하여 우리말을 영작한 문장을 완성하시오.

만약 네가 식물에 물을 주지 않으면 그것은 죽을 것이다. (if, water)

➡ The plant will die ______________ it.

Tip

조건을 나타내는 부사절을 이끄는 접속사는 ❶ ______이다. 시간이나 조건을 나타내는 부사절은 미래의 일을 ❷ ______시제로 나타내는 것에 유의한다.

답 ❶ if ❷ 현재

2주 4일 교과서 대표 전략 ❷

1 다음 우리말을 영작할 때 빈칸에 들어갈 말로 알맞은 것은?

냉장고에 음식이 거의 없었다.
➡ There was ____________ food in the refrigerator.

① few ② a few ③ little
④ a little ⑤ any

Tip
a few와 a little은 '약간의, 조금 있는'이라는 긍정적인 의미를 나타내는 반면, few와 little은 '거의 ❶ [ ]'이라는 부정적인 의미를 나타낸다. food는 셀 수 ❷ [ ] 명사임에 유의한다.

답 ❶ 없는 ❷ 없는

2 다음 중 밑줄 친 부분이 어법상 옳은 것을 모두 고르면?

① They look <u>different</u>.
② The final exam was really <u>hardly</u>.
③ He moved the table <u>carefully</u>.
④ <u>Lucky</u>, I found the keys.
⑤ She gave us <u>usefully</u> information.

Tip
형용사는 명사나 대명사를 꾸며 주거나 주어 또는 목적어의 상태나 성질을 설명하는 ❶ [ ]로 쓰인다. 부사는 동사, 형용사, 다른 부사, ❷ [ ] 전체를 꾸민다.

답 ❶ 보어 ❷ 문장

서술형
3 〈보기〉와 같이 주어진 단어의 비교급을 이용하여 문장을 완성하시오.

보기
Sam is 17 years old. Clara is 13 years old.
➡ Sam is <u>older than</u> Clara. (old)

(1) Tim gets up at 7. Jill gets up at 7:30.
➡ Tim gets up ____________ Jill.
(early)

(2) Cathy spent 15 dollars. Ann spent 25 dollars.
➡ Ann spent ____________ dollars ____________ Cathy. (many)

Tip
두 대상의 정도 차이를 비교할 때 ❶ [ ]을 쓴다. 비교급 다음에는 '~보다'라는 의미의 ❷ [ ]을 쓴다.

답 ❶ 비교급 ❷ than

4 다음 중 밑줄 친 that의 쓰임이 〈보기〉와 같은 것은?

보기
We didn't know <u>that</u> he was an actor.

① He thought <u>that</u> there was no one.
② I remember <u>that</u> nice gentleman.
③ Did you really believe <u>that</u> rumor?
④ <u>That</u> pink phone case looks so cool.
⑤ We tried to open the door, but <u>that</u> was impossible.

Tip
that이 명사절을 이끄는 접속사로 쓰일 때 '~라는 것'이라는 의미로 뒤에는 「주어+❶ [ ]」가 온다. 지시형용사나 지시대명사로 쓰일 때는 가까이에 있지 ❷ [ ] 사람이나 사물 등을 가리킨다.

답 ❶ 동사 ❷ 않은

서술형

5 다음 메뉴판의 내용과 일치하도록 빈칸에 알맞은 말을 쓰시오. (단, 괄호 안의 단어를 이용할 것)

(cheap, expensive)

(1) The beef steak is __________ food on the menu.

(2) The cheese pizza is __________ than the chicken burger.

(3) The chicken burger is __________ food on the menu.

Tip
우선 메뉴의 내용을 잘 파악해야 하므로 가격이 싼 순서대로 배열해 본다. cheap의 비교급과 최상급은 각각 뒤에 ❶ [ ], -est를 붙여 만들고 expensive의 비교급과 최상급은 각각 앞에 more와 ❷ [ ]를 붙여 만든다.

답 ❶ -er ❷ most

6 다음 중 어법상 어색한 것은?

① We played basketball during lunchtime.
② Alice exercises for half an hour every day.
③ What time do you get up in the morning?
④ The accident happened on Thursday night.
⑤ The new restaurant opens in October 20th.

Tip
'~ 동안'이라는 의미로 구체적인 시간의 길이를 나타내는 표현과 함께 쓰이는 것은 전치사 ❶ [ ]이다. 날짜, 요일, 특정한 날 앞에 쓰는 전치사는 ❷ [ ]이다.

답 ❶ for ❷ on

7 다음과 같이 줄을 설 때, ★에 서게 되는 사람은?

- Leo is standing last in line.
- Jack is right in front of Leo.
- Sam is between Jack and Kevin.
- Kevin is behind Brian.

뒤
★
앞

① Leo ② Jack ③ Sam
④ Kevin ⑤ Brian

Tip
in front of는 '~ 앞에'라는 의미이고, between *A* and *B*는 'A와 B의 ❶ [ ]'라는 의미이며, ❷ [ ]는 '~ 뒤에'라는 의미이다.

답 ❶ 사이에 ❷ behind

서술형

8 다음 그림을 보고, 알맞은 접속사를 골라 두 문장을 한 문장으로 바꿔 쓰시오.

that	so	because

Matt didn't buy the backpack. + It was too expensive.

➡ Matt __________________.

Tip
접속사 that은 '~라는 것'이라는 의미로 ❶ [ ]을 이끈다. so는 「원인, so+결과」로 나타내고, because는 「결과+because+❷ [ ]」으로 나타낸다.

답 ❶ 명사절 ❷ 원인[이유]

2주 누구나 합격 전략

1 다음 빈칸에 들어갈 수 없는 것은?

> Dorothy drove ___________.

① fast ② safe
③ slowly ④ wildly
⑤ carefully

2 다음 중 밑줄 친 부분이 어법상 어색한 것은?

① I don't have any money.
② She has a few coins in her pocket.
③ Thomas knows little Russian words.
④ The teacher gives us a lot of homework.
⑤ There are many visitors in the zoo.

서술형

3 다음은 Steve의 여가 활동을 나타낸 표이다. 괄호 안의 단어를 이용하여 〈보기〉와 같이 문장을 완성하시오.

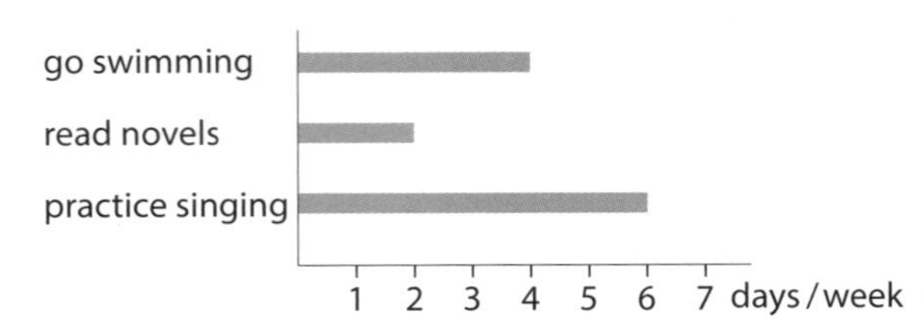

> 보기
> Steve often goes swimming. (often)

(1) Steve ______________________. (sometimes)
(2) Steve ______________________. (usually)

4 다음 빈칸에 들어갈 말이 순서대로 바르게 짝지어진 것은?

> • What is the ___________ star in the sky?
> • The second half was ___________ than the first.

① brighter ··· most exciting
② brightest ··· excitinger
③ more brighter ··· most exciting
④ brightest ··· more exciting
⑤ most bright ··· more exciting

서술형

5 다음 일기예보의 내용과 일치하도록 문장을 완성하시오. (단, hot을 이용할 것)

Mon	Tue	Wed	Thur	Fri	Sat	Sun
27℃	25℃	28℃	27℃	30℃	27℃	26℃

It is Wednesday today. Today is (1) ________ ________ yesterday.

Friday will be (2) ________ ________ day of the week.

>> 정답과 해설 46쪽

6 다음 밑줄 친 부분을 어법상 바르게 고친 것은?

> A: What are you going to do this Sunday?
> B: If it be sunny, I will go camping.

① is ② are ③ was
④ will be ⑤ will is

서술형
7 다음 빈칸에 공통으로 들어갈 알맞은 말을 쓰시오.

(1)
- ________ is the next flight to New York?
- ________ I feel nervous, I bite my nails.

(2)
- It snows a lot ________ January.
- There are many kangaroos ________ Australia.

서술형
8 다음 그림을 보고, 〈조건〉에 맞게 주어진 우리말을 영작하시오.

조건
1. 8단어의 완전한 문장으로 쓸 것
2. 접속사 that을 이용할 것
3. hope, will, win first prize를 이용할 것

그녀는 그녀가 1등 상을 타기를 바란다.

➡ ____________________

9 다음 중 우리말을 잘못 영작한 것은?

① 그녀는 나무 뒤에 숨어 있었다.
➡ She was hiding behind the tree.

② 버스 정류장은 박물관 앞에 있다.
➡ The bus stop is in front of the museum.

③ 카페는 영화관 맞은편에 있다.
➡ The cafe is across from the theater.

④ 그는 내 머리 위로 우산을 들고 있었다.
➡ He held the umbrella under my head.

⑤ 나는 Danny와 Kyle의 사이에 앉았다.
➡ I sat between Danny and Kyle.

서술형
10 다음 그림을 보고, before와 after 중 알맞은 것을 빈칸에 쓰시오.

(1) ________ she had lunch, she played badminton.

(2) She went shopping ________ she studied in the library.

2주 창의·융합·코딩 전략 ❶

1 알맞은 말을 골라 두 사람의 대화를 완성하시오.

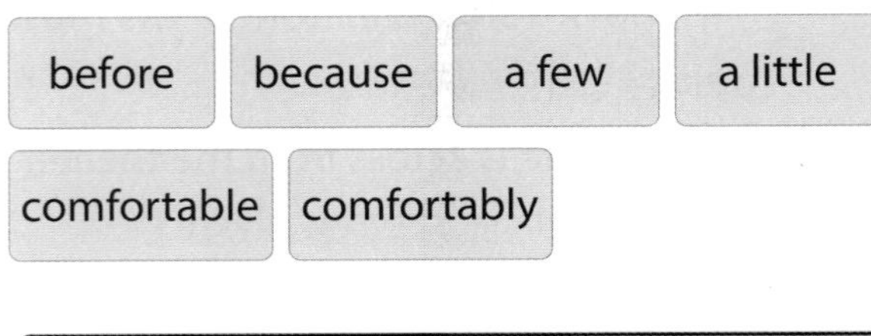

Tip

주어의 상태나 성질을 설명할 때는 ❶ ________가 필요하다. 접속사는 문장과 문장을 연결해 준다. a few는 셀 수 있는 명사와 쓰고 a little은 셀 수 ❷ ________ 명사와 쓴다.

답 ❶ 형용사 ❷ 없는

2 괄호 안의 표현과 빈도부사를 이용하여 문장을 완성한 뒤, 건강에 좋은 습관인지 나쁜 습관인지 구분하여 박스에 번호를 쓰시오.

① 나는 식사 전에 항상 손을 씻어.
② 나는 보통 신선한 채소를 먹어.
③ 나는 절대 치과에 가지 않아.
④ 나는 모든 것에 대해 항상 걱정이 돼.

① I always wash my hands before meals.

② I ______________________________.
(eat fresh vegetables, usually)

③ I ______________________________.
(go to the dentist, never)

④ I ______________________________.
(be worried about everything, always)

Good Habit	Bad Habit
①,	

Tip

어떤 일을 얼마나 자주 하는지 나타낼 때 ❶ ________를 이용한다. 위치는 주로 일반동사의 앞, be동사나 조동사의 ❷ ________에 쓴다.

답 ❶ 빈도부사 ❷ 뒤

>> 정답과 해설 47쪽

3 다음 세 동물에 대한 단서를 읽고, 〈보기〉에서 알맞은 말을 골라 보고서를 완성하시오.

CLUES

❶ The giraffe lives longer than the lion.
❷ The elephant lives the longest of the three.
❸ The lion runs the fastest of the three.
❹ The elephant runs slower than the giraffe.

보기

10 years 25 years 60 years
40 km/h 60 km/h 80 km/h

Giraffe
수명: ________
속도: ________

Lion
수명: ________
속도: ________

Elephant
수명: ________
속도: ________

Tip

두 대상의 정도 차이를 비교할 때 비교급을 쓰며, 비교급 뒤에는 '~보다'라는 의미의 ❶ ______ 을 쓴다. 최상급 다음에는 ❷ ______ the three(셋 중에서)와 같이 범위 대상을 한정짓는 표현이 주로 쓰인다.

답 ❶ than ❷ of

4 다음은 어느 지역의 5월부터 9월까지의 강수량을 나타낸 그래프이다. 그래프의 내용과 일치하도록 괄호 안의 단어를 이용하여 빈칸에 알맞은 말을 쓰시오.

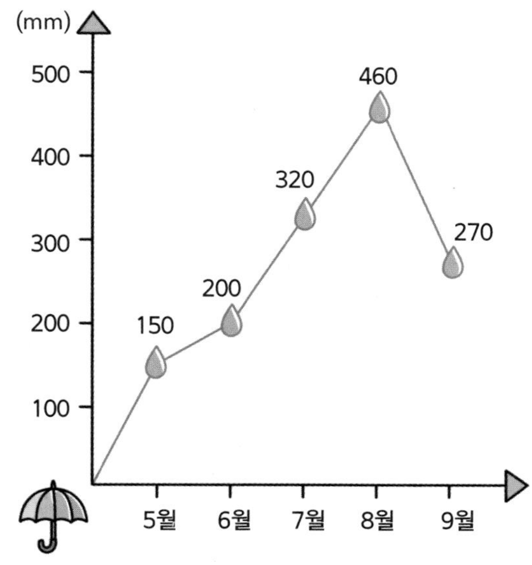

(1) August had the ________ rainfall. (heavy)

(2) May had the ________ rainfall. (little)

(3) July had ________ rainfall than September. (much)

Tip

그래프에서 비가 가장 많이 온 달은 ❶ ______ 월이고, 가장 적게 온 달은 ❷ ______ 월이다. 7월과 9월 중 비가 더 많이 온 달은 7월이다. little과 much는 비교급과 최상급이 불규칙하게 변화한다.

답 ❶ 8 ❷ 5

2주 창의·융합·코딩 전략 ❷

5 다음 두 사람의 방을 보고, Adrian의 방을 묘사한 문장에는 A를 쓰고, Daniel의 방을 묘사한 문장에는 D를 쓰시오.

(1) There is a clock on the wall. ______

(2) There is a fishbowl next to the plant. ______

(3) There is a cat between two cushions. ______

(4) There is a lamp under the bookshelf. ______

(5) There are two rackets in front of the bookshelf. ______

Tip

두 개의 방에서 각 사물이 있는 위치를 잘 파악해야 한다. 표면이 접해 있는 상태를 나타낼 때 전치사 on을 쓴다. next to는 '❶ ______'라는 의미를 나타내고, between은 '~ 사이에'라는 의미이다. under는 '~ 아래에'라는 의미이고, in front of는 '❷ ______'라는 의미이다.

답 ❶ ~ 옆에 ❷ ~ 앞에

6 다음 힌트를 보고, 퍼즐을 완성하시오.

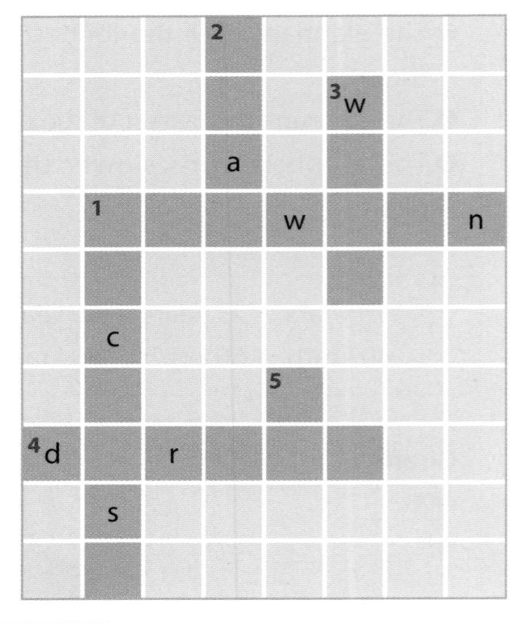

Across

1 Q comes ________ P and R in the English alphabet.

4 Don't talk loudly ________ the meal.

Down

1 Jisu skipped lunch ________ she was not hungry.

2 I think ________ the song is beautiful.

3 He was in the backyard ________ the phone rang.

5 I will come home ________ Wednesday.

Tip

접속사 다음에는 「주어+❶ ______」 형태의 절이 이어지고, 전치사는 ❷ ______나 대명사 앞에 쓰여 시간, 위치나 장소, 방향 등을 나타낸다.

답 ❶ 동사 ❷ 명사

>> 정답과 해설 47쪽

7 다음 만화를 읽고, 밑줄 친 ⓐ~ⓓ 중 어법상 어색한 부분을 두 군데 찾아 바르게 고치시오.

(1) ______ ➡ ______________

(2) ______ ➡ ______________

Tip

hardly는 부사로 '거의 ~않는'이라는 의미로 쓰인다. -thing, -body, -one 등으로 끝나는 대명사는 형용사가 ❶ ______ 에서 꾸민다. bread, food, money, time 등은 셀 수 ❷ ______ 명사이므로 '약간의'라는 의미를 나타낼 때 수량형용사 a little을 쓴다. 형용사 kind의 최상급은 ❸ ______ 이다.

답 ❶ 뒤 ❷ 없는 ❸ kindest

8 다음 그림을 보고, 접속사 when과 〈보기〉의 표현을 이용하여 글을 완성하시오.

보기
he saw Suji　　he got to the park
he came closer to them

Yesterday, Hajun went to the park. ______________, he saw Suji. ______________, she was walking her dog. ______________, her dog jumped and licked his face. They laughed together.

Tip

when은 시간을 나타내는 부사절을 이끄는 접속사로 '❶ ______ '라고 해석한다. 접속사 when이 이끄는 부사절을 주절 앞에 쓰면 부사절 ❷ ______ 에 콤마를 쓴다. 접속사 when 다음에는 「주어+동사」의 어순이다.

답 ❶ ~할 때 ❷ 끝

BOOK 2 마무리 전략

1 길을 따라 가며 주어진 표현이나 문장을 지시대로 바꾸어 강아지가 도착점에 이르게 하시오.

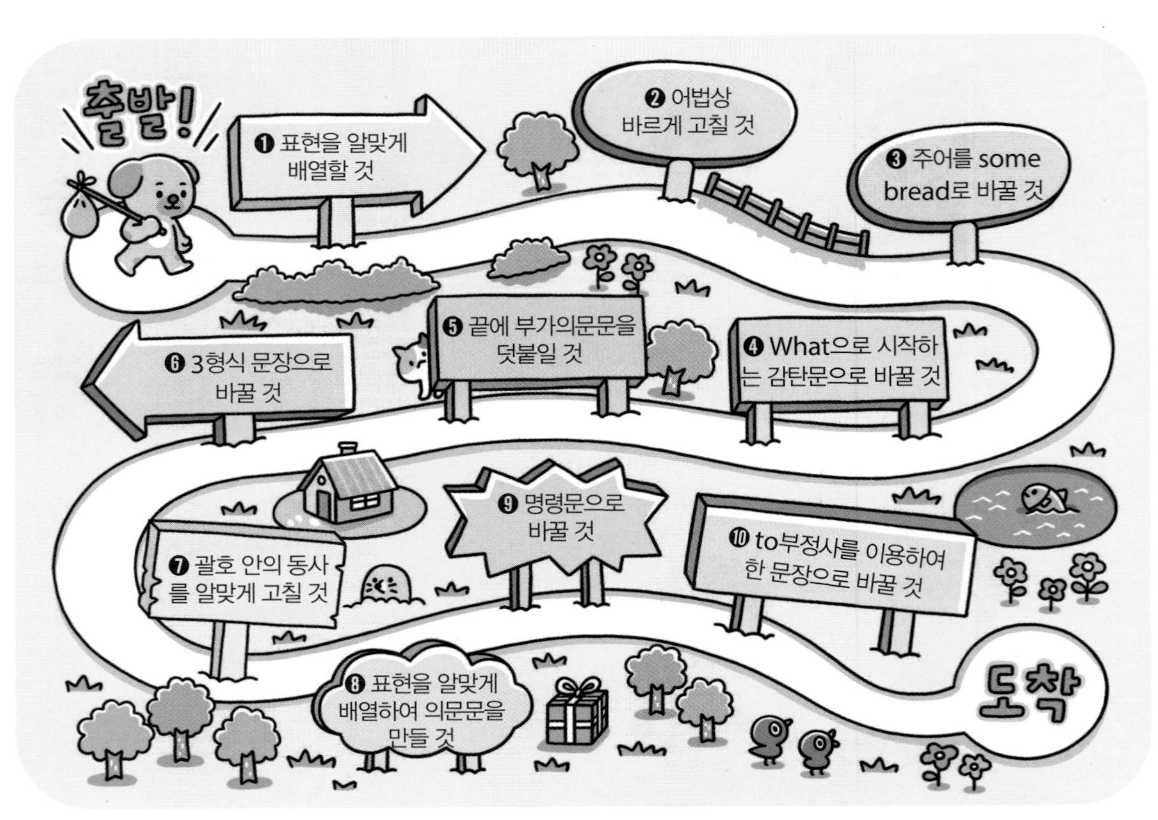

❶ (him, the blanket, warm, kept) ➡ ______________________

❷ This soup tastes terribly. ➡ ______________________

❸ There are some peaches on the plate. ➡ ______________________

❹ This is a very brilliant idea. ➡ ______________________

❺ Your brother drew this painting. ➡ ______________________

❻ Sofia gave the poor dog some food. ➡ ______________________

❼ I finished (write) my report. ➡ ______________________

❽ (go, how, you, jogging, do, often)? ➡ ______________________

❾ You should be honest with your friends. ➡ ______________________

❿ He needed to check his e-mail. He turned on the computer.

➡ ______________________

>> 정답과 해설 48쪽

2 다음 그림을 보고, 일기를 알맞게 완성하시오.

My family went to Jeju Island ❶ __________ (Tip ~ 동안) the holidays. It is the ❷ __________ (Tip big을 이용할 것) island in Korea.

❸ __________ (Tip 특정한 날 앞에 쓰는 전치사) the first day of our trip, we went to a ❹ (quiet / quietly) beach. There were ❺ (few / little) people there. Mom and I enjoyed swimming ❻ __________ (Tip ~ 한 후에) we did some warm-up. My sister and brother made sandcastles. My sister's sandcastle was ❼ __________ (Tip big을 이용할 것) than my brother's. Dad took a picture ❽ __________ __________ (Tip ~ 앞에) __________ the lighthouse. We all had a great time there. I think ❾ __________ (Tip 명사절을 이끄는 접속사) Jeju Island is ❿ (the more beautiful / the most beautiful) island in the world. I had ⓫ __________ __________ (Tip happy를 이용할 것) holiday of my life. I ⓬ (will never / never will) forget the memories.

신유형·신경향·서술형 전략

1 우리말과 일치하도록 괄호 안의 단어를 알맞은 형태로 바꿔 쓰시오.

Peter: I want (1) __________ (buy) these pants.
Bella: You bought new pants a week ago. You should stop (2) __________ (waste) your money.

Tip

(1) want는 목적어로 ❶ [ ] 를 쓰는 동사이다.
(2) '~하는 것을 멈추다'라는 의미를 나타낼 때는 「stop+❷ [ ]」를 이용하고, '~하기 위해 멈추다'라는 의미를 나타낼 때는 「stop+❸ [ ]」를 이용한다.

답 ❶ to부정사 ❷ 동명사 ❸ to부정사

2 다음 그림을 보고, 〈조건〉에 맞게 문장을 완성하시오.

(do one's homework)

(1) ______________________________, he practiced the piano.

(go to school)

(2) She had breakfast ______________________________.

조건
1. 접속사 before 또는 after를 이용하고, 주어는 he 또는 she로 쓸 것
2. 괄호 안의 표현을 이용하여 과거시제로 쓸 것

Tip

'~하기 전에'라는 의미의 접속사는 ❶ [ ] 이고 '~한 후에'라는 의미의 접속사는 ❷ [ ] 이다. 접속사 다음에는 「주어+동사」가 이어진다.

답 ❶ before ❷ after

>> 정답과 해설 49쪽

3 다음 지도를 보고, 대답을 알맞게 완성하시오.

(1) **A**: Where's the school?

B: It's ________ ________ the flower shop.

(2) **A**: Where's the bookstore?

B: It's ________ the theater ________ the bank.

Tip

지도에서 학교는 꽃집의 ❶ [   ]에 위치해 있고 서점은 영화관과 은행의 ❷ [   ]에 위치해 있다.

답 ❶ 옆 ❷ 사이

4 Carol이 일어난 시각을 나타낸 표를 보고, 대답을 완성하시오. (단, 빈도부사 usually를 이용할 것)

Mon	Tue	Wed	Thur	Fri	Sat	Sun
07:00	07:00	07:00	07:00	07:00	07:30	08:00

Q: What time do you usually wake up in the morning, Carol?

A: I ________________________________.

Tip

표에서 Carol이 보통 일어나는 시각은 ❶ [   ]시임을 알 수 있다. 빈도부사는 일반동사 ❷ [   ]에 쓴다.

답 ❶ 7 ❷ 앞

5 괄호 안의 표현을 이용하여 우리말을 영작한 문장을 완성하시오.

(1) 그녀는 행복해 보인다. (look, happy)

➡ She ________________________________.

(2) 그 노래들은 그를 슬프게 만들었다. (make, sad)

➡ The songs ________________________________.

(3) 나는 그에게 샌드위치를 만들어 주었다. (make, a sandwich)

(4형식) ➡ I ________________________________.

(3형식) ➡ I ________________________________.

Tip

(1) '~하게 보이다'라는 의미의 감각동사 ❶ [   ]의 주격 보어로 형용사를 써야 한다.

(2) 「주어+make+목적어+목적격 보어」는 5형식 문장으로 '~을 …하게 ❷ [   ]'라고 해석하며 이때 목적격 보어는 형용사를 써야 한다.

(3) 4형식 문장을 3형식으로 바꿀 때 직접목적어와 간접목적어의 위치를 서로 바꾸고 간접목적어 앞에는 전치사를 쓴다. make는 전치사 ❸ [   ]를 쓰는 동사이다.

답 ❶ look ❷ 만들다 ❸ for

6 다음 그림을 보고, 〈조건〉에 맞게 세 사람의 몸무게를 비교하는 문장을 쓰시오.

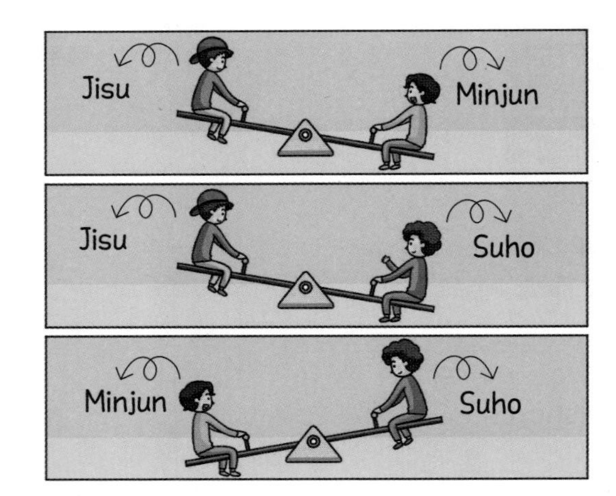

조건
1. (1)번 문장은 heavy를 이용하여 Suho와 Jisu의 몸무게를 비교할 것
2. (2)번 문장은 heavy, boy, of the three를 이용하여 가장 무거운 사람이 누구인지 나타낼 것

(1) ______________________

(2) ______________________

Tip

비교급은 두 대상의 정도 차이를 비교할 때 쓰며, 「비교급+ ❶ ______」은 '~보다 더 …한[하게]'이라는 의미이다. 최상급은 '가장 ~한[하게]'이라는 의미로 최상급 앞에는 보통 ❷ ______를 쓴다.

답 ❶ than ❷ the

7 우리말과 일치하도록 〈보기〉에서 알맞은 표현을 골라 쓰시오.

보기

few little a few a little many much

(1) 나는 약간의 신선한 공기가 필요하다.
➡ I need ______ fresh air.

(2) 많은 바다 생물이 위험에 처해 있다.
➡ ______ sea animals are in danger.

(3) 우리는 그 병에 대한 정보가 거의 없다.
➡ We have ______ information about the disease.

(4) 그는 옷에 많은 돈을 썼니?
➡ Did he spend ______ money on clothing?

(5) 그 가수는 팬이 거의 없다.
➡ The singer has ______ fans.

(6) 버스에 자리가 약간 남아 있다.
➡ There are ______ seats left in the bus.

Tip

〈보기〉에서 few, a few, ❶ ______는 셀 수 있는 명사 앞에 쓰고, little, a little, ❷ ______는 셀 수 없는 명사 앞에 쓰는 수량형용사이다. few와 little은 '거의 ❸ ______'이라는 의미이고, a few와 a little은 '약간의, 조금 있는'이라는 의미이다.

답 ❶ many ❷ much ❸ 없는

>> 정답과 해설 49쪽

8 다음 그림 속 남학생이 한 말을 괄호 안의 지시대로 바꿔 쓰시오.

(How로 시작하는 4단어의 감탄문으로)

➡ ____________________

Tip

How로 시작하는 감탄문의 어순은 「How+형용사/부사(+ ❶ ______ + 동사)!」이다. 4단어로 완성해야 하므로 주어와 동사를 생략하지 ❷ ______.

답 ❶ 주어 ❷ 않는다

9 다음 그림을 보고, 〈조건〉에 맞게 대화를 완성하시오.

Miranda

A: Miranda has straight hair, ________ ________?

B: ________, ________ ________. She has curly hair.

조건
부가의문문과 Yes / No를 이용하여 대답할 것

Tip

앞 문장이 긍정문이면 부가의문문은 ❶ ______ 으로 쓴다. Miranda는 곱슬머리를 가지고 있으므로 부가의문문에 대한 대답은 부정이 되어야 한다. 따라서 Yes와 No 중 ❷ ______ 로 대답을 시작해야 한다.

답 ❶ 부정문 ❷ No

10 다음 글을 읽고, 밑줄 친 ⓐ~ⓖ 중 어법상 어색한 것을 세 개 골라 기호를 쓴 뒤, 바르게 고치시오.

ⓐ On Christmas Eve, my friends and I went to the ice rink ⓑ to skating. We enjoyed ⓒ skating in the ice rink ⓓ during two hours. When we walked out of the ice rink, it started ⓔ to snow. The snow fell ⓕ silent. ⓖ In the evening, we made a huge snowman together.

(1) ______ ➡ ______ (2) ______ ➡ ______ (3) ______ ➡ ______

Tip

특정한 날 앞에는 전치사 on을 쓰고, '~ 동안'이라는 의미의 전치사 for와 during 중 숫자가 포함된 구체적인 시간의 길이를 나타내는 표현과 함께 쓰는 것은 ❶ ______ 이다. enjoy는 동명사를 목적어로 쓰는 동사이고, start는 to부정사와 동명사를 둘 다 목적어로 쓸 수 ❷ ______.

답 ❶ for ❷ 있다

적중 예상 전략 | ①

1 다음 중 빈칸에 들어갈 말로 알맞은 것은?

Melanie wants ________ a hairdresser.

① be ② is
③ being ④ to be
⑤ to being

2 다음 중 밑줄 친 부분을 괄호 안의 말과 바꿔 쓸 수 없는 것은?

① I hate to be alone.
(= being)
② It started to rain.
(= raining)
③ She decided to tell the truth.
(= telling)
④ His hobby is to watch action movies.
(= watching)
⑤ To eat breakfast is important.
(= Eating)

3 다음 중 빈칸에 들어갈 수 없는 것은?

Alison ________ studying French.

① kept ② hopes ③ enjoyed
④ likes ⑤ gave up

[4~5] 다음 중 밑줄 친 부분의 쓰임이 나머지 넷과 다른 것을 고르시오.

4 ① I got up early to watch the sunrise.
② The teacher promised to help them.
③ To live in a foreign country is not easy.
④ Kelly's dream is to travel to Rome.
⑤ It is a good habit to eat healthy food.

5 ① Making a model airplane is fun.
② She is doing a project about Dokdo.
③ Benjamin's hobby is drawing cartoons.
④ Did you finish cleaning the garden?
⑤ His job is taking care of sick animals.

>> 정답과 해설 50쪽

6 다음 중 빈칸에 공통으로 들어갈 말로 알맞은 것은?

> • ________ is the weather in Beijing?
> • ________ difficult the problem is!

① How ② Where ③ What
④ Why ⑤ When

7 다음 우리말을 영작한 문장의 밑줄 친 ①~⑤ 중 어법상 어색한 것은?

> 그가 컴퓨터 게임을 하는 것을 멈추지 않았기 때문에 그의 엄마는 화가 났다.
> ➡ ① His mom got ② angry ③ because he ④ didn't stop ⑤ to play computer games.

8 다음 중 밑줄 친 부분이 어법상 어색한 것은?

① Paul can swim well, can't he?
② You aren't interested in art, are you?
③ Cats don't like water, do they?
④ He was sick in bed yesterday, didn't he?
⑤ That woman looks like a movie star, doesn't she?

9 다음 그림의 내용과 일치하는 설명은?

① There is a cat by the window.
② There are two guitars in the room.
③ There is not a bookshelf in the room.
④ There is a soccer ball on the chair.
⑤ There are three photos on the desk.

10 다음 중 짝지어진 대화가 어색한 것은?

① A: Who is that man?
B: He's my homeroom teacher.
② A: How often do you go to the movies?
B: I go to the movies once a month.
③ A: When is the school festival?
B: It is next Friday.
④ A: Why are you so upset?
B: Because I lost my cell phone.
⑤ A: Which do you prefer, juice or coffee?
B: Yes, I do. Thanks.

적중 예상 전략 | ❶

[11~12] 다음 중 빈칸에 들어갈 말이 나머지 넷과 다른 것을 고르시오.

11 ① ________ a small world!

② ________ beautiful stars they are!

③ ________ amazing this movie is!

④ ________ surprising news it is!

⑤ ________ an unusual name this is!

12 ① Keira sent a letter ________ Jake.

② I made these pancakes ________ my dad.

③ She told an interesting story ________ us.

④ The artist showed his paintings ________ them.

⑤ Mr. Wright teaches history ________ his students.

13 다음 우리말을 바르게 영작한 것은?

> 그들의 미소는 우리를 행복하게 만들었다.

① Their smiles made us happy.

② Their smiles made us happily.

③ Their smiles made happy for us.

④ Their smiles made our happy.

⑤ Their smiles made our happily.

서술형

14 다음 그림을 보고, 주어진 문장을 가주어 it을 이용하여 바꿔 쓰시오.

> To watch a baseball game is exciting.
>
> ➡ ______________________________

서술형

15 Grace의 소원 목록과 주말 일정표를 보고, 문장을 완성하시오. (단, 주어진 표현을 알맞은 형태로 고칠 것)

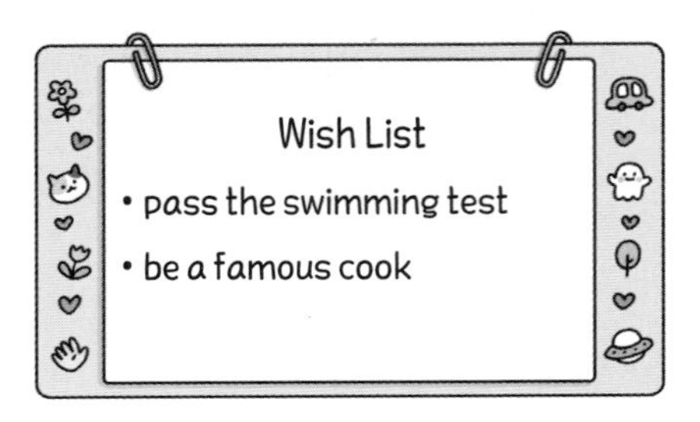

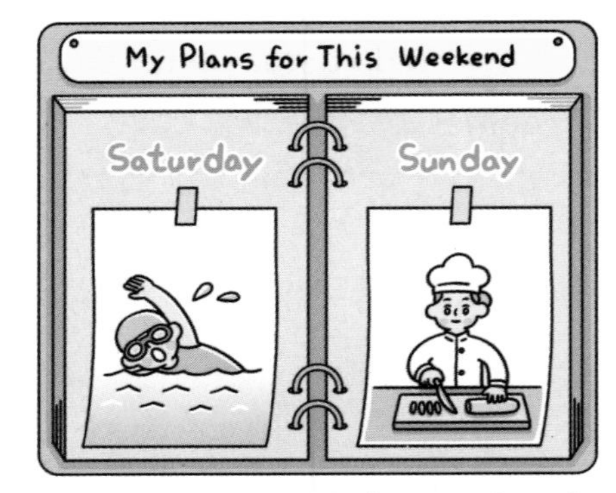

(practice swimming) (take a cooking lesson)

(1) Grace hopes ______________________.
She plans ______________________ on Saturday.

(2) Grace wants ______________________.
She plans ______________________ on Sunday.

서술형

16 다음 그림 속 여학생에게 할 말을 괄호 안의 표현을 이용하여 부정 명령문으로 완성하시오.

➡ ________ ________ ________ the flowers.
(pick up)

서술형

17 다음 그림을 보고, 괄호 안의 표현을 바르게 배열하여 문장을 완성하시오.

Lucy ______________________________.
(her brother, gave, a present)

서술형

18 다음 그림을 보고, 주어진 문장을 〈조건〉에 맞게 감탄문으로 바꿔 쓰시오.

조건
What으로 시작하여 총 6단어로 완성할 것

It is a very cute dog.
➡ ______________________________

서술형

19 다음 그림 속 각 인물이 한 말에서 어법상 어색한 곳을 찾아 바르게 고쳐 쓰시오.

(1) __________ ➡ __________
(2) __________ ➡ __________
(3) __________ ➡ __________

서술형

20 다음 표를 보고, to부정사와 괄호 안의 표현을 이용하여 〈보기〉와 같이 문장을 완성하시오.

	간 곳	목적
Jeremy	박물관	유명한 그림들 보기 (see famous paintings)
Sharon	공원	배드민턴 치기 (play badminton)
Patrick	빵집	케이크 사기 (buy a cake)

보기
Jeremy went to the museum to see famous paintings.

(1) Sharon went to the park ______________
______________.

(2) Patrick went to the bakery ______________
______________.

적중 예상 전략 | ❷

1 다음 중 단어의 비교급과 최상급이 바르게 짝지어진 것은?

① sad … sader … sadest
② good … gooder … goodest
③ dirty … dirtier … dirtiest
④ cute … more cute … most cute
⑤ curious … curiouser … curiousest

2 다음 그림과 일치하지 않는 설명은?

① There is a cup on the table.
② There is a clock next to the cup.
③ There is a box under the table.
④ A cat is in front of the box.
⑤ A mirror is hanging on the wall.

3 다음 괄호 안에서 알맞은 것끼리 짝지어진 것은?

- I kissed my baby (A) (gentle / gently) on the cheek.
- The weather was (B) (bright / brightly) and sunny.
- Eat lots of (C) (fresh / freshly) fruit and vegetables.

	(A)		(B)		(C)
①	gentle	…	bright	…	fresh
②	gentle	…	brightly	…	freshly
③	gently	…	bright	…	freshly
④	gently	…	brightly	…	freshly
⑤	gently	…	bright	…	fresh

4 다음 우리말을 잘못 영작한 것은?

① 우리는 약간의 휴식이 필요하다.
→ We need some rest.
② 나무 위에 많은 원숭이들이 있다.
→ There are many monkeys on the tree.
③ 병에 우유가 거의 없다.
→ There is little milk in the bottle.
④ 나는 여유 시간이 많지 않다.
→ I don't have much free time.
⑤ 그녀는 매달 약간의 돈을 모은다.
→ She saves a few money every month.

>> 정답과 해설 52쪽

5 다음 괄호 안의 단어를 배열하여 우리말을 영작할 때 세 번째로 오는 것은?

그녀는 그녀의 친구들에게 항상 친절하다.
(always, her, to, kind, is, friends, she)

① always ② her ③ to
④ kind ⑤ is

6 다음 글의 빈칸에 들어갈 말이 순서대로 바르게 짝지어진 것은?

My family took a trip to Busan ________ summer vacation. My aunt lives near Haeundae. We stayed at her place ________ three days.

① in … at
② for … during
③ during … for
④ in … from
⑤ to … on

7 다음 중 밑줄 친 부분의 쓰임이 나머지 넷과 다른 것은?

① When I first met Helen, she was a teacher.
② When are you going to fix the camera?
③ Try to drink a lot of water when it is hot.
④ We got excited when we won the game.
⑤ Where did you stay when you were in London?

8 다음 세 사람의 정보와 일치하지 않는 것은?

	Ian	Will	Johnny
Age	19	18	14
Height	168 cm	180 cm	173 cm
Weight	65 kg	79 kg	87 kg

① Ian is older than Will.
② Will is the tallest of the three.
③ Ian is shorter than Johnny.
④ Will is lighter than Ian.
⑤ Johnny is the heaviest of the three.

9 다음 우리말을 영작할 때 빈칸에 들어갈 말로 알맞은 것은?

> 과거에 사람들은 지구가 평평하다고 믿었다.
> ➡ People believed ________ the Earth was flat in the past.

① that ② if ③ when
④ so ⑤ because

10 다음 중 빈칸에 들어갈 말이 나머지 넷과 다른 것은?

① Margaret was born ______ 2009.
② We go bowling ______ Thursdays.
③ What did you do ______ Children's Day?
④ The Winter Olympic Games ended ______ February 26th.
⑤ Do you sell women's clothing ______ the third floor?

11 다음 중 어법상 어색한 것은?

① This week is busier than last week.
② Today was the worse day of my life.
③ This sofa is more comfortable than mine.
④ The white boots look nicer than the black ones.
⑤ The blue whale is the biggest animal in the world.

서술형

12 다음 그림을 보고, 빈칸에 알맞은 말을 쓰시오.

> Selena is standing ________ a tree ________ a bicycle.

서술형

13 다음 그림을 보고, 세 동물의 속도를 비교하는 문장을 완성하시오. (단, slow와 fast를 이용할 것)

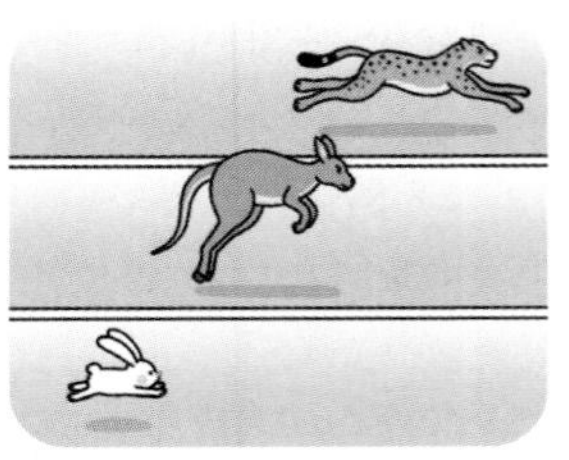

(1) The cheetah runs the ________ of the three.
(2) The rabbit is ________ ________ the kangaroo.

서술형

14 괄호 안의 빈도부사를 알맞은 위치에 넣어 문장을 다시 쓰시오.

(1) I will do my best. (always)
➡ ________________
(2) Donna complains about food. (never)
➡ ________________
(3) Children are afraid of the dark. (often)
➡ ________________

서술형

15 다음 그림을 보고, 〈보기〉에서 알맞은 접속사를 골라 두 문장이 같은 의미가 되도록 완성하시오.

보기

if before because

Her neighbor played loud music, so Hailey couldn't sleep well.

= Hailey ______________________

______________________.

서술형

16 우리말과 일치하도록 괄호 안의 단어를 바르게 배열하시오. (단, 부사절을 주절 앞에 쓸 것)

나는 피곤할 때 초콜릿을 먹는다.
(eat, I, I, tired, chocolate, am, when)

➡ ______________________

서술형

17 다음 문장의 밑줄 친 부분을 어법에 맞게 고쳐 쓴 후, 고친 이유를 쓰시오.

If I <u>will finish</u> my work, I will let you know.

(1) will finish ➡ __________

(2) 이유: ______________________

서술형

18 다음 그림을 보고, 괄호 안의 단어를 이용하여 비교급 문장을 알맞게 완성하시오.

(1)

The red sweater is 30 dollars. The yellow one is 20 dollars. The red sweater is ________ ________ ________ the yellow one. (expensive)

(2)

Adele has a dog. Justin has two dogs and a cat. Justin has ________ pets ________ Adele. (many)

MEMO

MEMO

영어전략

BOOK 1 정답과 해설

1주 명사, be동사, 조동사

해석 | 1 남: 우리는 멜론 하나, 약간의 계란, 그리고 딸기가 필요해. 또 필요한 것이 있을까? 여: 우리는 약간의 치즈도 필요해요.
2 남: 제 역할 모델 James Cameron을 소개하겠습니다. 그는 유명한 영화감독이예요. 많은 사람들이 그의 영화를 좋아합니다. 저는 그와 같은 영화감독이 되고 싶어요.
3 여: Mark는 미국 출신이니? 남: 아니, 그는 호주 출신이야.
4 여: 너는 도서관에서 음식을 먹어선 안 돼. 남: 오, 미안해.

1주 1일 개념 돌파 전략 ❶ pp. 8~11

개념 1 Quiz 해설 | sister, bike, coin, baby는 셀 수 있는 명사이고 rain, money, milk, time은 셀 수 없는 명사이다. money는 셀 수 없는 명사이고 coin은 셀 수 있는 명사임에 유의한다.
어휘 | coin 동전

개념 2 Quiz 해설 | (1) 주어 역할을 하는 주격 인칭대명사 They가 알맞다.
(2) 명사 homeroom teacher 앞에 '~의'라는 의미의 소유격을 써야 하므로 we의 소유격인 our가 알맞다.
(3) 3인칭 단수가 주어이므로 be동사는 is가 알맞다.
(4) His daughters는 They로 바꿔 쓸 수 있는 3인칭 복수이므로 are가 알맞다.
해석 | (1) 그들은 교실에 있다.
(2) Green 씨는 우리 담임 선생님이다.
(3) 그녀는 피곤하고 졸리다.
(4) 그의 딸들은 똑똑하다.
어휘 | homeroom teacher 담임 교사 tired 피곤한 sleepy 졸린 smart 똑똑한

1-2 ③ 2-2 ⓐ my ⓑ are ⓒ They ⓓ are ⓔ them

1-1 해석 | (1) 나는 우산이 필요하다.
(2) 그 개는 짧은 다리를 가지고 있다.
(3) 나의 집 앞에는 큰 나무가 하나 있다.
어휘 | in front of ~ 앞에

1-2 해설 | 부정관사는 셀 수 있는 명사의 단수형 앞에 쓰인다. ① money는 셀 수 없는 명사이므로 부정관사를 쓸 수 없다. ② mistakes는 복수형이므로 부정관사를 쓸 수 없다. ③ sandwich는 셀 수 있는 명사이므로 부정관사를 쓸 수 있고 egg는 첫소리가 모음이므로 an을 써야 한다.
해석 | ① 나는 돈이 없다. ② 우리는 몇 가지 실수를 저질렀다. ③ 그녀는 점심으로 계란 샌드위치를 먹는다.
어휘 | make a mistake 실수를 저지르다 several 몇 개의 for lunch 점심으로

2-1 해석 | 나는 하나야. 내가 가장 좋아하는 음식은 피자야. 내 남동생은 스파게티를 정말 좋아해. 우리 아빠는 훌륭한 요리사이셔. 그는 우리를 위해 피자와 스파게티를 만들어 주셔. 그의 음식은 정말 훌륭해!
어휘 | favorite 가장 좋아하는 wonderful 훌륭한

2-2 해설 | ⓐ 명사 앞에서 명사가 누구의 것인지 나타낼 때는 소유격을 써야 하므로 my가 알맞다.
ⓑ 주어가 and로 연결되어 두 사람을 나타내므로 be동사는 are를 써야 한다.
ⓒ 주어 역할을 하는 They가 알맞다.
ⓓ 주어가 복수이므로 be동사는 are를 써야 한다.
ⓔ 동사의 목적어 역할을 하는 목적격이 와야 한다.
해석 | 여기는 나의 민박 가족이야. Madison 씨 부부는 음악 선생님이야. 그들은 내게 친절하셔. Ben과 그의 여동생 Katie는 정말 웃겨. 나는 그들을 많이 좋아해.
어휘 | host family (외국인 방문객을 받아들이는) 민박 가정[가족] funny 웃긴

개념 3 **Quiz** 해설 | (1) be동사의 부정문은 be동사 다음에 not을 쓴다.
(2) be동사의 의문문은 「be동사+주어 ~?」의 형태이다.
(3) 주어가 3인칭 복수이므로 weren't가 알맞다.
해석 | (1) 나는 지금 체육관에 없다.
(2) 그는 비행기 조종사니?
(3) 그의 수학 성적은 그렇게 좋지 않았다.
어휘 | gym 체육관 pilot 조종사 math(= mathematics) 수학 grade 성적

개념 4 **Quiz** 해설 | (1) can은 '~할 수 있다'라는 의미로 주어의 능력이나 가능을 나타낸다.
(2) must는 '~해야 한다'라는 의미로 의무를 나타낸다.
(3) may는 '~일지도 모른다'라는 의미로 약한 추측을 나타낸다.
어휘 | quiet 조용한 arrive 도착하다 on time 제시간에

3-2 are not[aren't], Are they 4-2 (1) must clear
(2) must not[mustn't] cut (3) must eat

3-2 해설 | be동사의 부정문은 be동사 뒤에 not을 써야 한다. are not은 aren't로 줄여 쓸 수 있다. be동사의 의문문은 주어와 be동사의 위치를 바꾸어 만든다.
해석 | 그들은 쌍둥이다. → 그들은 쌍둥이가 아니다. → 그들은 쌍둥이니?
어휘 | twins 쌍둥이

4-1 해석 | •나는 드럼을 칠 수 있다.
(1) 나는 스케이트보드를 탈 수 있다.
(2) 나는 만화를 잘 그릴 수 있다.
•나는 테니스를 칠 수 없다.
(3) 나는 수영할 수 없다. 나는 물을 무서워한다.
(4) 나는 노래를 잘 부를 수 없다.
어휘 | skateboard 스케이트보드 cartoon 만화 be afraid of ~을 무서워하다

4-2 해설 | must는 '~해야 한다'라는 의미로 의무를 나타내는 조동사이다. must not은 '~해서는 안 된다'라는 의미로 금지를 나타내며 mustn't로 줄여 쓸 수 있다.
해석 | (1) 너는 탁자를 치워야 해.
(2) 너는 새치기를 하면 안 돼.
(3) 너는 조용히 먹어야 해.
어휘 | clear 치우다 cut in line 새치기를 하다 quietly 조용히

1주 1일 개념 돌파 전략 ❷ pp. 12~13

CHECK UP

1 해석 | (1) 나는 집에 오는 길에 그를 만났다.
(2) 그녀는 그녀의 아들을 매우 자랑스러워한다.
어휘 | on one's way home 집에 오는[가는] 길에 be proud of ~을 자랑스러워하다

2 해석 | (1) 나는 지금 초조하다.
(2) Esther와 나는 중학생이다.
어휘 | nervous 초조한, 긴장된 middle school 중학교

3 어휘 | borrow 빌리다

4 해석 | (1) 나는 내일 시험이 있다.
(2) Mike는 내게 장미를 한 송이 주었다. 그 장미는 아름다웠다.

5 해석 | Dale 씨는 그녀의 체육 선생님이다. → Dale 씨는 그녀의 체육 선생님이 아니다. → Dale 씨는 그녀의 체육 선생님이니?
어휘 | PE (= physical education) 체육

1 ② 2 am, is, is, are, are 3 ③ 4 ④
5 (1) She is not[isn't] a basketball player. / She's not a basketball player.
(2) Are Brad and Kelly good swimmers?

1 해설 | 첫 번째 문장에는 목적격이 와야 하고 두 번째 문장에는 소유격이 와야 하는데 목적격과 소유격 형태가 동일한 것은 her이다.
해석 | 나는 ② 그녀를 매우 사랑한다. / 우리는 ② 그녀의 이름과 전화번호를 알고 있다.

2 해설 | I가 주어일 때 be동사의 현재형은 am을 쓰고 3인칭 단수가 주어일 때 is를 쓴다. 주어가 복수일 때는 are를 쓴다.
해석 | 나는 Tiffany이고 이것은 내 개 Toto야. 그는 정말 똑똑하고 다정해. 그의 눈은 갈색이야. 내 개와 나는 좋은 친구야!
어휘 | friendly 다정한

3 해설 | ③ may는 '~일지도 모른다'라는 약한 추측의 의미로 쓰였다. '~임에 틀림없다'라는 의미를 나타내는 조동사는 must이다.
해석 | ① 너는 내 전화를 사용해도 좋아.
② 나는 최선을 다할 거야.
③ Scott은 우승자일지도 모른다.

④ 우리는 그의 충고를 따라야 한다.
⑤ 너는 안내견을 만지면 안 된다.
어휘 | try one's best 최선을 다하다 winner 우승자 follow one's advice ~의 충고를 따르다 touch 만지다 guide dog 안내견

4 해설 | ④ university는 첫소리가 자음이므로 부정관사 a를 써야 한다.
해석 | ① 나는 동물원에서 호랑이를 보았다.
② 우리 조부모님께서는 농장을 가지고 계신다.
③ 우리는 재미있는 이야기를 들었다.
④ Sue는 대학생이다.
⑤ 책상 위의 가방은 내 것이다.
어휘 | interesting 재미있는, 흥미진진한 university 대학교 backpack 가방, 배낭

5 해설 | (1) be동사의 부정문을 만들 때 be동사 다음에 not을 쓰며, be동사와 not은 줄여 쓸 수 있다.
(2) be동사의 의문문을 만들 때 be동사를 주어 앞에 위치시킨다.
해석 | (1) 그녀는 농구선수이다. → 그녀는 농구선수가 아니다.
(2) Brad와 Kelly는 수영을 잘한다. → Brad와 Kelly는 수영을 잘하니?

1주 2일 필수 체크 전략 ❶ pp. 14~17

전략 1 필수 예제

해설 | ⑤ tooth의 복수형은 teeth이다.
어휘 | wife 아내, 부인 tooth 이, 치아

확인 문제

1 ⑤ 2 (1) a glass of milk (2) three potatoes

1 해설 | brother, gift, rabbit, minute는 모두 셀 수 있는 명사로 앞에 부정관사 a를 쓸 수 있지만 information은 셀 수 없는 명사로 앞에 부정관사를 쓸 수 없다.
해석 | ① 나는 남동생이 하나 있다.
② Chris는 특별한 선물을 원한다.
③ 이것은 토끼처럼 보인다.
④ 잠깐 기다려줘.
⑤ 그것은 새에 관한 정보를 가지고 있다.
어휘 | want 원하다 special 특별한 gift 선물 look like ~처럼 보이다 information 정보

2 해설 | (1) milk는 셀 수 없는 명사이므로 a glass of를 이용한다.
(2) potato는 -o로 끝나는 명사이므로 -es를 붙여 복수형을 만든다.
해석 | (1) 탁자 위에 우유가 한 잔 있다.
(2) 탁자 위에 바나나 두 개와 감자 세 개가 있다.

전략 2 필수 예제

해설 | 빈칸에는 명사와 함께 쓰이는 소유격이 알맞다. 이때 school uniform이 단수 명사이므로 '그것의'를 뜻하는 it의 소유격 Its를 써야 한다.
해석 | 나는 우리 학교 교복을 싫어한다. 그것의 색깔은 너무 어둡다.
어휘 | hate 싫어하다 school uniform 교복 dark 어두운

확인 문제

1 ⑤ 2 hers

1 해설 | ⑤ 뒤에 명사가 쓰였으므로 '그의'라는 의미를 나타내는 소유격이 알맞게 쓰였다.
① 목적어 역할을 하는 목적격 인칭대명사로 고쳐야 한다. → us
② 주어 역할을 하는 주격 인칭대명사로 고쳐야 한다. → They
③ 뒤에 명사가 있으므로 소유격으로 고쳐야 한다. 소유대명사 yours는 뒤에 명사 없이 단독으로 쓰인다. → Your
④ 목적어 역할을 하는 목적격 인칭대명사로 고쳐야 한다. → her
해석 | ⑤ 그는 그의 아기들에게 매일 밤 키스한다.
어휘 | painting 그림 wonderful 훌륭한, 멋진

2 해설 | '이 우산은 그녀의 것이다.'라는 의미가 되어야 하므로 빈칸에는 소유대명사 hers가 알맞다.
해석 | 이것은 그녀의 우산이다. = 이 우산은 그녀의 것이다.

전략 3 필수 예제

해설 | ④는 대명사 It으로 '그것'이라고 해석한다. 나머지는 모두 비인칭 주어이다. ① 계절 ② 날짜 ③ 날씨 ⑤ 시간
해석 | ① 지금은 봄이다.
② 12월 10일이다.
③ 가을에는 날이 선선하다.
④ 그것은 훌륭한 생각이다.
⑤ 오전 8시이다.

확인 문제

1 ①　2 It is[It's] March 7th.

1 해설 | 〈보기〉의 It은 날씨를 나타내는 비인칭 주어이다. ① It이 요일을 나타내는 비인칭 주어로 쓰였다. 나머지는 모두 '그것'이라고 해석되는 대명사 It이다.
해석 | 〈보기〉 날씨가 따뜻하고 화창하다.
① 오늘은 금요일이다.
② 그건 네 잘못이 아니다.
③ 그것은 내가 가장 좋아하는 과목이다.
④ 그것은 아주 맵지만 맛있다.
⑤ 그것은 학교 바로 뒤에 있다.
어휘 | fault 잘못 favorite 가장 좋아하는 subject 과목 delicious 맛있는 right 바로 behind ~ 뒤에

2 해설 | 날짜를 나타낼 때 비인칭 주어 it을 쓴다.
해석 | A: 오늘이 며칠이니?
B: 3월 7일이야.

전략 4 필수 예제

해설 | 1인칭 단수 주어인 I는 am과 함께 쓴다. Mr. James는 He로 바꿔 쓸 수 있는 3인칭 단수 주어이므로 is가 알맞다. Ted and Amy와 같이 and로 연결된 주어는 복수이므로 are가 알맞다.
해석 | 나는 중학생이다. / James 선생님은 나의 담임 선생님이시다. / Ted와 Amy는 나의 사촌들이다.
어휘 | cousin 사촌

확인 문제

1 ③　2 (1) It is[It's] (2) were

1 해설 | This is는 This's로 줄여 쓸 수 없다.
해석 | ① 나는 매우 배고프다.
② 저것은 매우 흥미롭다.
③ 이것은 내 새 컴퓨터이다.
④ 우리는 거실에 있다.
⑤ 그들은 Peter의 조부모님이다.

2 해설 | (1) Its는 소유격으로 '그것의'라는 의미이다. 문장이 성립되려면 주어와 동사가 있어야 하므로 It is 또는 줄임말인 It's로 고쳐야 한다.
(2) then은 '그때'라는 의미이므로 be동사의 과거형을 써야 하고, 주어가 3인칭 복수이므로 were가 알맞다.
어휘 | airport 공항

1주 2일 필수 체크 전략 ❷ pp. 18~19

1 ①, ⑤　2 ③　3 ①　4 ④　5 ⑤　6 It was, it is

1 해설 | 부정관사 a와 an은 셀 수 있는 단수 명사 앞에 쓸 수 있다. eraser는 셀 수 있는 명사이지만 첫소리가 모음으로 시작되기 때문에 an을 써야 한다. tickets는 복수형이므로 앞에 부정관사를 쓸 수 없다.
해석 | 너는 ② 계획이 / ③ 머리빗이 / ④ 휴대 전화가 있니?
어휘 | eraser 지우개 hairbrush 머리빗

2 해설 | ③ -f(e)로 끝나는 명사는 f(e)를 v로 고치고 -es를 붙인다. wolves, thieves, leaves
① foot은 복수형이 불규칙하게 변화하는 명사이다. rings, boats, feet
② 「자음+y」로 끝나는 명사인 lady와 party는 y를 i로 고치고 -es를 붙여 복수형을 만들지만 toy는 「모음+y」로 끝나는 명사로 -s를 붙인다. ladies, parties, toys
④ -s, -x, -sh, -ch, -o로 끝나는 명사 뒤에는 -es를 붙여 복수형을 만든다. 단, photo는 photograph의 줄임말로 예외의 경우이다. photos, dishes, foxes
⑤ woman은 복수형이 불규칙하게 변화하는 명사이다. pets, lions, women
어휘 | wolf 늑대 thief 도둑 dish 접시, 음식 fox 여우 pet 애완동물

3 해설 | 〈보기〉와 ①의 her는 명사 앞에서 '그녀의'라는 의미의 소유격으로 쓰였다. 나머지는 모두 목적격으로 쓰였다.
해석 | 〈보기〉 저 소년은 그녀의 학급 친구이다.
① 그녀의 별명은 무엇이니?
② 나는 그녀와 함께 테니스를 친다.
③ 우리는 콘서트에서 그녀를 만났다.
④ 나는 그녀에게 이메일을 보낼 것이다.
⑤ 그들은 매달 그녀를 초대한다.
어휘 | nickname 별명 send 보내다 invite 초대하다

4 해설 | ④ 주어가 and로 연결된 복수이므로 be동사는 are를 써야 한다. am → are
해석 | ① 그것은 훌륭한 영화이다.
② 너는 춤을 잘 춘다.
③ 그들은 유명한 가수들이다.
⑤ Lisa는 음악실에 있다.
어휘 | be good at ~을 잘하다 neighbor 이웃

5 해설 | my grandparents'는 '나'를 포함하지 않는 복수 명사의 소유격이므로 '그들의'이라는 의미인 their로 바꿔 쓸 수 있다. Sumi's and my는 '나'를 포함하므로 '우리들의'라는

의미인 Our로 대신할 수 있다.
해석 | 이것은 나의 조부모님의 집이다. / 수미와 나의 고향은 제주도이다.
어휘 | hometown 고향

6 해설 | 날씨를 나타내는 비인칭 주어 it을 쓴다. yesterday는 과거를 나타내는 부사이므로 과거형인 was가, now는 현재를 나타내므로 현재형인 is가 와야 한다.
해석 | 어제는 비가 내렸지만 지금은 날씨가 화창하다.

필수 체크 전략 ❶ pp. 20~23

전략 1 필수 예제

해설 | be동사 다음에 not을 써서 부정문을 만든다. are not은 aren't로 줄여 쓸 수 있다.
해석 | 그들은 너와 다르다. → 그들은 너와 다르지 않다.
어휘 | be different from ~와 다르다

확인 문제

1 ① 2 is not[isn't]

1 해설 | am not은 줄여 쓰지 않는다.
② is not → isn't
③ was not → wasn't
④ are not → aren't
⑤ were not → weren't
해석 | ① 나는 바쁘지 않다.
② Carol은 목마르지 않다.
③ 그녀는 화가가 아니었다.
④ 그 채소들은 신선하지 않다.
⑤ Mary와 Jane은 방에 없었다.
어휘 | vegetable 채소 fresh 신선한

2 해설 | Mike는 '집에 없다'라고 해야 하므로 be동사의 부정문이 되어야 한다. 주어가 3인칭 단수이므로 is 다음에 not을 쓰며, is not은 isn't로 줄여 쓸 수 있다.
해석 | 여: Mike는 지금 집에 없어.
남: 그는 어디 있니?
여: 그는 도서관에 있어.

전략 2 필수 예제

해설 | Jake에게 여동생이 있다는 말이 이어지므로 그는 외동이 아니라는 부정의 답을 해야 자연스럽다. 이때 고유명사인 Jake를 인칭대명사 he로 바꾸어 No, he isn't.로 답해야 한다.
해석 | A: Jake는 외동이니?
B: 아니야. 그는 여동생이 있어.
어휘 | only child 외동

확인 문제

1 ④ 2 Are, No, they aren't[they're not]

1 해설 | ④ Were you ~?로 물어보면 긍정의 대답은 Yes, I was. 또는 Yes, we were.로 해야 한다.
해석 | ① 내가 틀렸니? – 아니, 그렇지 않아.
② 이것은 네 휴대 전화니? – 응, 맞아.
③ 너희들은 베트남 출신이니? – 응, 맞아.
⑤ Judy는 학교에 늦었니? – 아니, 안 늦었어.
어휘 | be late for ~에 늦다

2 해설 | be동사의 의문문은 「be동사+주어 ~?」의 형태이다. 주어인 these가 복수이므로 의문문은 Are로 시작한다. 질문에 대한 대답으로 안경이 지민이의 것이라고 했으므로 「No, 주어 + be동사 + not.」의 형태를 이용한다. these는 인칭대명사인 they로 바꿔 쓰고 are not은 aren't로 줄여 쓴다. they're not으로 쓸 수도 있다.
해석 | A: 이건 너의 안경이니?
B: 아니, 그렇지 않아. 그건 지민이의 것이야.
어휘 | glasses 안경

전략 3 필수 예제

해설 | 조동사 can은 '~해도 좋다'라는 허가의 의미로 쓰일 때 may와 바꿔 쓸 수 있다. be going to는 미래의 일이나 계획을 나타낼 때 쓰는 표현으로 조동사 will로 바꿔 쓸 수 있다.
해석 | 제가 이 바지를 입어 봐도 되나요? / 나는 유럽으로 여행 갈 것이다.
어휘 | try on ~을 입어[신어] 보다 take a trip 여행 가다

확인 문제

1 ② 2 can swim, cannot[can't] skate

1 해설 | ②는 '~일지도 모른다'라는 약한 추측의 의미로 쓰였고 나머지는 모두 '~해도 좋다'라는 허가의 의미로 쓰였다.
해석 | ① 내가 들어가도 되니?
② 그녀는 내게 화가 나 있을지도 모른다.
③ 내가 네 카메라를 사용해도 되니?
④ 너는 이제 좀 쉬어도 된다.
⑤ 너는 그 그림들을 만져서는 안 된다.

어휘 | be mad at ~에 화가 나 있다 get some rest 휴식을 취하다

2 해설 | can은 조동사이므로 다음에 오는 동사는 원형이 되어야 한다. can의 부정형은 cannot 또는 can't로 쓴다.
해석 | Jennifer는 수영을 잘할 수 있지만 스케이트는 전혀 타지 못한다.
어휘 | not ~ at all 전혀 ~않다

전략 4 필수 예제

해설 | ③은 '~임에 틀림없다'라는 의미로 강한 추측을 나타내고, 나머지는 모두 '~해야 한다'라는 의미로 필요 또는 의무를 나타낸다.
해석 | ① 너는 서둘러야 한다.
② 모든 사람은 규칙을 지켜야 한다.
③ 그녀는 그의 딸이 틀림없다.
④ 나는 지금 치과에 가야 한다.
⑤ 우리는 돈을 낭비해서는 안 된다.
어휘 | hurry up 서두르다 follow 지키다, 따르다 rule 규칙 go to the dentist 치과에 가다 waste 낭비하다

확인 문제

1 ④ 2 should not[shouldn't] eat

1 해설 | '~할 필요가 없다'라는 의미를 나타낼 때 don't have to를 이용한다. 주어진 문장의 주어가 she이므로 don't는 doesn't로 바꿔야 한다.

2 해설 | 충고를 할 때 조동사 should를 이용한다. 단것을 너무 많이 먹지 말라는 충고를 해야 자연스러우므로 should not[shouldn't] 다음에 동사원형을 쓴다.
해석 | 너는 단것을 너무 많이 먹으면 안 된다.
어휘 | sweet 단것(사탕 및 초콜릿류)

1주 3일 필수 체크 전략 ❷ pp. 24~25

1 ② 2 (1) Yes, she is (2) No, he isn't[he's not] (3) He's (4) Are (5) they are 3 ② 4 (1) has to stay home (2) are able to use tools 5 (1) should take some medicine (2) should not[shouldn't] drink cold water

1 해설 | This fish는 3인칭 단수이고, 뒤에 먹지 말아야 한다는 말이 이어지므로 '신선하지 않다'라는 의미가 되도록 isn't를 쓰는 것이 알맞다. / Ellen and Selena는 복수이고, 지금은 친한 친구라는 말이 이어지므로 작년에는 '친하지 않았다'라는 의미가 되도록 weren't를 쓰는 것이 알맞다.
해석 | 이 생선은 신선하지 않아. 너는 그것을 먹어서는 안 돼. / Ellen과 Selena는 작년에는 별로 가깝지 않았지만 지금은 가장 친한 친구이다.
어휘 | close 가까운

2 해설 | (1) Lucy는 캐나다 출신이 맞으므로 긍정의 대답을 한다. 주어 Lucy는 인칭대명사 she로 바꿔 대답한다.
(2) Paul은 수의사가 아니고 요리사이므로 부정의 대답을 한다. he is not은 he isn't 또는 he's not으로 줄여 쓸 수 있다.
(3) 주어 He와 be동사 is를 줄여 He's로 쓴다.
(4) 의문문의 주어가 복수이므로 Are로 시작해야 한다.
(5) 주어인 Lucy and Paul은 인칭대명사 they로 바꿔 대답해야 한다.
해석 | A: Lucy는 캐나다 출신이니?
B: 응, 맞아.
A: Paul은 수의사니?
B: 아니, 그렇지 않아. 그는 요리사야.
A: Lucy와 Paul은 나이가 같니?
B: 응, 맞아.
어휘 | nationality 국적 vet 수의사 be the same age 나이가 같다

3 해설 | ② won't는 will not의 줄임말이고 뒤에 동사원형이 쓰였으므로 어법상 옳은 문장이다.
① 조동사 다음에는 동사원형이 온다. plays → play
③ 조동사의 부정문은 「주어+조동사+not+동사원형 ~.」으로 쓴다. can isn't speak → cannot[can't] speak
④ 조동사의 의문문은 「조동사+주어+동사원형 ~?」으로 쓴다. Am I may borrow → May I borrow
⑤ 두 개의 조동사를 나란히 쓸 수 없으므로 will이나 can 둘 중 하나를 쓰거나 will be able to(~할 수 있을 것이다)를 이용한다. will can → will / can / will be able to
해석 | ② 그들은 콘서트에 가지 않을 것이다.

4 해설 | (1) must가 필요나 의무를 나타낼 때 have to와 바꿔 쓸 수 있으며 주어가 3인칭 단수이므로 has to로 바꿔 써야 한다.
(2) can이 능력이나 가능을 나타낼 때 be able to로 바꿔 쓸 수 있으며 주어가 복수이므로 be동사는 are로 쓴다.
해석 | (1) Anna는 집에 머물러야 한다.
(2) 침팬지는 도구를 사용할 수 있다.

어휘 | stay 머무르다 chimpanzee 침팬지 tool 도구

5 해설 | 조동사 should는 '~해야 한다'라는 의미로 의무, 충고, 제안을 나타낸다. 조동사 다음에는 동사원형을 쓰고 부정형은 should not[shouldn't]으로 쓴다.
해석 | 나는 열이 나고 목이 아파.
(1) 너는 약을 좀 먹어야 해.
(2) 너는 찬물을 마시면 안 돼.
어휘 | have a fever 열이 나다 have a sore throat 목이 아프다 take medicine 약을 먹다

교과서 대표 전략 ❶ pp. 26~29

1 ① 2 ② 3 ⑤ 4 She's my favorite singer. 5 ② 6 ③ 7 ⑤ 8 They aren't[They're not] good at math. 9 No, we aren't[we're not] 10 ④ 11 were, I was, was 12 ③ 13 ② 14 should stop 15 ① 16 (1) May, take (2) will throw

1 해설 | 부정관사 a 다음에는 셀 수 있는 명사의 단수형이 와야 하며 첫소리가 자음이어야 한다. 따라서 빈칸에는 ① hamster가 알맞다. ② album과 ③ island는 첫소리가 모음이므로 an을 써야 한다. ④ salt는 셀 수 없는 명사이므로 앞에 부정관사를 쓸 수 없다. ⑤ blueberries는 복수형이므로 앞에 부정관사가 올 수 없다.
어휘 | hamster 햄스터 island 섬 blueberry 블루베리

2 해설 | ② fox는 -x로 끝나는 단어이므로 -es를 붙여 복수형을 만든다.
① sheep은 단수와 복수의 형태가 같다. sheep … sheep
③ 「자음+y」로 끝나는 명사는 y를 i로 고치고 -es를 붙인다. body … bodies
④ -f(e)로 끝나는 명사는 f(e)를 v로 고치고 -es를 붙이지만 roof는 예외로 -s를 붙여 복수형을 만든다. roof … roofs
⑤ -s로 끝나는 명사는 -es를 붙인다. class … classes

3 해설 | ⑤ sugar는 셀 수 없는 명사로, 복수형은 단위나 용기를 나타내는 명사에 -(e)s를 붙인다. → four spoons of sugar
해석 | ① 케이크 한 조각 ② 물 한 병 ③ 치즈 세 장 ④ 차 두 컵

4 해설 | 문장은 주어와 동사가 있어야 하므로 She's를 맨 앞에 쓰고 소유를 나타내는 my를 쓴 뒤 형용사와 명사를 차례로 쓴다.
해석 | 그녀는 내가 가장 좋아하는 가수이다.

5 해설 | ② 「소유격+명사」는 소유대명사로 바꿔 쓸 수 있고 my father는 he를 의미하므로 he의 소유대명사인 his로 바꿔 쓸 수 있다. he의 소유격과 소유대명사는 his로 형태가 같다.
① 소유격 her로 바꿔 써야 한다. hers는 소유대명사이다.
③ 소유격 Its로 바꿔 써야 한다. It's는 It is의 줄임말이다.
④ 주어가 I를 포함한 복수이므로 주격 인칭대명사 We로 바꿔 써야 한다.
⑤ 전치사의 목적어 역할을 하므로 목적격인 them으로 바꿔 써야 한다.
해석 | ① 저것은 Jennifer의 모자니?
② 그것은 우리 아빠의 자동차이다.
③ 그 책의 표지는 노란색이다.
④ 내 남동생과 나는 매우 다르다.
⑤ 너는 네 부모님께 거짓말을 해선 안 된다.
어휘 | lie 거짓말하다

6 해설 | ③은 날짜를 나타낼 때 쓰는 비인칭 주어이고 나머지는 '그것'을 뜻하는 대명사이다.
해석 | ① 그것은 너무 비쌌다.
② 그것은 멋진 파티였다.
③ 오늘은 어린이날이다.
④ 그것은 미나로부터 온 편지였다.
⑤ 그것은 그 키가 큰 나무 앞에 있다.
어휘 | too 너무 expensive 비싼 in front of ~ 앞에

7 해설 | ⑤ 주어가 복수이므로 be동사는 are가 와야 한다. 나머지는 모두 주어가 3인칭 단수로 is가 알맞다.
해석 | ① 그것은 Kevin의 개다.
② 중국은 큰 나라이다.
③ Ross는 매우 활동적이다.
④ 그들의 아이는 부엌에 있다.
⑤ Becky와 그녀의 여동생은 부지런하다.
어휘 | active 활동적인 diligent 부지런한

8 해설 | They는 복수이므로 be동사는 are를 써야 하고, 부정문은 be동사 다음에 not을 써서 만든다. are not은 aren't로 줄여 쓰거나 인칭대명사 They와 be동사 are를 줄여 They're로 쓴다.
어휘 | be good at ~을 잘하다

9 해설 | 질문의 주어가 you and Kyle이므로 대답의 주어는 we가 알맞다. 덴마크 출신인지 물었는데 네덜란드 출신이라는 말이 이어지므로 빈칸에는 부정의 대답이 와야 한다.
해석 | A: 너와 Kyle은 덴마크 출신이니?
B: 아니, 그렇지 않아. 우린 네덜란드 출신이야.

10 해설 | ④ 주어 Mr. Jones가 3인칭 단수이므로 be동사는 is를 써야 한다. aren't → isn't
해석 | ① 너는 좋은 축구선수이다.

② 나는 뉴질랜드 출신이 아니다.
③ 이 여행 가방은 네 것이니?
⑤ Annie와 나는 요가 동아리에 속해 있다.
어휘 | suitcase 여행 가방 neighbor 이웃

11 해설 | 어제의 일을 묻고 답하고 있으므로 be동사는 과거형을 써야 한다. 질문에서는 you가 주어이므로 were를 쓰고, 대답할 때는 I를 주어로 하고 was를 쓴다.
해석 | A: 지원아, 너는 어제 학교에 결석했니?
B: 응, 그랬어. 나는 어제 입원했었어.
어휘 | be absent from school 학교에 결석하다 be in the hospital 병원에 입원하다

12 해설 | ③ Steve는 기타 연주를 할 수 있으므로 표와 일치하는 설명이다. ① can → can't ② can't → can ④ can't → can ⑤ → Claire can surf.
해석 | ① Claire는 프랑스어를 할 수 있다.
② Claire는 파도타기를 할 수 없다.
③ Steve는 기타를 연주할 수 있다.
④ Steve는 프랑스어를 할 수 없다.
⑤ Claire와 Steve는 파도타기를 할 수 있다.
어휘 | surf 파도타기를 하다

13 해설 | '~해야 한다'라는 의무의 의미와 '~임에 틀림없다'라는 강한 추측의 의미를 나타내는 조동사는 must이다.
어휘 | return 반납하다 within ~ 이내에

14 해설 | 자기 전에 휴대 전화를 사용하는 것을 그만두라고 충고하는 것이 알맞다. 조동사 should는 '~해야 한다'라는 의미로 의무, 충고, 제안을 나타낼 때 쓴다. 조동사 다음에는 동사원형을 써야 한다.
해석 | 너는 자기 전에 휴대 전화를 사용하는 것을 그만둬야 한다.

15 해설 | 어법상 옳은 문장은 ⓓ이다. 조동사의 의문문은 「조동사+주어+동사원형 ~?」의 형태이므로 어법상 옳다.
ⓐ 조동사는 주어의 인칭이나 수에 따라 형태가 변하지 않는다. cans → can
ⓑ 조동사 다음에는 동사원형이 와야 한다. is → be
ⓒ 조동사의 부정형은 「조동사+not」이다. not may → may not
ⓔ 「조동사+조동사」의 형태로 쓸 수 없다. will과 can 둘 중 하나를 삭제하거나 will be able to(~할 수 있을 것이다)로 써야 한다. will can → will / can / will be able to
해석 | ⓓ 내가 그에게 미안하다고 말해야 하니?
어휘 | rumor 소문

16 해설 | (1) can이 '~해도 좋다'라는 허가의 의미를 나타낼 때 may와 바꿔 쓸 수 있다.
(2) be going to는 '~할 것이다'라는 의미로 가까운 미래의 일이나 계획을 나타내며 will과 바꿔 쓸 수 있다.
해석 | (1) 제가 여기서 사진을 찍어도 되나요?
(2) 그는 그녀를 위해 깜짝 파티를 열어 줄 것이다.
어휘 | take a picture 사진을 찍다 throw a surprise party 깜짝 파티를 열다

1주 4일 교과서 대표 전략 ❷ pp. 30~31

1 ② 2 ② 3 is, am, is, is, are, are, were 4 ③ 5 ① 6 you don't have to 7 ⑤ 8 Can he draw cartoons?

1 해설 | '너의 것'인지 물었으므로 '내 것'이 아니라고 답해야 한다. '내 것'이라는 의미의 소유대명사는 mine이다.
해석 | A: 이것은 네 장갑이니?
B: 아니, 그것은 내 것이 아니야. 그것은 Sarah의 것이야.

2 해설 | ② This is는 줄여 쓸 수 없으므로 This is로 고쳐야 한다.
해석 | Page 씨 부부는 농장을 가지고 있다. 이것이 그들의 농장이다. 그것은 정말 크다. 농장에는 많은 동물들이 있다.

3 해설 | be동사는 주어의 인칭과 수에 따라 am, are, is를 쓴다. my name, My best friend, She는 3인칭 단수이므로 is를 쓴다. I는 am과 함께 쓴다. She and I, We는 복수이므로 are를 쓴다. 마지막 문장은 과거를 나타내는 표현인 last year가 있으므로 be동사의 과거형이 와야 하고, 주어가 1인칭 복수이므로 were가 알맞다.
해석 | 안녕, 내 이름은 유나야. 나는 한국 출신이야. 내 가장 친한 친구는 Wei야. 그녀는 중국 출신이야. 그녀와 나는 14살이야. 우리는 현재 춤 동아리에 소속되어 있어. 우리는 작년에도 춤 동아리에 있었어.

4 해설 | '케이크 세 조각'은 three pieces of cake로 나타낸다.
해석 | 접시 위에 케이크 세 조각이 있다.
어휘 | plate 접시

5 해설 | 조동사 should 다음에는 동사원형이 와야 하므로 ①은 be honest with others로 고쳐야 한다.
해석 | 우리는 ② 옷을 갈아입어야 / ③ 안전벨트를 매야 / ④ 수업에 집중해야 / ⑤ 환경을 보호해야 한다.
어휘 | be honest with ~에게 정직하게 말하다 change clothes 옷을 갈아입다 wear a seat belt 안전벨트를 매다 pay attention 집중하다, 주목하다 protect 보호하다 environment 환경

6 해설 | don't[doesn't] have to는 '~할 필요가 없다'라는 의미이다.
어휘 | feed 먹이를 주다, 밥을 주다 already 이미, 벌써

7 해설 | ⑤ May I ~?에 대한 대답은 긍정일 때 Yes, you may.로 하고, 부정일 때 No, you may not.으로 한다.
해석 | ① A: 너와 Patrick은 형제니? B: 응, 우리는 형제야.
② A: 너는 어제 바빴니? B: 응, 나는 바빴어.
③ A: 타지마할은 태국에 있니? B: 아니, 그렇지 않아. 그것은 인도에 있어.
④ A: 너 내 숙제를 도와줄 수 있니? B: 물론 도와줄 수 있지.

8 해설 | 대답에 조동사 can이 쓰였으므로 can을 질문의 맨 앞에 쓴 뒤, 주어인 he를 쓰고 동사원형 draw를 써야 한다.
해석 | A: 그는 만화를 그릴 수 있니?
B: 응, 그릴 수 있어. 그는 만화를 정말 잘 그려.
어휘 | cartoon 만화

1주 누구나 합격 전략 pp. 32~33

1 ③ **2** ④ **3** ① **4** (1) They are[They're] in the stadium. (2) Today is not[isn't] Regina's birthday. (3) Are these songs popular? **5** (1) No, he isn't[he's not], He's (2) Were, we were **6** must not[mustn't] **7** should not[shouldn't] waste water **8** ② **9** ② **10** (1) It is[It's] eight o'clock. (2) It was hot and sunny.

1 해설 | 부정관사 a는 첫소리가 자음인 단어 앞에 쓰고 an은 첫소리가 모음인 단어 앞에 쓴다. 명사 앞에 형용사가 올 경우 형용사의 첫 글자의 발음에 따라 a를 쓸지 an을 쓸지 결정한다. honest는 첫소리가 모음이므로 an을 쓰고, uniform은 첫소리가 자음이므로 a를 쓴다. 앞에 나온 명사를 반복해서 말하거나 특정한 것을 언급할 때 정관사 the를 쓴다.
해석 | 그는 정직한 학생이다. / 직원은 제복을 입어야 한다. / Bella는 그림을 그렸다. 그 그림은 훌륭했다.
어휘 | honest 정직한 staff 직원

2 해설 | 빈칸 다음에 명사가 있으므로 빈칸에는 소유격이 와야 한다. 소유대명사 hers는 '그녀의 것'이라는 의미로 명사 없이 단독으로 쓰인다.
해석 | ① 그것의 / ② 너의 / ③ 그들의 / ⑤ Jina의 눈은 크고 아름답다.

3 해설 | ① be동사 뒤에 장소를 나타내는 부사구가 있으므로 '~에 있다'라는 의미이다. 나머지는 모두 '~이다'라는 의미이다.
해석 | ① Megan과 나는 체육관에 있다.
② 그들은 배구 선수들이다.
③ 저 소년들은 그의 아들들이다.
④ 우리 엄마는 유명한 작가이다.
⑤ 역사는 그가 가장 좋아하는 과목이다.
어휘 | gym 체육관 volleyball 배구 writer 작가

4 해설 | (1) They는 복수이므로 be동사를 are로 바꿔 써야 한다.
(2) be동사 뒤에 not을 써서 부정문을 만든다. is not을 isn't로 줄여 쓸 수 있다.
(3) be동사의 의문문은 주어와 be동사의 위치를 바꿔 만든다.
해석 | (1) 그는 경기장에 있다. → 그들은 경기장에 있다.
(2) 오늘은 Regina의 생일이다. → 오늘은 Regina의 생일이 아니다.
(3) 이 노래들은 인기가 있다. → 이 노래들은 인기가 있니?
어휘 | stadium 경기장 popular 인기 있는

5 해설 | (1) 이 선생님은 중국어를 가르친다는 말이 이어지므로 부정의 대답을 해야 한다. be동사의 의문문에 대한 부정의 대답은 「No, 주어+be동사+not.」이고 be동사와 not은 보통 줄여 쓴다. 이 선생님이 어디 있는지 묻는 질문에는 주어인 He와 be동사의 현재형 is를 줄여서 He's ~.로 대답한다.
(2) last night는 과거를 나타내는 부사구이므로 be동사의 과거형이 와야 하고 주어가 복수이므로 were를 쓴다. 질문에서 주어가 you가 포함된 복수이므로 대답에서 주어는 we로 한다.
해석 | (1) A: 이 선생님은 영어 선생님이시니? B: 아니, 그렇지 않아. 그는 중국어를 가르치셔. A: 그는 어디에 계시니? B: 그는 지금 교실에 계셔.
(2) A: 너와 네 친구는 어젯밤 영화관에 있었니? B: 응, 그랬어.

6 해설 | 표지판은 쓰레기를 버려서는 안 된다는 금지의 의미를 나타낸다. 따라서 '~해서는 안 된다'라는 의미의 must not 또는 mustn't를 써야 한다.
해석 | 당신은 쓰레기를 버려서는 안 된다.
어휘 | throw away 버리다 trash 쓰레기

7 해설 | 그림 상황으로 볼 때 물을 낭비하지 말라는 충고를 하는 것이 자연스럽다. You should not[shouldn't] ~.은 '너는 ~해서는 안 된다.'의 뜻으로 충고를 할 때 쓰는 표현이다.
해석 | 너는 물을 낭비해서는 안 된다.
어휘 | waste 낭비하다

8 해설 | 〈보기〉와 ②의 must는 '~임에 틀림없다'라는 의미의 강한 추측을 나타낸다. 나머지는 모두 '~해야 한다'라는 의미로 필요나 의무를 나타낸다.
해석 | 〈보기〉 그는 한국어를 전혀 할 수 없다. 그는 외국인임이 틀림없다.

① 우리는 약속을 지켜야 한다.
② 그 아기는 매우 배가 고픈 것이 틀림없다.
③ 학생들은 시험공부를 해야 한다.
④ 그들은 생계를 위해서 돈을 벌어야 한다.
⑤ 너는 안내견에게 음식을 주면 안 된다.
어휘 | foreigner 외국인 keep one's promise 약속을 지키다 make money 돈을 벌다 for a living 생계를 위해 guide dog 안내견

9 해설 | ② have to는 '~해야 한다'라는 의미로 must와 바꿔 쓸 수 있다. 주어가 3인칭 단수이므로 has to가 알맞게 쓰였다.
① be going to는 '~할 것이다'라는 의미이다. '~할 수 있다'라는 능력 또는 가능의 의미는 조동사 can 또는 be able to를 이용해서 나타낸다. → She can(= is able to) ride a skateboard.
③ '~할 필요가 없다'라는 의미는 don't[doesn't] have to를 이용하여 나타낸다. must not은 '~해서는 안 된다'라는 금지를 나타낸다. → They don't have to get up early tomorrow.
④ will의 부정형은 won't이고 뒤에는 동사원형이 와야 한다. → I won't be late again.
⑤ '~일지도 모른다'라는 의미의 약한 추측을 나타내는 조동사는 may이다. → Aaron may know her phone number.

10 해설 | 시간이나 날씨를 나타내는 비인칭 주어 it을 주어 자리에 쓴다. 현재시제로 답할 때는 is, 과거시제로 답할 때는 was를 쓴다.
해석 | (1) A: 지금 몇 시니? B: 8시야.
(2) A: 홍콩은 날씨가 어땠니? B: 덥고 화창했어.

1주 창의·융합·코딩 전략 ❶, ❷ pp. 34~37

1 Step 1 (1) a (2) an (3) an (4) an (5) a (6) a Step 2 (1) ①, sandwiches (2) ③, butter **2** She's, She's, hers, Her, She's not[She isn't], she **3** (1) I'm not (2) Can you (3) Is **4** (1) should stay with an adult (2) shouldn't feed animals (3) shouldn't bring a pet **5** Step 1 (1) excited (2) active (3) physical education Step 2 am active, is physical education, are excited **6** (1) was, isn't (2) were, are **7** (1) will study (2) will exercise (3) won't be (4) won't play **8** must feed, must wash, can have, don't have to water

1 해설 | Step 1 tomato, mushroom, sandwich는 첫소리가 자음이므로 앞에 a를 쓰고, egg, onion, ingredient는 첫소리가 모음이므로 앞에 an을 쓴다.
Step 2 ① sandwich는 -ch로 끝나는 명사이므로 -es를 붙여 복수형을 만든다.
③ butter는 셀 수 없는 명사이므로 복수형을 쓸 수 없다.
해석 | 맛있는 샌드위치를 만들자! 재료: 빵 한 덩이, 계란 2개, 치즈 2장, 약간의 버터, 버섯 3개, 양파 2개, 토마토 3개
어휘 | ingredient 재료 mushroom 버섯 a loaf of 한 덩이의 ~

2 해설 | 주어인 I를 she로 바꾸면 be동사의 현재형은 is를 써야 하므로 I'm을 She's로 바꿔 써야 한다. 소유격 my는 her로, 소유대명사 mine은 hers로 바꾼다.
해석 | 나의(→ 그녀의) 이름은 보미이다. 나는(→ 그녀는) 중학교 1학년이다. 나는(→ 그녀는) 공상 소설을 매우 좋아한다. 이 책들은 나의 것(→ 그녀의 것)이다. 내가(→ 그녀가) 가장 좋아하는 책은 해리포터 시리즈이다. 나는(→ 그녀는) 글쓰기를 잘하지는 않지만 언젠가는 작가가 되고 싶다.
어휘 | be into ~을 좋아하다, ~에 관심이 많다 fantasy book 공상 소설 be good at ~을 잘하다 some day 언젠가

3 해설 | (1) 의문문의 주어가 you이므로 대답은 I로 해야 하며, I am not은 I'm not으로 줄여 쓸 수 있다.
(2) 대답에 조동사 can이 쓰였으므로 질문을 Can으로 시작하고 주어는 you로 쓴다.
(3) 주어가 3인칭 단수이므로 be동사는 is가 알맞다.
해석 | Anna: 너 지금 바쁘니?
Eddie: 아니, 안 바빠. 왜?
Anna: 네게 부탁이 있어. 우리 가족은 오늘 저녁에 엄마 생신을 축하하기 위해 외출할 거야. 내 개 Mango를 돌봐 줄 수 있니?
Eddie: 물론 돌봐 줄 수 있지.
Anna: 정말 고마워!
Eddie: 네 개는 사람을 잘 따르니?
Anna: 응, 맞아. 너는 그 녀석이 정말 마음에 들 거야.
어휘 | favor 부탁 celebrate 축하하다 take care of ~을 돌보다 friendly 친화적인[우호적인]

4 해설 | 동물원에서 해야 하는 일은 should를 이용하고, 해서는 안 되는 일은 shouldn't를 이용한다.
해석 | 동물원에서의 규칙 (1) 어린이들은 어른과 함께 있어야 합니다. (2) 방문객들은 동물들에게 먹이를 주면 안 됩니다. 사람의 음식은 동물들을 아프게 할 수도 있습니다. (3) 방문객들은 동물원에 애완동물을 데려와서는 안 됩니다.
어휘 | feed 음식을 주다 pet 애완동물 stay 머무르다 human 인간의

5 해설 | Step 2 I가 주어일 때 be동사의 현재형은 am을 쓴다. My favorite subject는 It과 바꿔 쓸 수 있으므로 is를 써야 한다. 주어가 둘 이상의 복수일 때는 are를 쓴다.
해석 | 모두들, 안녕. 내 이름은 두리야. 나는 부산 출신이야. 나는 활동적이야. 내가 가장 좋아하는 과목은 체육이야. 나는 야구팀에 속해 있어. 우리는 이번 주말에 큰 경기가 있어. 팀원들과 나는 지금 흥분해 있어!
어휘 | match 경기

6 해설 | 한 시간 전의 일은 be동사의 과거형을 이용하고 현재의 일은 be동사의 현재형을 이용하여 문장을 완성한다.
해석 | 〈보기〉 꽃병은 한 시간 전에 탁자 위에 없었다. 그것은 지금 탁자 위에 있다.
(1) 크리스마스트리는 한 시간 전에 거실에 있었다. 그것은 지금 거실에 없다.
(2) 고양이 두 마리가 한 시간 전에 상자 안에 있었다. 그것들은 지금 소파 위에 있다.

7 해설 | 선우가 할 일은 will을 이용하고, 하지 않을 일은 won't를 이용한다. 조동사 다음에는 항상 동사의 원형을 쓴다.
해석 | (1) 선우는 열심히 공부할 것이다.
(2) 그는 규칙적으로 운동할 것이다.
(3) 그는 학교에 지각하지 않을 것이다.
(4) 그는 게임을 너무 많이 하지 않을 것이다.
어휘 | exercise 운동하다 hard 열심히 regularly 규칙적으로 be late for ~에 늦다

8 해설 | 해야 하는 일은 의무를 나타내는 must를 이용하고, 하지 않아도 되는 일은 불필요를 나타내는 don't have to를 이용한다. 해도 되는 일은 허가를 나타내는 can을 이용한다.
해석 | 너는 Benji에게 밥을 줘야 해. / 너는 설거지를 해야 해. / 너는 접시 위에 있는 쿠키들을 먹어도 돼. / 너는 꽃들에 물을 줄 필요가 없어. 내가 이미 했어.
어휘 | feed 밥[먹이] 등을 주다 wash the dishes 설거지하다 plate 접시 water 물을 주다 already 이미, 벌써

2주 일반동사, 동사의 시제

해석 | 1 나는 여동생이 있어. 그녀는 안경을 써. 그녀는 짧은 머리를 가졌어. 그녀는 긴 머리를 좋아하지 않아.
2 우리 가족은 지난 주말에 캠핑을 갔어. 아빠는 우리를 위해 라면을 요리하셨어. 우리는 밤에 많은 별을 봤어. 그것들은 아름다웠어.
3 여: 무슨 일이니? 남: 나는 배가 아파. 나는 어제 아이스크림을 너무 많이 먹었어. 여: 내가 네게 약을 사다 줄게.
4 여: 너 거기서 즐거운 시간 보내고 있니? 남: 네, 여긴 눈이 오고 있어요. Monica와 저는 눈사람을 만드는 중이에요.

2주 1일 개념 돌파 전략 ❶ pp. 40~43

어휘 | fur 털 bamboo 대나무

개념 1 Quiz 해설 | (1) 주어인 We가 1인칭 복수이므로 일반동사 현재형은 동사원형을 쓴다.
(2) 주어가 3인칭 단수일 때 동사원형에 -(e)s를 붙인다.
(3) 주어인 'Brown씨 부부'가 복수이므로 동사원형이 알맞다.
해석 | (1) 우리는 많은 팬이 있다.
(2) 그녀는 고전 음악을 좋아한다.
(3) Brown씨 부부는 꽃을 판다.
어휘 | classical music 고전 음악 sell 팔다

개념 2 Quiz 해설 | (1) 일반동사의 부정문에서 don't나 doesn't 다음에는 동사원형이 와야 한다.
(2) 주어가 3인칭 단수이므로 doesn't가 알맞다.
(3) 주어가 3인칭 단수이므로 일반동사 현재형의 의문문은 Does로 시작해야 한다.

해석 | (1) 나는 애완동물이 없다.
(2) 그 소년은 말을 많이 하지 않는다.
(3) 그녀는 수상 스포츠를 즐기니?
어휘 | pet 애완동물 enjoy 즐기다 water sport 수상 스포츠

1-2 (1) wants a new watch (2) want new sneakers
2-2 doesn't, Does, know

1-1 해석 | (1) 나는 시애틀에 산다.
(2) Wendy는 콜럼버스에 산다.
(3) Jun과 Hannah는 마이애미에 산다.

1-2 해설 | (1) 주어가 3인칭 단수이므로 일반동사의 현재형은 동사원형에 -s를 붙인다.
(2) 주어가 3인칭 복수이므로 일반동사의 현재형은 동사원형으로 쓴다.
해석 | 〈보기〉 나는 새 재킷을 원한다.
(1) 내 여동생은 새 시계를 원한다.
(2) 나의 부모님은 새 운동화를 원하신다.
어휘 | jacket 재킷 watch 시계 sneakers 운동화

2-1 해석 | 나는 공상 소설을 읽는다.
→ 나는 공상 소설을 읽지 않는다.
어휘 | fantasy book 공상 소설

2-2 해설 | 주어가 3인칭 단수일 때 일반동사 현재형의 부정문은 동사원형 앞에 doesn't를 쓰고, 의문문은 「Does+주어+동사원형 ~?」으로 쓴다.
해석 | Regina는 그의 주소를 안다.
→ Regina는 그의 주소를 모른다.
→ Regina는 그의 주소를 아니?
어휘 | address 주소

어휘 | all day long 온종일 as usual 평소처럼, 늘 그렇듯이

개념 3 Quiz 해설 | (1), (2) yesterday, last Saturday는 과거를 나타내는 표현이므로 일반동사의 과거형을 써야 한다.
(3) didn't 다음에는 일반동사의 원형이 온다.
(4) 일반동사 과거형의 의문문은 「Did+주어+동사원형 ~?」의 어순이다.
해석 | (1) Ryan은 어제 그의 방을 청소했다.
(2) 우리는 지난 토요일에 스파게티를 만들었다.
(3) 나는 삼촌댁에 머무르지 않았다.
(4) 너는 오늘 아침에 조깅하러 갔니?
어휘 | stay 머무르다 go jogging 조깅하러 가다

개념 4 Quiz 해설 | (1) usually는 '대개, 보통'이라는 의미로 현재 반복되는 일이나 습관을 나타낼 때 주로 쓰인다. 주어가 3인칭 단수이므로 일반동사의 3인칭 단수 현재형으로 바꿔 쓴다.
(2) walk의 과거형인 walked로 바꿔 쓴다.
(3) 주어가 3인칭 단수일 때 현재진행형은 「is+동사원형-ing」이다.
해석 | (1) Noah는 대개 학교에 걸어서 간다.
(2) Noah는 어제 학교에 걸어갔다.
(3) Noah는 지금 학교에 걸어가고 있는 중이다.

3-2 didn't pass, Did, pass
4-2 (1) takes (2) is taking

3-1 어휘 | go skiing 스키 타러 가다

3-2 해설 | 일반동사 과거형의 부정문과 의문문을 만들 때는 did를 이용한다. 부정문은 「주어+did not[didn't]+동사원형 ~.」의 형태이고, 의문문은 「Did+주어+동사원형 ~?」의 형태이다.
해석 | Eric은 시험에 통과했다. → Eric은 시험에 통과하

지 않았다. → Eric은 시험에 통과했니?

4-1 해석 | (1) Tyler는 어제 엽서를 썼다.
(2) Tyler는 지금 엽서를 쓰고 있는 중이다.

4-2 해설 | (1) 매일 반복되는 습관을 나타낼 때는 현재시제를 쓴다. 주어가 3인칭 단수이므로 take에 -s를 붙여야 한다.
(2) 현재 진행 중인 상황을 나타낼 때는 「am/are/is+동사원형-ing」를 이용한다. 주어가 3인칭 단수이므로 be동사는 is를 쓰고 take는 -e로 끝나는 단어이므로 e를 삭제하고 taking으로 바꿔 쓴다.
해석 | (1) Rachel은 매일 꽃들의 사진을 찍는다.
(2) Rachel은 지금 꽃들의 사진을 찍고 있다.

2주 1일 개념 돌파 전략 ❷ pp. 44~45

CHECK UP

1 해석 | 그는 보석 디자이너이다. = 그는 보석을 디자인한다.
어휘 | jewelry designer 보석 디자이너

2 해석 | A: 너희 나라에서는 눈이 많이 오니?
B: 응, 많이 와.

3 어휘 | beach 해변

4 해석 | 그는 아침을 먹었다. → 그는 아침을 먹지 않았다. → 그는 아침을 먹었니?

5 어휘 | eat out 외식하다

6 해석 | 비가 많이 온다. → 지금 비가 많이 오고 있다.

1 drives 2 ⑤ 3 ③ 4 ①, ④
5 (1) is going to take a yoga lesson
(2) is going to watch the magic show
6 are playing badminton

1 해설 | be동사를 이용한 직업 표현은 행동을 나타내는 일반동사를 사용하여 의미가 통하도록 바꿔 쓸 수 있다. 일반동사의 현재형은 주어가 3인칭 단수이면 -(e)s를 붙인다.
해석 | Lane 씨는 스쿨버스 운전사이다. = Lane 씨는 스쿨버스를 운전한다.

2 해설 | like는 일반동사이고 주어인 your sister가 3인칭 단수이므로 의문문은 Does로 시작해야 한다. 부정의 대답은 「No, 주어+doesn't.」로 한다.
해석 | A: 너의 여동생은 아이스크림을 좋아하니?
B: 아니, 그렇지 않아.

3 해설 | a week ago는 '일주일 전에'라는 의미이며 과거를 나타내는 표현이므로 일반동사의 과거형을 써야 한다. ③ washes는 wash의 3인칭 단수 현재형이므로 빈칸에 올 수 없다.
해석 | Ben은 일주일 전에 ① Jessica를 만났다 / ② 그녀의 소설을 읽었다 / ④ 재킷을 하나 샀다 / ⑤ 런던으로 이사 갔다.
어휘 | novel 소설 move 이사 가다

4 해설 | ① 주어가 3인칭 단수일 때 동사 뒤에 -s를 붙이는데 -s로 끝나는 단어의 경우 -es를 붙여야 한다. → She misses him.
④ 일반동사가 쓰였으므로 did를 이용하여 의문문을 만든다. → Did they miss him?
해석 | 그들은 그를 그리워한다.
어휘 | miss 그리워하다

5 해설 | 「be going to+동사원형」은 '~할 것이다, ~할 예정이다'라는 의미로 미래의 계획을 나타낸다.
해석 | 〈보기〉 Adele은 내일 오전에 자전거를 탈 것이다.
(1) Adele은 내일 오후에 요가 수업을 들을 것이다.
(2) Adele은 내일 저녁에 마술쇼를 관람할 것이다.
어휘 | magic show 마술쇼

6 해설 | 현재 무엇을 하는 중인지 물었으므로 현재진행형을 이용하여 답해야 한다. 현재진행형은 「am/are/is+동사원형-ing」의 형태인데 주어가 3인칭 복수이므로 be동사는 are를 써야 한다.
해석 | A: Jenny와 Adrian은 지금 무엇을 하고 있니?
B: 그들은 배드민턴을 치고 있어.

2주 2일 필수 체크 전략 ❶ pp. 46~49

전략 1 필수 예제

해설 | brush는 -sh로 끝나는 동사이므로 3인칭 단수 현재형은 brushes이다.
어휘 | mix 섞다 pay (돈을) 지불하다 brush 빗다

확인 문제

1 ③ 2 (1) Dad goes fishing on Sundays.
(2) She plays the guitar in the school band.

1 해설 | ③ have의 3인칭 단수 현재형은 has이다.
해석 | ① 그의 학교는 4시에 마친다.

② Mia는 야구경기를 즐긴다.
④ 새 한 마리가 하늘에서 높이 난다.
⑤ 내 여동생은 매일 아침 우유를 마신다.
어휘 | dark 어두운 fly 날다 high 높이

2 해설 | 괄호 안의 주어 Dad와 she는 3인칭 단수이므로 동사의 형태를 바꿔야 한다. go의 3인칭 단수 현재형은 goes이고, play의 3인칭 단수 현재형은 plays이다.
해석 | (1) 우리는 일요일마다 낚시하러 간다. → 아빠는 일요일마다 낚시하러 가신다.
(2) 나는 학교 밴드에서 기타를 연주한다. → 그녀는 학교 밴드에서 기타를 연주한다.
어휘 | go fishing 낚시하러 가다

전략 2 필수 예제

해설 | My grandparents는 They로 바꿔 쓸 수 있는 3인칭 복수이다. 따라서 동사원형 wear 앞에 do not 또는 don't를 써서 부정문을 만든다.
해석 | 우리 조부모님은 안경을 쓰신다. → 우리 조부모님은 안경을 쓰지 않으신다.

확인 문제

1 ① 2 does not[doesn't] eat

1 해설 | ① 주어가 복수이므로 부정문을 만들 때 don't를 써야 한다. 나머지는 모두 주어가 3인칭 단수이므로 doesn't를 쓸 수 있다.
어휘 | bark 짖다 make sense 앞뒤가 맞다, 타당하다 close 가까이

2 해설 | 주어가 3인칭 단수일 때 일반동사의 부정문은 동사원형 앞에 does not[doesn't]을 써서 만든다.
어휘 | vegetarian 채식주의자 meat 고기

전략 3 필수 예제

해설 | 일반동사 go가 있으므로 일반동사의 의문문임을 알 수 있다. 의문문의 주어가 you이므로 주어 앞에 Do를 쓰고, 긍정의 대답은 「Yes, 주어+do.」로 해야 한다.
해석 | A: 너는 지하철을 타고 학교에 가니? B: 응, 그래.
어휘 | by subway 지하철로

확인 문제

1 ④ 2 Does, have, she doesn't

1 해설 | 주어가 3인칭 단수이므로 Does를 주어 앞에 써서 일반동사 현재형의 의문문을 만든다. 주어 다음에는 동사원형을 써야 한다.
해석 | Alex는 규칙적으로 운동한다.
어휘 | exercise 운동하다 regularly 규칙적으로

2 해설 | 주어가 3인칭 단수이므로 Does를 주어 앞에 쓰고 주어 다음에는 동사원형을 쓴다. 부정의 대답은 「No, 주어+doesn't.」로 한다.
해석 | A: Ellen은 강아지가 있니?
B: 아니, 없어. 그녀는 고양이가 있어.

전략 4 필수 예제

해설 | ④ break의 과거형은 broke이다.

확인 문제

1 ③ 2 took

1 해설 | ①~⑤는 모두 last ~, yesterday, in 2020, ago 등의 표현이 쓰여 과거의 일을 나타내므로 밑줄 친 부분은 모두 과거형 동사로 고쳐야 한다. ③ cry는 「자음+y」로 끝나므로 과거형은 cried이다. ① → had ② → saw ④ → left ⑤ → stopped
어휘 | have a lot of fun 즐거운 시간을 보내다 leave for ~로 떠나다

2 해설 | 어제 한 일을 나타내므로 과거형 동사로 고쳐 써야 한다. take는 불규칙하게 변화하는 동사로 과거형은 took이다.
해석 | 지호는 어제 학교에서 시험을 봤다.
어휘 | take an exam 시험을 보다

2주 2일 필수 체크 전략 ❷ pp. 50~51

1 ③ 2 (1) Do → Does (2) does → doesn't (3) get → gets 3 ① 4 (1) had (2) practiced (3) did

1 해설 | 현재의 상태나 일반적인 사실을 나타낼 때 현재시제를 쓴다. Korea는 3인칭 단수이므로 일반동사 have의 3인칭 단수 현재형인 has가 알맞다. flowers는 복수이므로 동사원형이 와야 한다.
해석 | 한국에는 사계절이 있다. 봄에는 꽃이 피기 시작한다.
어휘 | bloom 꽃이 피다

2 해설 | (1) 매일 일어나는 시각을 묻고 있으므로 일반동사 현재형의 의문문이 되어야 하고, 주어가 3인칭 단수이므로 Does로 시작해야 한다.

(2) Sophia가 일어나는 시각은 6시가 아니라 7시이므로 부정의 대답인 No, she doesn't.가 되어야 한다.
(3) 주어가 She이므로 일반동사의 현재형은 동사원형에 -s를 붙인 gets가 되어야 한다.
해석 | 남: Sophia는 매일 6시에 일어나니?
여: 아니, 그렇지 않아. 그녀는 매일 7시에 일어나.

3 해설 | ① 주어가 3인칭 단수이므로 부정문을 만들 때 주어 다음에 doesn't를 쓰고 동사원형을 쓴다. → That man doesn't look like an actor.
해석 | ② 우리 학교는 9시에 시작한다. → 우리 학교는 9시에 시작하지 않는다.
③ 내 여동생과 나는 컴퓨터 게임을 한다. → 내 여동생과 나는 컴퓨터 게임을 하지 않는다.
④ 그녀는 그녀의 미래에 대해 걱정한다. → 그녀는 그녀의 미래에 대해 걱정하니?
⑤ 그 아이들은 야외 활동을 좋아한다. → 그 아이들은 야외 활동을 좋아하니?
어휘 | look like ~처럼 보이다 actor 배우 future 미래 outdoor 야외의

4 해설 | 과거의 일을 나타내므로 동사는 모두 과거형으로 써야 한다. do와 have는 불규칙하게 변화하는 동사로 과거형은 각각 did와 had이다. practice의 과거형은 practiced이다.
해석 | 유나는 영화를 봤다.
(1) 그녀는 주원이와 점심을 먹었다.
(2) 그녀는 바이올린을 연습했다.
(3) 그녀는 숙제를 했다.

2주 3일 필수 체크 전략 ❶ pp. 52~55

전략 1 필수 예제

해설 | 과거를 나타내는 표현과 함께 쓰였으므로 일반동사 과거형의 의문문과 부정문이 되어야 한다. 일반동사 과거형의 의문문과 부정문은 주어의 인칭과 수에 관계없이 did를 이용하여 만든다.
해석 | 어젯밤에 눈이 왔니? / 그들은 어제 아무것도 먹지 않았다.

확인 문제

1 ① 2 (1) cleaned (2) did not[didn't] clean

1 해설 | 일반동사 과거형의 의문문은 「Did+주어+동사원형 ~?」으로 쓴다.
어휘 | arrive 도착하다 on time 제시간에

2 해설 | 어제 Amy는 청소를 했고 Dan은 하지 않았으므로, 각각 일반동사 과거형의 긍정문과 부정문으로 쓴다. clean의 과거형은 cleaned이고, 부정문에서는 did not[didn't]을 쓴 다음 동사원형 clean을 쓴다.
해석 | (1) Amy는 어제 그녀의 방을 청소했다.
(2) Dan은 어제 그의 방을 청소하지 않았다.

전략 2 필수 예제

해설 | in 2018은 과거를 나타내는 표현이므로 과거시제로 써야 한다. / 지구가 태양 주위를 도는 것은 변함없는 진리이므로 현재시제로 쓴다. 주어가 3인칭 단수이므로 go 다음에 -es를 붙인다.
해석 | 나는 2018년에 스페인으로 여행 갔다. / 지구는 태양 주위를 돈다.
어휘 | earth 지구 around ~ 주위에 travel 여행 가다

확인 문제

1 ②
2 I am[I'm] going to go shopping with Evelyn.

1 해설 | 조동사 will은 '~할 것이다'라는 의미로 미래의 일을 나타낼 때 쓴다. ② a month ago는 '한 달 전에'라는 의미로 과거를 나타내는 표현이므로 빈칸에 올 수 없다.
해석 | Megan은 ① 곧 / ③ 다음 주 금요일에 / ④ 오늘 밤에 / ⑤ 내일 아침에 떠날 것이다.

2 해설 | 의문문의 주어가 you이므로 「I am[I'm] going to+동사원형 ~.」으로 답해야 한다. 토요일은 Evelyn과 쇼핑 갈 예정이므로 go shopping with Evelyn을 이어서 쓴다.
해석 | Q: 너는 이번 주 토요일에 무엇을 할 거니?
A: 나는 Evelyn과 쇼핑 갈 거야.

전략 3 필수 예제

해설 | ② die는 -ie로 끝나는 동사이므로 ie를 y로 고치고 -ing를 붙인다. → dying

확인 문제

1 ① 2 doing, are dancing

1 해설 | ① 진행시제는 「주어+be동사+동사원형-ing ~.」로 나타낸다. 주어가 3인칭 단수이므로 be동사는 is이고, snow의 -ing형은 snowing이므로 어법상 옳은 문장이다.
② run은 「단모음+단자음」으로 끝나는 동사이므로 running으로 고쳐 써야 한다. → Beth is running up the stairs.
③ 현재진행형의 부정문은 be동사 다음에 not을 쓴다. → They aren't jumping now.

④ 진행시제의 의문문은 「be동사+주어+동사원형-ing ~?」이다. → Was the baby sleeping then?
⑤ 진행시제에서는 be동사가 함께 쓰인다. → Sam and I are baking cookies.
해석 | ① 밖에 눈이 오고 있다.
어휘 | stair 계단 bake (빵 · 쿠키 등을) 굽다

2 해설 | 진행시제의 의문문은 「be동사+주어+동사원형-ing ~?」이고 의문사가 있을 때는 의문사를 맨 앞에 쓴다. 현재 진행 중인 일을 묻고 답하고 있으므로 둘 다 현재진행형인 「be동사의 현재형+동사원형-ing」를 이용한다. 주어가 3인칭 복수이므로 be동사는 are를 써야 하고 dance는 -e로 끝나는 동사이므로 e를 삭제하고 -ing를 붙여야 한다.
해석 | A: 그들은 지금 무엇을 하고 있니?
B: 그들은 무대에서 춤을 추고 있어.
어휘 | stage 무대

전략 4 필수 예제

해설 | ④에서 have는 '가지다'라는 소유의 의미로 쓰여 진행시제로 쓸 수 없다. → The girl has a lot of dolls.
해석 | ① 나는 버스를 기다리고 있는 중이다.
② Bradley는 지금 자전거를 고치는 중이다.
③ 원숭이들이 나무에 올라가고 있다.
⑤ 우리는 도서관에서 공부하고 있는 중이다.
어휘 | wait for ~을 기다리다 fix 고치다, 수리하다

확인 문제

1 ⑤ 2 They were having lunch together.

1 해설 | ⑤ be going to 다음에 명사가 와서 '~에 가고 있는 중이다'라는 의미의 현재진행시제이다. 나머지는 모두 be going to 다음에 동사원형이 쓰였으므로 미래시제이다.
해석 | ① 우리는 박물관을 방문할 것이다.
② 그녀는 자원봉사 활동을 할 것이다.
③ 나는 공원에서 산책을 할 것이다.
④ Leo는 치즈 피자를 만들 것이다.
⑤ 그들은 백화점에 가고 있는 중이다.
어휘 | do volunteer work 자원봉사 활동을 하다 take a walk 산책하다 department store 백화점

2 해설 | have는 '먹다'라는 의미로 쓰일 때 진행시제로 쓸 수 있다. 과거진행형은 「was/were+동사원형-ing」를 이용해야 하는데 주어가 복수이므로 were를 쓰고, have는 -e로 끝나는 동사이므로 having으로 고쳐 쓴다.
해석 | 그들은 함께 점심을 먹었다. → 그들은 함께 점심을 먹고 있었다.

2주 3일 필수 체크 전략 ❷ pp. 56~57

1 ③ 2 ① 3 (1) is playing the guitar (2) is watering the flowers (3) is riding a bike 4 ⑤ 5 ② 6 (1) They are not[They aren't / They're not] going to get married. / Are they going to get married? (2) Jack did not[didn't] buy gifts for them. / Did Jack buy gifts for them?

1 해설 | ③ tomorrow는 미래를 나타내는 부사이므로 과거시제에서 쓸 수 없다.
해석 | Tom은 ① 그때 / ② 어제 / ④ 지난 주말에 / ⑤ 오늘 아침에 벽을 칠했다.

2 해설 | 어법상 어색한 것은 ⓑ이다. 일반동사 과거형의 의문문은 「Did+주어+동사원형 ~?」의 형태이므로 joined를 동사원형 join으로 고쳐야 한다.
해석 | A: 너는 춤 동아리에 가입했니?
B: 아니. 나는 요리 동아리에 가입했어. 나는 요즘 요리에 매우 관심이 많아. 나는 훌륭한 요리사가 될 거야.
어휘 | join 가입하다 be into ~에 관심이 많다 these days 요즘 cook 요리사

3 해설 | 현재진행형은 「am/are/is+동사원형-ing」로 나타낸다. 모두 주어가 3인칭 단수이므로 be동사는 is를 쓴다. ride는 -e로 끝나는 동사이므로 e를 삭제하고 -ing를 붙인다.
해석 | (1) Emily는 기타를 연주하고 있다.
(2) Brian은 꽃에 물을 주고 있다.
(3) Natalie는 자전거를 타고 있다.
어휘 | water 물을 주다

4 해설 | 둘 다 문장에 be동사가 있으므로 빈칸에는 동사원형-ing를 넣어 진행시제로 만들어야 한다. sit은 「단모음+단자음」으로 끝나는 동사이므로 마지막 자음을 한 번 더 쓰고 -ing를 붙인다.
해석 | 그녀는 첫 줄에 앉아 있지 않다. / 너는 그때 설거지를 하던 중이었니?
어휘 | front 앞쪽의[에] row 줄, 열 wash the dishes 설거지를 하다

5 해설 | ② have가 소유나 상태를 의미할 때에는 진행시제로 쓸 수 없으므로 She has brown eyes.로 고쳐야 한다.
해석 | ① 나는 아침을 먹는 중이다.
③ 우리는 지금 매우 즐거운 시간을 보내고 있다.
④ 그녀는 그들과 파티를 열고 있는 중이다.
⑤ 그들은 요즘 힘든 시간을 보내고 있다.
어휘 | have a hard time 힘든 시간을 보내다

6 해설 | (1) 부정문은 「주어+be동사+not+going to+동사원형 ~.」으로 쓰고, 의문문은 「be동사+주어+going to+동사원형 ~?」으로 쓴다.
(2) 일반동사 과거형의 부정문은 「주어+did not[didn't]+동사원형 ~.」으로 쓰고, 의문문은 「Did+주어+동사원형 ~?」으로 쓴다.
해석 | (1) 그들은 결혼할 예정이다. → 그들은 결혼하지 않을 것이다. → 그들은 결혼할 예정이니?
(2) Jack은 그들을 위한 선물을 샀다. → Jack은 그들을 위한 선물을 사지 않았다. → Jack은 그들을 위한 선물을 샀니?
어휘 | get married 결혼하다 gift 선물

2주 4일 교과서 대표 전략 ❶ pp. 58~61

1 ③ 2 ④ 3 ① 4 go, doesn't, rides 5 Emma and Sue don't grow plants. 6 ④ 7 (1) He ate lunch at noon yesterday. (2) They studied Spanish an hour ago. 8 ⑤ 9 ② 10 ⑤ 11 (1) They did not[didn't] sing a song together. (2) Did they sing a song together? 12 is swimming 13 Were you watching the parade? 14 ⑤ 15 are not paying attention to class 16 ②

1 해설 | has는 3인칭 단수 현재형이므로 He/She/It이 주어일 때 쓸 수 있다.
해석 | ③ 그녀는 옷을 많이 가지고 있다.
어휘 | clothing 옷, 의복

2 해설 | stay는 「모음+y」로 끝나는 동사로 3인칭 단수 현재형은 stays이다.

3 해설 | 주어 My brother는 3인칭 단수이고, 매일 하는 일을 나타내므로 동사는 3인칭 단수 현재형이 와야 한다. 따라서 ①은 goes jogging으로 고쳐야 한다.
해석 | 내 남동생은 매일 ② 산책한다 / ③ TV를 본다 / ④ 축구를 한다 / ⑤ 식물에 물을 준다.

4 해설 | Does ~?로 시작하는 의문문이므로 시제는 현재에 해당하며, 부정의 대답은 「No, 주어+doesn't.」로 한다. 주어가 3인칭 단수이므로 ride에 -s를 붙여 현재형을 만든다.
해석 | A: 너의 아빠는 버스로 출근하시니?
B: 아니, 그렇지 않아. 그는 자전거로 출근하셔.

5 해설 | 주어가 3인칭 복수이고 동사가 현재형이므로 동사원형 앞에 don't를 써서 부정문을 만든다.
해석 | Emma와 Sue는 식물을 키운다. → Emma와 Sue는 식물을 키우지 않는다.
어휘 | grow 키우다, 재배하다

6 해설 | ④ does는 '하다'라는 의미로 쓰인 일반동사이다. 나머지는 모두 부정문과 의문문을 만들 때 쓰이는 조동사이다.
해석 | ① Green 부인은 요리를 하지 않는다.
② 그 영화는 11시에 시작하니?
③ 모두가 Ruth에게 동의하니?
④ 수민이는 저녁 식사 후에 그녀의 숙제를 한다.
⑤ 그 건물은 엘리베이터가 없다.
어휘 | agree with ~에게 동의하다

7 해설 | yesterday와 ago는 과거 시점을 나타내는 부사이므로 동사는 과거형을 써야 한다.
해석 | (1) 그는 매일 정오에 점심을 먹는다. → 그는 어제 정오에 점심을 먹었다.
(2) 그들은 매 주말마다 스페인어를 공부한다. → 그들은 한 시간 전에 스페인어를 공부했다.
어휘 | at noon 정오에

8 해설 | ⑤ read의 과거형은 read로 현재형과 형태가 같다. → read
해석 | ① 나는 그때 심한 감기에 걸렸다.
② 그들은 로마로 여행 가는 것을 계획했다.
③ 그는 어젯밤에 8시간을 잤다.
④ 나는 작년에 운전면허증을 땄다.
어휘 | catch a bad cold 심한 감기에 걸리다 plan 계획하다 driver's license 운전면허증

9 해설 | 과거시제로 물으면 과거시제로 답해야 한다. Did로 시작하는 의문문에 긍정의 대답은 「Yes, 주어+did.」로 하고, 부정의 대답은 「No, 주어+didn't.」로 한다.
해석 | Smith 씨는 남극 대륙에서 1년을 보냈니?
어휘 | spend (시간을) 보내다 Antarctica 남극 대륙

10 해설 | in 1953은 과거를 나타내는 부사구이므로 동사의 과거형이 와야 한다. / next Monday는 미래를 나타내는 부사구이므로 조동사 will을 이용한다.
해석 | 한국 전쟁은 1953년에 끝났다. / Susan은 다음 주 월요일에 병원에 갈 것이다.
어휘 | see a doctor 병원에 가다

11 해설 | sang은 sing의 과거형이므로 부정문은 동사원형 sing 앞에 did not[didn't]을 써서 만든다. 의문문은 「Did+주어+동사원형 ~?」으로 쓴다.
해석 | 그들은 함께 노래를 불렀다. → 그들은 함께 노래를 부르지 않았다. → 그들은 함께 노래를 불렀니?

12 해설 | 현재 Kevin이 하고 있는 일을 물었으므로 현재진행형을 이용하여 답한다. swim은 「단모음+단자음」으로 끝나는 동사이므로 마지막 자음을 한 번 더 쓰고 -ing를 붙인다.

해석 | A: Kevin은 지금 무엇을 하고 있니?
B: 그는 수영장에서 수영을 하고 있어.
어휘 | pool 수영장

13 해설 | 과거진행형의 의문문은 「Was/Were+주어+동사원형-ing ~?」의 형태이고 '~하고 있던 중이었니?'라고 해석한다. 주어가 you일 때 과거진행형 의문문은 Were로 시작해야 한다.
어휘 | parade 퍼레이드, 행진

14 해설 | 소유나 상태, 감정을 나타내는 동사 want, like, have, know 등은 진행시제로 쓸 수 없다.
해석 | 그녀는 스포츠카를 ⓓ 운전하고 / ⓔ 수리하고 있는 중이다.

15 해설 | 현재진행형의 부정문이고 주어가 복수이므로 are 다음에 not을 쓰고 동사원형-ing를 쓴다.
어휘 | pay attention to ~에 집중하다

16 해설 | be going to 다음에 동사원형이 오면 '~할 것이다, ~할 예정이다'라는 의미로 조동사 will로 바꿔 쓸 수 있다.
해석 | ① 그는 도서관에 가는 중이다.
② 그녀는 여행을 갈 예정이다.
③ 그들은 학교에 가는 중이다.
④ 우리는 우체국에 가는 중이다.
⑤ 나는 미술관에 가는 중이다.

2주 4일 교과서 대표 전략 ❷ pp. 62~63

1 ② **2** ① **3** ③, ⑤ **4** She comes from L.A. She loves K-pop. She doesn't speak Korean, but she has many K-pop albums. **5** ④ **6** (1) enjoy, Yes, she does, goes (2) watching, No, they aren't[they're not], are shopping **7** (1) did not[didn't] fix her bike (2) wrote a science report (3) met her friends

1 해설 | 일반동사의 3인칭 단수 현재형이 쓰였으므로 주어는 3인칭 단수(He/She/It)가 되어야 한다. We는 1인칭 복수이므로 빈칸에 올 수 없다.
해석 | ① 그녀 / ③ Jones 씨 / ④ 우리 엄마 / ⑤ 그 여행가이드는 중국어를 매우 잘한다.
어휘 | tour guide 여행가이드

2 해설 | ② 주어가 복수이므로 doesn't가 아니라 don't를 이용하여 부정문을 만들어야 한다. → The children don't like swimming.
③ 일반동사 과거형의 의문문은 주어 앞에 Did를 쓰고 주어 다음에는 동사원형이 와야 한다. → Did she make a lot of money?
④ 과거진행형은 「주어+was/were+동사원형-ing ~.」의 형태이다. → I was trying to save the boy.
⑤ be going to가 쓰인 문장의 의문문은 be동사와 주어의 순서를 바꾸어 의문문을 만든다. → Are they going to decorate the Christmas tree?
해석 | ① 그는 상자에 사탕들을 넣는다. → 그는 상자에 사탕들을 넣었다.
어휘 | make money 돈을 벌다 save 구하다 decorate 장식하다

3 해설 | 「be going to+동사원형」은 미래시제에 쓰이므로 미래를 나타내는 부사(구)인 ③, ⑤와 함께 쓸 수 있지만 ①, ②, ④는 모두 과거를 나타내는 부사구이므로 함께 쓸 수 없다.
해석 | 나는 ③ 곧 / ⑤ 다음 달에 새 집으로 이사 갈 것이다.

4 해설 | 주어를 I에서 3인칭 단수인 She로 바꾸면 일반동사의 형태를 3인칭 단수 현재형으로 바꿔야 한다. 부정문은 don't 대신 doesn't로 바꾼다.
해석 | 나는 L.A. 출신이다. 나는 K-pop을 아주 좋아한다. 나는 한국어를 하지 않지만 많은 K-pop 앨범을 가지고 있다.

5 해설 | ④ 현재 진행되고 있는 중인 동작을 나타낼 때는 현재진행형으로 나타내며 형태는 「be동사의 현재형+동사원형-ing」이므로 plant를 planting으로 고쳐야 한다.
해석 | ① 그는 그의 개를 매일 산책시킨다.
② Mia는 한 달 전에 다리가 부러졌다.
③ 내일 밤에 비가 많이 올 것이다.
⑤ 그녀는 어제 영화를 보러 가지 않았다.
어휘 | walk 산책시키다 plant (나무 등을) 심다 seed 씨, 씨앗

6 해설 | (1) 주어가 3인칭 단수일 때 일반동사 현재형의 의문문은 「Does+주어+동사원형 ~?」이다. Olivia가 등산을 즐겨 하므로 대답은 Yes, she does.로 하고, 매 주말마다 하는 일을 나타내기 위해 현재시제로 답한다.
(2) 진행시제의 의문문은 「be동사+주어+동사원형-ing ~?」의 형태이다. TV를 보는 중이 아니라고 답할 때 주어가 복수이므로 be동사는 are를 써서 No, they aren't[they're not].로 답한다. 쇼핑 중이라고 답할 때 현재진행형인 「be동사의 현재형+동사원형-ing」를 이용한다. shop은 「단모음+단자음」으로 끝나는 동사이므로 마지막 자음을 한 번 더 쓰고 -ing를 붙여야 한다.
해석 | (1) A: Olivia는 등산을 즐기니?
B: 응, 그래. 그녀는 매 주말마다 등산을 가.
(2) A: 그들은 지금 TV를 보고 있니?
B: 아니, 그렇지 않아. 그들은 시장에서 쇼핑을 하고 있어.

7 해설 | (1) 수요일에 자전거를 고치지 않았으므로 동사원형 앞에 did not[didn't]을 쓴다.
(2), (3) write와 meet의 과거형은 각각 wrote와 met이다.
해석 | 〈보기〉 Luna는 월요일에 춤 연습을 했다.
(1) Luna는 수요일에 그녀의 자전거를 고치지 않았다.
(2) Luna는 금요일에 과학보고서를 썼다.
(3) Luna는 일요일에 그녀의 친구들을 만났다.

2주 누구나 합격 전략 pp. 64~65

1 ② **2** ④ **3** ③ **4** exercises, takes, has, goes **5** (1) doesn't study, Does, study (2) don't have, Do, have **6** are going to **7** ② **8** ① **9** ① **10** was flying, is drawing

1 해설 | ① run의 과거형은 ran이다.
③ speak의 과거형은 spoke이다. speech는 명사로 '연설'이라는 의미이다.
④ hit의 과거형은 현재형과 같은 hit이다.
⑤ keep의 과거형은 kept이다.

2 해설 | ④ 주어가 복수이므로 빈칸에는 Does가 올 수 없고, Do를 써서 의문문을 만든다. 나머지는 모두 주어가 3인칭 단수이므로 Does[does]를 쓸 수 있다.
해석 | ① 은행은 4시에 문을 닫니?
② 내 남동생은 생선을 먹지 않는다.
③ 그는 새 차를 원하지 않는다.
⑤ 사막에는 비가 많이 오지 않는다.
어휘 | desert 사막

3 해설 | (A) 해가 동쪽에서 뜨는 것은 불변의 진리에 해당하므로 현재시제로 쓴다.
(B) next month는 미래를 나타내는 표현이므로 미래시제로 쓴다.
(C) three hours ago는 과거를 나타내는 표현이므로 과거시제로 쓴다.
해석 | 해는 동쪽에서 뜬다. / 우리는 다음 달에 학교 축제에서 공연할 것이다. / 그 사고는 약 세 시간 전에 일어났다.
어휘 | rise 뜨다 east 동쪽 perform 공연하다 accident 사고 happen 일어나다, 발생하다 about 약

4 해설 | 주어가 3인칭 단수이므로 동사는 3인칭 단수 현재형을 쓴다. exercise와 take는 -s를 붙이고 have는 has로 바꿔 쓰며, go는 -es를 붙인다.
해석 | 아침에 Stanley는 7시에 일어난다. 그는 30분 동안 운동하고 나서 샤워를 한다. 그는 아침으로 빵과 우유를 먹고 8시 30분에 학교에 간다.
어휘 | half an hour 30분 take a shower 샤워하다

5 해설 | 일반동사 현재형의 부정문은 주어가 I/you/we/they일 때 「주어+do not[don't]+동사원형 ~.」의 형태이고, 주어가 he/she/it일 때 「주어+does not[doesn't]+동사원형 ~.」의 형태이다. 의문문은 주어가 I/you/we/they일 때 「Do+주어+동사원형 ~?」의 형태이고 주어가 he/she/it일 때 「Does+주어+동사원형 ~?」의 형태이다.
해석 | (1) 그의 여동생은 미술을 공부한다. → 그의 여동생은 미술을 공부하지 않는다. → 그의 여동생은 미술을 공부하니?
(2) 그들은 공통점이 많다. → 그들은 공통점이 많지 않다. → 그들은 공통점이 많니?
어휘 | have ~ in common 공통점이 있다

6 해설 | 조동사 will과 be going to는 둘 다 '~할 것이다'라는 의미로 미래시제를 나타낸다. be going to의 be동사는 주어의 인칭과 수에 맞게 써야 한다.
해석 | 우리는 이번 주말에 조부모님의 농장을 방문할 것이다.

7 해설 | 첫 번째 빈칸은 be going to를 이용한 미래시제의 문장이고 두 번째 빈칸은 be동사와 동사원형-ing를 이용한 현재진행형 의문문이다. 둘 다 주어가 3인칭 단수이므로 be동사는 is가 알맞다.
해석 | 오후에는 날이 화창할 것이다. / Katie는 인터넷을 검색하고 있는 중이니?
어휘 | search 찾아보다, 검색하다

8 해설 | 일반동사 과거형의 부정문은 주어의 인칭과 수에 관계없이 「주어+did not[didn't]+동사원형 ~.」으로 나타낸다.

9 해설 | ① 현재진행형의 질문에 대한 대답이 긍정인 경우 「Yes, 주어+be동사.」로 해야 한다. 따라서 Yes, it does.를 Yes, it is.로 고쳐야 한다.
해석 | ② A: Harris 씨 부부는 영어를 가르치니? B: 응, 그래.
③ A: Sam은 수학을 좋아하니? B: 아니, 그렇지 않아.
④ A: 그녀는 헤어스타일을 바꿨니? B: 응, 그랬어.
⑤ A: 너는 테니스 동아리에 가입할 예정이니? B: 아니, 그렇지 않아.

10 해설 | 한 시간 전에 하고 있었던 일은 과거진행형으로 쓰고 지금 하고 있는 일은 현재진행형으로 쓴다. 주어가 3인칭 단수이므로 과거진행형은 「was+동사원형-ing」로, 현재진행형은 「is+동사원형-ing」로 나타낸다.
해석 | 하준이는 한 시간 전에 연을 날리고 있었다. 그는 지금 그림을 그리고 있다.
어휘 | fly a kite 연을 날리다

2주 창의·융합·코딩 전략 ❶, ❷ pp. 66~69

1 (1) like (2) likes, doesn't like (3) don't like 2 writes, has, takes, posts 3 (1) taught (2) began (3) moved (4) built 4 (1) ⓓ: won → win (2) ⓔ: lose → lost 5 (1) ⓒ, is crying loudly (2) ⓐ, are playing *baduk* (3) ⓑ, is cutting the cake (4) ⓓ, are making paper animals 6 (1) She was walking her dog. (2) She was chatting on the Internet. (3) They were playing board games. 7 (1) No, doesn't, lives, Daegu (2) goes, takes pictures (3) will go, next year 8 (1) I am[I'm] going to eat seafood. (2) I am[I'm] not going to swim in the sea. (3) I am[I'm] not going to go fishing.

1 해설 | (1) 주어가 3인칭 복수이므로 일반동사의 현재형은 동사원형으로 쓴다.
(2) 주어가 3인칭 단수이므로 동사원형에 -s를 붙이고, 부정문은 동사원형 앞에 doesn't를 쓴다.
(3) 주어가 3인칭 복수이므로 동사원형 앞에 don't를 써서 부정문을 만든다.
해석 | (1) 은지와 태민이는 웹툰을 좋아한다.
(2) 은지는 수상 스포츠를 좋아하지만 태민이는 수상 스포츠를 좋아하지 않는다.
(3) 은지와 태민이는 쿠키를 좋아하지 않는다.

2 해설 | 주어가 3인칭 단수일 때 일반동사의 현재형은 동사원형에 -(e)s를 붙여야 한다. have의 3인칭 단수 현재형은 has이다.
해석 | 남: 안녕하세요, 만나서 반갑습니다. 저희 독자들에게 인사를 해 주세요.
여: 안녕하세요, 저는 이곳에 오게 되어 기쁩니다. 저는 Annie Clark입니다.
남: 당신의 직업에 대해 이야기 해 주시죠, Annie.
여: 저는 아동용 책을 씁니다. 저는 전 세계적으로 많은 팬이 있어요.
남: 여가에는 무엇을 하시나요?
여: 저는 동물들 사진을 찍어 그것들을 제 블로그에 올려요. / Annie Clark는 아동용 책을 쓴다. 그녀는 전 세계적으로 많은 팬이 있다. 그녀는 여가에 동물들 사진을 찍어 그것들을 블로그에 올린다.
어휘 | post (웹 사이트에 정보 · 사진을) 올리다[게시하다]

3 해설 | 과거에 있었던 일을 나타내고 있으므로 모두 과거형 동사로 바꿔 써야 한다. 주어진 동사의 과거형은 각각 taught, began, moved, built이다.
해석 | (1) 나는 2014년에 고등학교에서 수학을 가르쳤다.
(2) 나는 2016년에 건축을 공부하기 시작했다.
(3) 나는 2018년에 파리로 이사했다.
(4) 나는 2020년에 나의 첫 집을 지었다.
어휘 | architecture 건축학 build 짓다

4 해설 | ⓓ 일반동사 과거형의 의문문은 「Did+주어+동사원형 ~?」이므로 과거형 동사 won을 동사원형 win으로 고쳐야 한다. ⓔ 어제 있었던 일을 이야기하고 있으므로 lose의 과거형인 lost로 고쳐야 한다.
어휘 | win 이기다 lose 지다 exciting 흥미진진한 hit a homerun 홈런을 치다 surprising 놀라운

5 해설 | 현재진행형은 be동사의 현재형 다음에 동사원형-ing를 써서 만든다. (1), (3)은 주어가 3인칭 단수이므로 is를 써야 하고, (2), (4)는 주어가 복수이므로 are를 쓴다.
해석 | (1) 한 소녀가 큰 소리로 울고 있다.
(2) 두 남자가 바둑을 두고 있다.
(3) 한 소년이 케이크를 자르고 있다.
(4) 두 소녀가 종이 동물을 만들고 있다.
어휘 | loudly 큰 소리로

6 해설 | 과거진행형은 「was/were+동사원형-ing」로 나타낸다. 주어가 3인칭 단수일 때는 was를, 3인칭 복수일 때는 were를 쓴다.
해석 | (1) 보미는 오전 8시에 무엇을 하고 있었니? – 그녀는 그녀의 개를 산책시키고 있었어.
(2) 보미는 오전 11시에 무엇을 하고 있었니? – 그녀는 인터넷으로 채팅하고 있었어.
(3) 보미와 그녀의 남동생은 오후 9시에 무엇을 하고 있었니? – 그들은 보드게임을 하고 있었어.

7 해설 | (1) Eddie가 지금 살고 있는 곳은 대구이므로 부정의 대답을 해야 한다. 부정의 대답은 「No, 주어+doesn't.」로 한다.
(2) 현재시제로 쓸 때 주어가 3인칭 단수이므로 일반동사는 3인칭 단수 현재형으로 써야 한다.
(3) 조동사 will 다음에는 동사원형을 쓴다.
해석 | Eddie는 캐나다의 토론토 출신이다. 그와 그의 가족은 대구에 산다. 그는 스키를 타는 것을 좋아하지만, 대구에는 눈이 많이 오지 않는다. 지금 그는 새로운 취미가 있다. 토요일마다 그는 등산을 가서 자연의 사진을 찍는다. 그는 내년에 토론토로 돌아갈 것이고 새로운 취미도 가져갈 것이다.
(1) Q: Eddie는 지금 토론토에 사니?
A: 아니, 그렇지 않아. 그는 대구에 살아.
(2) Q: 그는 토요일마다 무엇을 하니?

A: 그는 등산을 가서 자연의 사진을 찍어.
(3) Q: 그는 토론토로 돌아갈 예정이니?
A: 응, 그는 내년에 그곳으로 돌아갈 거야.
어휘 | nature 자연

8 해설 | 「be going to+동사원형」은 '~할 것이다, ~할 예정이다'라는 의미로 I가 주어일 때 be동사는 am을 쓴다. 부정문은 be동사 다음에 not을 써서 「I am[I'm] not going to+동사원형 ~.」으로 나타낸다.
해석 | 〈보기〉 나는 승마를 시도해 볼 것이다.
(1) 나는 해산물을 먹을 것이다. 나는 해산물을 매우 좋아한다.
(2) 나는 바다에서 수영을 하지 않을 것이다. 나는 물을 무서워한다.
(3) 나는 낚시하러 가지 않을 것이다. 그것은 지루하다.
어휘 | try 시도하다[해 보다] horse riding 승마 seafood 해산물 be afraid of ~을 무서워하다 boring 지루한

BOOK 1 마무리 전략

pp. 70~71

1 ❶ are ❷ It ❸ Its ❹ dishes ❺ aren't ❻ should
2 (1) ❶ do not[don't] like ❷ saw (2) ❶ am going to visit ❷ visited ❸ Did you have ❹ watched
(3) ❶ cooking ❷ am taking ❸ Does he have ❹ sneezes

1 해설 | ❶ Mom and I는 and로 연결된 복수이므로 be동사는 are가 알맞다.
❷ 날씨를 나타내는 비인칭 주어 It이 알맞다.
❸ 뒤에 명사가 나오므로 '자유의 여신상'을 가리키는 인칭대명사 it의 소유격이 와야 한다.
❹ dish는 셀 수 있는 명사이고 -sh로 끝나는 명사이므로 -es를 붙여 복수형을 만든다.
❺ 가격이 싸다는 말이 뒤에 이어지므로 '비싸지 않다'라는 의미의 부정문이 되어야 한다. They가 주어이므로 are not을 줄인 aren't가 알맞다.
❻ 충고나 제안을 할 때 You should ~.를 이용할 수 있다.
해석 | 엄마와 나는 휴가차 뉴욕에 있어. 오늘은 날씨가 따뜻하고 좋아. / 이것은 자유의 여신상이야. 그것의 높이는 93미터 정도야. / 뉴욕에서는 다양한 맛있는 음식들을 먹어 볼 수 있어. / 이 핫도그들은 내가 가장 좋아하는 것이야. 그것들은 많이 비싸지 않아. 그것들은 가격이 꽤 싸. 너도 한번 먹어 봐.
어휘 | vacation 휴가 pleasant 쾌적한, 즐거운, 기분 좋은 height 높이 about 약, 대략 taste 먹다, 맛보다 favorite 가장 좋아하는 것 expensive 비싼 quite 꽤, 상당히 cheap 값이 싼 try 먹어 보다

2 해설 | (1) ❶ 다른 영화를 보자는 말이 이어지므로 '공포 영화를 좋아하지 않는다'는 의미의 부정문이 되어야 한다. 주어가 I일 때 「I do not[don't]+동사원형 ~.」의 형태로 일반동사의 부정문을 만든다.
❷ a week ago는 '일주일 전에'라는 의미로 과거를 나타내는 표현이므로 see의 과거형인 saw가 알맞다.
(2) ❶ 미래의 계획이나 예정을 나타낼 때 「be going to+동사원형」을 쓴다.
❷ last summer는 과거를 나타내는 표현이므로 동사의 과거형을 써야 한다.
❸ Kevin의 대답에 did가 있으므로 일반동사 과거형의 의문문인 「Did+주어+동사원형 ~?」으로 쓴다.
❹ 작년 여름에 갔을 때의 일을 얘기하고 있으므로 watch의 과거형인 watched가 알맞다.
(3) ❶ 진행시제의 의문문은 「be동사+주어+동사원형-ing ~?」의 형태이다.
❷ 현재진행형은 「be동사의 현재형+동사원형-ing」의 형태이며 현재 하고 있는 동작을 나타낸다.
❸ 주어가 3인칭 단수일 때 일반동사 현재형의 의문문은 「Does+주어+동사원형 ~?」의 형태이다.
❹ 현재 상태를 나타내고 있으므로 현재시제를 이용하며 주어가 3인칭 단수이므로 동사원형에 -s를 붙인다.
해석 | (1) Beth: 〈A Scary Place〉를 보자.
Ted: 음, 나는 공포 영화를 좋아하지 않아. 〈Charlie and Me〉는 어때?
Beth: 미안하지만, 나는 일주일 전에 그것을 이미 봤어.
(2) Lisa: 나는 다음 달에 안동 하회 마을을 방문할 거야.
Kevin: 나는 작년 여름에 그곳을 방문했어.
Lisa: 정말? 넌 그곳에서 즐거운 시간을 보냈니?
Kevin: 응, 그랬어. 나는 전통 탈춤을 관람했고 그것은 재미있었어.
(3) Ashley: 너 지금 저녁을 요리하는 중이니?
Steve: 아니, 나는 내 고양이를 수의사에게 데려 가는 중이야.
Ashley: 고양이에게 무슨 문제라도 있니?
Steve: 응, 그래. 기침과 재채기를 많이 해.
어휘 | horror movie 공포 영화 already 이미, 벌써 traditional 전통적인 mask dance 탈춤 vet 수의사 cough 기침하다 sneeze 재채기하다

신유형·신경향·서술형 전략

pp. 72~75

1 (1) is, is, is (2) Is, he isn't[he's not], He's (3) are 2 (1) I have three puppies. (2) We saw five mice in the attic. (3) She drinks two glasses of water every morning. 3 it, It 4 (1) must not[mustn't] run (2) must stay behind the line (3) must not[mustn't] talk on the phone (4) must not[mustn't] take pictures 5 Sohee, He did not[didn't] have enough clothes. 6 (1) keeps a diary, doesn't keep a diary (2) doesn't have a brother, has a brother (3) don't walk to school 7 went, rode, enjoyed, took, bought, had 8 (1) making (2) are playing (3) is surfing 9 (1) are going to watch a musical (2) is going to practice the piano (3) is going to study for a math test (4) are going to visit the museum

1 해설 | (1) 주어가 모두 3인칭 단수이므로 be동사의 현재형은 is를 써야 한다.
(2) be동사의 의문문을 만들 때 be동사를 주어 앞에 쓴다. Jonathan은 스페인 출신이 아니므로 No, he isn't[he's not].로 답해야 한다. He is는 He's로 줄여 쓸 수 있다.
(3) 주어가 3인칭 복수이므로 be동사는 are를 쓴다.
해석 | (1) Amelia는 14살이다. 그녀는 프랑스 출신이다. 그녀의 별명은 Little Picasso이다.
(2) A: Jonathan은 스페인 출신이니?
B: 아니, 그렇지 않아. 그는 멕시코 출신이야.
(3) Amelia와 Jonathan은 한국 드라마에 관심이 있다.
어휘 | nickname 별명 be interested in ~에 관심이 있다

2 해설 | puppy의 복수형은 puppies이고, mouse의 복수형은 mice이다. 셀 수 없는 명사의 수는 단위나 담는 용기를 복수형으로 만들어야 하므로 '물 두 잔'은 two glasses of water로 나타낸다.
해석 | (1) 나는 강아지 한 마리가 있다.
(2) 우리는 다락방에서 쥐 한 마리를 보았다.
(3) 그녀는 매일 아침 물 한 잔을 마신다.
어휘 | attic 다락방

3 해설 | 시간을 나타낼 때 비인칭 주어 it을 쓴다.
해석 | A: 지금 몇 시니?
B: 오후 1시 30분이야.

4 해설 | 조동사 must 다음에 동사원형을 써서 '~해야 한다'라는 의미를 나타낸다. must not[mustn't]은 금지를 나타낼 때 쓴다.
해석 | (1) 너는 뛰어서는 안 된다.
(2) 너는 선 뒤로 물러서 있어야 한다.
(3) 너는 전화 통화를 해서는 안 된다.
(4) 너는 사진을 찍어서는 안 된다.
어휘 | behind ~ 뒤에 talk on the phone 전화 통화를 하다

5 해설 | ⑤ 일반동사 과거형의 부정문은 주어와 인칭의 수에 관계없이 동사원형 앞에 did not[didn't]을 써야 한다. → He did not[didn't] have enough clothes.
① 주어와 be동사의 위치를 바꾸어 의문문을 만든다.
② be동사 다음에 not을 써서 부정문을 만든다.
③ 과거진행형은 「was/were+동사원형-ing」의 형태이고 주어가 3인칭 복수이므로 be동사는 were가 알맞다.
④ swim의 과거형은 swam이다.
해석 | ① 다인: 그녀가 가장 좋아하는 색은 파란색이다.
→ 그녀가 가장 좋아하는 색은 파란색이니?
② 하람: 그 남자는 잔디 위에 누워 있다.
→ 그 남자는 잔디 위에 누워 있지 않다.
③ 유라: 그들은 오렌지를 땄다.
→ 그들은 오렌지를 따고 있었다.
④ 재민: Gabrielle은 수영장에서 수영한다.
→ Gabrielle은 수영장에서 수영했다.
⑤ 소희: 그는 충분한 옷을 가지고 있지 않다.
어휘 | lie 눕다 pick up (과일 등을) 따다 enough 충분한

6 해설 | 주어가 3인칭 단수이므로 일반동사에 -s를 붙여 3인칭 단수 현재형을 만든다. have는 불규칙하게 변화하여 has로 쓴다. 일반동사 현재형의 부정문은 주어가 3인칭 단수일 때 동사원형 앞에 does not[doesn't]을 쓰고, 주어가 두 사람 이상의 복수일 때는 동사원형 앞에 do not[don't]을 쓴다.
해석 | 〈보기〉 유미는 액션 영화를 좋아하지만 세진이는 액션 영화를 좋아하지 않는다.
(1) 유미는 일기를 쓰지만 세진이는 일기를 쓰지 않는다.
(2) 유미는 남동생이 없지만 세진이는 남동생이 있다.
(3) 유미와 세진이는 학교에 걸어 가지 않는다.
어휘 | keep a diary 일기를 쓰다

7 해설 | go, have, ride, take, buy는 모두 과거형이 불규칙 변화하는 동사로 각각 went, had, rode, took, bought이다. enjoy는 -ed를 붙여 과거형을 만든다.
해석 | 지난 토요일에 수호와 나는 놀이공원에 갔다. 우리는 롤러코스터를 탔고, 그것을 매우 즐겼다. 또한 우리는 많은 사진을 찍었고 기념품을 샀다. 우리는 매우 즐거운 시간을 보냈다.
어휘 | amusement park 놀이공원 roller coaster 롤러코스터 souvenir 기념품 have fun 즐거운 시간을 보내다

8 해설 | 현재진행형은 「am/are/is+동사원형-ing」의 형태이

다. play와 surf는 -ing를 붙이고, -e로 끝나는 동사인 make는 e를 삭제하고 -ing를 붙인다.
해석 | 엄마: 모두들 뭐 하고 있는 중이니?
John: 저는 모래성을 만들고 있어요. Monica와 Justin은 공놀이 중이에요. Michelle은 바다에서 파도타기를 하는 중이에요.
어휘 | sandcastle 모래성 surf 파도타기하다 ocean 바다

9 해설 | be going to 다음에는 동사원형을 써야 하고, 주어의 인칭과 수에 따라 be동사를 달리 쓴다. (1), (4)는 주어가 3인칭 복수이므로 「are going to+동사원형」으로 쓰고, (2), (3)은 주어가 3인칭 단수이므로 「is going to+동사원형」으로 쓴다.
해석 | 〈보기〉 아빠는 다음 주 월요일에 세차를 할 것이다.
(1) 아빠와 엄마는 다음 주 화요일에 뮤지컬을 관람할 것이다.
(2) 지수는 다음 주 수요일에 피아노 연습을 할 것이다.
(3) 지원이는 다음 주 목요일에 수학 시험을 위한 공부를 할 것이다.
(4) 지수와 지원이는 다음 주 금요일에 박물관을 방문할 것이다.

적중 예상 전략 | 1

pp. 76~79

1 ② 2 ④ 3 ② 4 ①, ③ 5 ③ 6 ③ 7 ② 8 ② 9 ③ 10 ② 11 ⑤ 12 ④ 13 ⑤ 14 (1) can play the guitar (2) cannot[can't] ride a horse 15 (1) Yes, they are (2) No, he isn't[he's not] (3) Are, they aren't[they're not], They're 16 (1) I am[I'm] not angry at you. (2) Will she go there by bus? (3) These are ours. (4) She was in the park yesterday. 17 (1) should go to bed early (2) should not [shouldn't] buy unnecessary things 18 It 19 have to

1 해설 | are는 주어가 You이거나 복수일 때 쓸 수 있는 be동사이다. ② 3인칭 단수인 My cousin이 주어이면 be동사의 현재형은 is를 써야 하므로 빈칸에 올 수 없다.
해석 | ① 우리 / ③ 그의 여동생들 / ④ 그 아이들 / ⑤ Dave와 나는(은) 음악에 관심이 있다.
어휘 | be interested in ~에 관심이 있다

2 해설 | ④ foot의 복수형은 feet이다.
어휘 | scarf 스카프

3 해설 | 조동사 may는 허락을 구할 때 쓸 수 있다. May I ~?는 '제가 ~해도 되나요?'라는 의미이고, 애완동물 출입 금지 표지판이 있으므로 불허하는 대답인 No, you may not.이 알맞다.
해석 | 남: 제가 이곳에 강아지를 데려와도 되나요?
여: 아뇨, 안 됩니다.

4 해설 | ① 「명사+'s」는 소유격을 나타낸다. Mr. and Ms. Miller는 and로 연결된 두 사람을 나타내므로 3인칭 복수 they의 소유격 their가 알맞게 쓰였다.
③ 「명사+'s」는 소유격을 나타내고, 고양이 한 마리이므로 Its로 바꿔 쓸 수 있다.
② 동사의 목적어 역할을 하는 목적격으로 바꿔야 하고 '나'를 포함하고 있으므로 '우리를'이라는 의미의 us로 바꿔 쓸 수 있다.
④ 「소유격+명사」를 나타내는 소유대명사로 바꿔 써야 한다. his sunglasses는 '그의 것'이라는 의미의 his로 바꿔 쓸 수 있다.
⑤ 주어 역할을 하는 you(너희들)로 바꿔 쓸 수 있다.
해석 | ① 이것은 Miller 씨 부부의 자동차이다.
② 그들은 내 여동생과 나를 많이 도와준다.
③ 나는 고양이가 있다. 그 고양이의 이름은 Blacky이다.
④ 나는 그의 선글라스를 빌릴 것이다.
⑤ 너와 Toby는 학급 친구니?
어휘 | borrow 빌리다

5 해설 | ③ is not은 isn't로 줄여 쓸 수 있으므로 어법상 옳다.
① am not은 amn't로 줄여 쓸 수 없다. I'm not nervous.로 고쳐야 한다.
② It is는 It's로 줄여 써야 한다. Its는 it의 소유격이다.
④ This is는 줄여 쓸 수 없다.
⑤ They weren't happy about the news.로 줄여 써야 한다.
해석 | ① 나는 초조하지 않다.
② 그것은 그녀의 새 앨범이다.
③ 그녀는 집에 가는 길이 아니다.
④ 이것은 내 여동생의 기타이다.
⑤ 그들은 그 소식에 기쁘지 않았다.
어휘 | on one's way home 집에 가는[오는] 길에

6 해설 | 첫 번째 빈칸과 두 번째 빈칸 모두 「소유격+명사」를 나타내는 소유대명사가 와야 한다. Julie의 소유대명사는 뒤에 's를 붙여 만든다. Hers는 '그녀의 것'이라는 의미의 소유대명사이다.

해석 | A: 이 신발은 Julie의 것이니?
B: 아니, 그렇지 않아. 그녀의 것은 검정색이야.

7 해설 | ② '~임에 틀림없다'라는 의미로 강한 추측을 나타낸다. 나머지는 모두 '~해야 한다'라는 의미의 의무를 나타낸다.
해석 | ① 너는 최선을 다해야 한다.
② Andrew는 매우 아픈 것이 틀림없다.
③ 너는 헬멧을 써야 한다.
④ 우리는 물건들을 재활용해야 한다.
⑤ 사람들은 녹색 신호등을 기다려야 한다.
어휘 | recycle 재활용하다 wait for ~을 기다리다

8 해설 | 〈보기〉는 비인칭 주어 It으로, 날씨, 시간, 요일, 거리, 계절, 명암 등을 나타낼 때 쓴다. ②는 '그것'으로 해석되는 대명사이고 나머지는 모두 비인칭 주어이다.
해석 | 〈보기〉 추운 겨울이 될 것이다.
① 11시 5분 전이다.
② 그것은 멋진 영화이다.
③ 어젯밤에 비가 왔니?
④ 오늘은 도란이의 생일이다.
⑤ 여기서 약 10킬로미터이다.

9 해설 | ③ 남동생이 작년에 시애틀에 있었는지 묻는 질문이고, be동사의 과거형 Was로 시작되었으므로 대답에도 was를 사용해야 한다. 따라서 Yes, he was. 또는 No, he wasn't. 라고 대답해야 한다.
해석 | ① A: 너희들은 야구 동아리니? B: 아니, 그렇지 않아.
② A: Lewis 씨는 유명한 여배우니? B: 응, 그래.
④ A: Martin과 Jean은 테니스를 칠 수 있니? B: 응, 그래.
⑤ A: 제가 내일까지 이 일을 끝내야 하나요? B: 응, 그래야 해.

10 해설 | ② 조동사의 부정문은 조동사 다음에 not을 써서 만든다. not must → must not
① 조동사 다음에는 동사원형이 와야 한다.
③ will not의 줄임말은 won't이다.
④ 주어가 3인칭 단수이므로 has to를 써야 한다.
⑤ be going to를 이용한 의문문이므로 be동사로 시작해야 한다.
어휘 | bill 계산서, 고지서

11 해설 | ⑤ can은 '~해 주겠니?'라는 요청의 의미로 쓰였다.
① may는 '~일지도 모른다'라는 약한 추측의 의미로 쓰였다.
② must는 '~임에 틀림없다'라는 강한 추측의 의미로 쓰였다.
③ can은 '~할 수 있다'라는 능력 · 가능의 의미로 쓰였다.
④ 「be going to+동사원형」은 미래의 일 또는 계획을 나타내며 '~할 것이다'라고 해석한다.
해석 | ① 그 이야기는 사실일지도 모른다.
② Adrian은 거짓말쟁이가 틀림없다.
③ 나는 스페인어를 유창하게 말할 수 있다.
④ 그는 세차를 할 것이다.
⑤ 너는 역까지 나를 태워 줄 수 있니?
어휘 | liar 거짓말쟁이 fluently 유창하게 give ~ a ride ~를 태워 주다

12 해설 | ⓓ 주어 Ruth and I가 복수이므로 was가 아니라 were를 써야 한다. then은 '그때'라는 의미로 과거를 나타내는 표현이다. 나머지는 모두 어법상 옳다.
해석 | ⓐ Sophia는 패션 디자이너이다.
ⓑ 그 책들은 재미있지 않다.
ⓒ 이 빨간 모자가 네 것이니?
ⓔ 강한 햇빛은 피부에 좋지 않다.
어휘 | strong 강한 sunlight 햇빛 skin 피부

13 해설 | ⑤ must not은 '~해서는 안 된다'라는 의미로 금지를 나타내고 don't have to는 '~할 필요가 없다'라는 의미로 불필요를 나타낸다.
해석 | ① 운전자들은 여기서 속도를 낮춰야 한다.
② 제가 신발을 벗어도 되나요?
③ 그녀는 이 퍼즐을 풀 수 있다.
④ 나는 뮤지컬을 볼 것이다.
⑤ 너는 거기 머물러서는 안 된다. ≠ 너는 거기 머물 필요가 없다.
어휘 | slow down (속도를) 낮추다 take off (옷 등을) 벗다

14 해설 | 조동사 can은 능력이나 가능의 의미를 나타낸다. can 다음에는 동사원형을 써야 하고, can의 부정형은 cannot 또는 can't이다.
해석 | (1) 하준이는 기타를 칠 수 있다.
(2) 하준이는 말을 탈 수 없다.

15 해설 | be동사의 의문문은 「be동사+주어 ~?」의 형태이다. 주어가 둘 이상인 경우 be동사의 현재형은 are을 쓰고, 3인칭 단수인 경우 is를 쓴다. 의문문에 대한 긍정의 대답은 「Yes, 주어+be동사.」이고, 부정의 대답은 「No, 주어+be동사+not.」이다. be동사와 not은 보통 줄여서 답한다.
해석 | (1) A: Alice와 Matt는 같은 나이니? B: 응, 맞아.
(2) A: Matt는 뉴질랜드 출신이니? B: 아니, 그렇지 않아. 그는 스위스 출신이야.
(3) A: Alice와 Matt는 수줍음이 많니? B: 아니, 그렇지 않아. 그들은 활동적이야.
어휘 | active 활동적인 shy 수줍음이 많은

16 해설 | (1) be동사의 부정문은 be동사 다음에 not을 쓴다.
(2) 조동사의 의문문은 「조동사+주어+동사원형 ~?」의 형태이다.
(3) 「소유격+명사」는 소유대명사로 바꿔 쓸 수 있다.
(4) yesterday는 과거를 나타내는 부사이므로 be동사의 현재형을 과거형으로 바꿔 써야 한다. is의 과거형은 was이다.

해석 | (1) 나는 네게 화가 나 있다. → 나는 네게 화가 나 있지 않다.
(2) 그녀는 버스를 타고 거기 갈 것이다. → 그녀는 버스를 타고 거기 갈 예정이니?
(3) 이것들은 우리의 사진들이다. → 이것들은 우리의 것이다.
(4) 그녀는 지금 공원에 있다. → 그녀는 어제 공원에 있었다.

17 해설 | 조동사 should는 '~해야 한다'라는 의미로 충고나 제안을 할 때 사용한다. should 다음에는 동사원형이 오고, 부정형은 should not 또는 shouldn't로 쓴다.
해석 | (1) Terry, 너는 일찍 자러 가야 해.
(2) Olivia, 너는 필요 없는 것들을 사면 안 돼.
어휘 | unnecessary 필요 없는

18 해설 | 날씨를 나타낼 때 비인칭 주어 it을 사용한다.
해석 | A: 여수 날씨는 어때?
B: 눈이 와.

19 해설 | 조동사 must가 '~해야 한다'라는 의미로 의무를 나타낼 때 have to로 바꿔 쓸 수 있다.
해석 | 너는 일주일에 세 번 화분에 물을 줘야 한다.

적중 예상 전략 | ❷

pp. 80~83

1 ② 2 ⑤ 3 ① 4 ④ 5 ⑤ 6 ② 7 ④ 8 ③ 9 ① 10 ③ 11 ④ 12 ⑤ 13 ② 14 (1) The repairman fixes the copy machine. (2) My dog slept on the sofa last night. 15 (1) The computer does not[doesn't] work well. (2) Did she sell her car? (3) We were making a cake for Mom. 16 (1) has (2) bought 17 (1) Yes, do (2) does volunteer work (3) No, doesn't, plays, studies 18 (1) is drinking (2) are running (3) are floating 19 She is going to travel to Egypt. 20 got, left, went, ate, came, rode

1 해설 | ② 일반동사의 3인칭 단수 현재형을 만들 때 「자음+y」로 끝나는 단어는 y를 i로 고치고 -es를 붙인다. 따라서 copy의 3인칭 단수 현재형은 copies이다.
어휘 | pay (돈을) 지불하다 copy 베끼다, 복사하다 discuss 논의하다, 상의하다

2 해설 | 매일 반복되는 습관을 나타낼 때는 현재시제를 쓴다. 주어가 3인칭 단수일 때 동사원형에 -s를 붙여야 한다. go는 -o로 끝나는 단어이므로 3인칭 단수 현재형은 goes이다.
해석 | Jasmine은 매일 일찍 일어나서 조깅하러 간다.
어휘 | go jogging 조깅하러 가다

3 해설 | 첫 번째 문장은 going to로 보아 빈칸에 be동사를 넣어 미래시제를 만들어야 한다. 두 번째 문장은 동사의 -ing형이 쓰인 것으로 보아 진행시제이므로 역시 be동사가 알맞다. 둘 다 주어가 3인칭 단수이므로 be동사는 is가 와야 한다.
해석 | 그 일은 다시 일어나지 않을 것이다. / 우승자는 깃발을 흔들고 있는 중이다.
어휘 | happen 일어나다, 발생하다 winner 우승자 wave 흔들다 flag 깃발

4 해설 | ④ Did로 시작하는 일반동사 과거형의 의문문이므로 대답도 「Yes, 주어+did.」 또는 「No, 주어+didn't.」로 해야 한다.
해석 | ① A: 너는 그때 바닥을 쓸고 있었니? B: 아니, 그렇지 않았어.
② A: 그 소년들은 학교 가까이에 사니? B: 아니, 그렇지 않아.
③ A: 콘서트는 7시 전에 끝나니? B: 응, 그래.
⑤ A: Mindy는 이번 여름에 중국어를 공부할 예정이니? B: 응, 맞아.
어휘 | sweep 쓸다 floor 바닥 close 가까이 before ~ 전에 answer the phone 전화를 받다

5 해설 | didn't는 일반동사 과거형의 부정문을 만들 때 동사원형 앞에 쓴다. ⑤ sent는 send의 과거형이므로 빈칸에 올 수 없다.
해석 | Angela는 ① 그녀의 엄마에게 전화하지 / ② 피아노를 연습하지 / ③ 지하철을 타지 / ④ 병원에 가지 않았다.

6 해설 | found는 find의 과거형이므로 빈칸에는 과거를 나타내는 부사(구)가 올 수 있다. ② tomorrow는 '내일'을 뜻하는 미래를 나타내는 부사이므로 빈칸에 올 수 없다.
해석 | 우리는 ① 그때 / ③ 어제 / ④ 지난달에 / ⑤ 10분 전에 그 실종된 개를 발견했다.
어휘 | missing 실종된

7 해설 | 지난 주말에 있었던 일에 대한 글이므로 과거시제로 나타내야 한다. 과거형 동사가 바르게 쓰인 것은 ⓐ, ⓑ, ⓒ, ⓓ, ⓖ로 5개이다. ⓔ have의 과거형은 had이다. ⓕ feel의 과거형은 felt이다.
해석 | 지난 주말, 유진이는 그녀의 집 근처에 있는 아동 병원에서 자원봉사 활동을 했다. 그곳의 아이들 중 일부는 지루해했다. 그녀는 그들에게 책을 읽어 주고 그들과 함께 놀아 주었다. 그녀는 그들을 격려했고 그들은 모두 즐거운 시간을 보냈다. 그들의 미소를 봤을 때 그녀는 행복을 느꼈다.
어휘 | volunteer 자원봉사 활동을 하다 bored 지루한 cheer up 격려하다, 기운을 북돋아 주다 smile 미소

8 해설 | ③ -ie로 끝나는 단어는 ie를 y로 고치고 -ing를 붙여야 한다. → is lying
해석 | ① Jay는 상을 차리고 있다.
② 그들은 그들의 삼촌 댁에 머물고 있다.
④ 그 여우들은 바위 뒤에 숨어 있는 중이다.
⑤ 우리는 셰익스피어의 희곡을 연기하고 있다.
어휘 | set the table 상을 차리다 lie 누워 있다 hide 숨다 act out 연기하다 play 희곡, 연극

9 해설 | 과거진행형 의문문은 「Was/Were+주어+동사원형-ing ~?」의 형태이고 주어가 3인칭 단수이므로 Was로 시작해야 한다.

10 해설 | ③ 주어가 and로 연결된 복수이므로 동사원형 앞에 do not 또는 don't를 써서 부정문을 만든다. → Jack and Ted do not[don't] seem disappointed.
해석 | ① 바람이 심하게 분다. → 바람이 심하게 불고 있다.
② Eric은 그 여행에 돈을 많이 썼다. → Eric은 그 여행에 돈을 많이 썼니?
④ 동물원 사육사는 아기 판다들에게 먹이를 준다. → 동물원 사육사는 아기 판다들에게 먹이를 주었다.
⑤ Bella는 그녀의 여동생을 파티에 데려갔다. → Bella는 그녀의 여동생을 파티에 데려가지 않았다.
어휘 | blow 불다 hard 심하게 seem (~인 것처럼) 보이다, ~인 것 같다 disappointed 실망한 zookeeper 사육사 feed 음식[먹이]을 주다

11 해설 | ④는 일반동사로 '했다'라는 뜻이며, 나머지는 부정문이나 의문문을 만들 때 쓰는 조동사로서 뜻이 없다.
해석 | ① Jessica는 오지 않았다.
② 그녀는 왜 화가 났니?
③ 그는 보고서를 제출하지 않았다.
④ 나는 가족을 위해 모든 일을 했다.
⑤ 그녀는 화재를 진압하고 생명을 구했니?
어휘 | hand in ~을 제출하다 put out (불 등을) 끄다 save 구하다

12 해설 | 소유나 상태, 감정을 나타내는 have, like, want, know, understand 등의 동사는 진행시제로 쓸 수 없다. 따라서 ⑤는 현재진행형으로 바꿔 쓸 수 없다. ②는 have가 '먹다'라는 의미로 쓰였으므로 진행시제로 쓸 수 있다.
① → He is shouting loudly.
② → I'm having dinner with Anne.
③ → She is watering the trees.
④ → They are enjoying the party.
해석 | ① 그는 크게 소리친다.
② 나는 Anne과 함께 저녁을 먹는다.
③ 그녀는 나무들에 물을 준다.
④ 그들은 파티를 즐긴다.
⑤ Kevin은 사실을 알고 있다.

13 해설 | ⓑ 주어가 3인칭 단수이므로 does not을 이용하여 부정문을 만든다. → Julia does not[doesn't] like sweet things.
ⓓ be going to 다음에 동사원형을 써서 '~할 것이다'라는 의미를 나타낸다. → The plane is going to take off soon.
ⓐ 주어가 you이므로 일반동사 현재형의 의문문은 Do로 시작한다.
ⓒ 현재진행형의 부정문은 be동사 다음에 not을 쓴다.
ⓔ last night는 과거를 나타내는 표현이므로 과거시제가 되어야 하고, hear의 과거형은 heard이다.
해석 | ⓐ 너는 애완동물이 있니?
ⓒ 나는 음악을 듣고 있지 않다.
ⓔ 그는 어젯밤 이상한 소리를 들었다.
어휘 | sweet 달콤한 take off 이륙하다 strange 이상한 sound 소리

14 해설 | (1) 주어가 3인칭 단수일 때는 동사원형에 -(e)s를 붙여 3인칭 단수 현재형을 만든다. fix는 -x로 끝나는 단어이므로 -es를 붙인다.
(2) last night는 과거를 나타내는 부사구이므로 일반동사의 과거형으로 바꿔야 한다. sleep의 과거형은 slept이다.
해석 | (1) 나는 복사기를 고친다. → 수리공은 복사기를 고친다.
(2) 내 개는 매일 밤 소파에서 잔다. → 내 개는 어젯밤 소파에서 잤다.
어휘 | fix 고치다 copy machine 복사기 repairman 수리공

15 해설 | (1) 주어가 3인칭 단수일 때 does not[doesn't]을 동사원형 앞에 써서 일반동사 현재형의 부정문을 만든다.
(2) 일반동사 과거형의 의문문은 주어의 인칭과 수에 관계없이 Did를 주어 앞에 쓰고 주어 다음에는 동사원형을 쓴다.
(3) 과거진행형은 「was/were+동사원형-ing」의 형태이고, 주어가 1인칭 복수이므로 be동사는 were를 쓴다.
해석 | (1) 그 컴퓨터는 작동이 잘 된다. → 그 컴퓨터는 작동이 잘 안 된다.
(2) 그녀는 그녀의 차를 팔았다. → 그녀는 그녀의 차를 팔았니?
(3) 우리는 엄마를 위해 케이크를 만들었다. → 우리는 엄마를 위해 케이크를 만들고 있었다.
어휘 | work 작동하다 sell 팔다

16 해설 | (1) have가 '가지다'라는 소유의 의미로 쓰일 때 진행시제로 쓸 수 없으므로 현재시제로 고쳐야 한다. 이때 주어가

3인칭 단수이므로 has를 쓴다.

(2) a year ago는 '1년 전에'라는 의미로 과거를 나타내는 부사구이므로 buy의 과거형인 bought로 고쳐야 한다.

해석 | Maggie는 테디 베어를 가지고 있다. 그것은 그녀가 가장 좋아하는 장난감이다. 그녀의 엄마는 1년 전에 그녀에게 그것을 사 주셨다.

17 해설 | (1) I는 축구를 한다고 표시되어 있으므로 긍정의 대답을 해야 한다. Do로 시작한 의문문이므로 do를 이용하여 답한다.

(2) 주어가 3인칭 단수이므로 일반동사의 3인칭 단수 현재형을 이용해야 한다. do의 3인칭 단수 현재형은 does이다.

(3) 자원봉사 활동에 Andy가 표시되어 있지 않으므로 부정의 대답을 해야 한다. Does로 시작한 의문문에는 does를 이용하여 답한다. 주어가 3인칭 단수이므로 play에 -s를 붙여야 하고, study는 y를 i로 고치고 -es를 붙인다.

해석 | (1) A: 너는 일요일마다 축구 하니? B: 응, 그래.

(2) A: Tina는 일요일마다 무엇을 하니? B: 그녀는 자원봉사 활동을 해.

(3) A: Andy는 일요일마다 자원봉사 활동을 하니?

B: 아니, 그렇지 않아. 그는 축구를 하고 수학 공부를 해.

어휘 | do volunteer work 자원봉사 활동을 하다

18 해설 | 현재진행형은 「am/are/is+동사원형-ing」의 형태로 '~하고 있는 중이다'라는 의미를 나타낸다. (1)은 주어가 3인칭 단수이므로 be동사는 is를 쓰고 (2)와 (3)은 주어가 복수이므로 be동사는 are를 쓴다. run은 「단모음+단자음」으로 끝나는 동사이므로 마지막 자음을 한 번 더 쓰고 -ing를 붙인다.

해석 | (1) 예나는 우유를 마시고 있다.

(2) 세미와 하진이는 강을 따라 달리고 있다.

(3) 오리들은 강 위를 떠다니고 있다.

어휘 | float (물 위나 공중에서) 떠[흘러]가다[떠돌다]

19 해설 | 주어가 3인칭 단수이므로 be동사는 is를 쓴다. be going to 다음에는 동사원형을 쓴다.

20 해설 | 어제의 상황이므로 일반동사를 모두 과거형으로 고쳐야 한다.

해석 | 〈보기〉 Chris는 7시에 일어난다. 그는 8시에 집을 떠나 학교에 간다. 그는 점심으로 샌드위치를 먹는다. 그는 4시에 집에 온다. 그는 저녁에 자전거를 탄다.

BOOK 2 정답과 해설

1주 to부정사와 동명사, 문장의 종류·형식

해석 | 1 여 1: 기념품을 쇼핑하는 것은 항상 즐거워요. 여긴 볼 것들이 많아요.
여 2: 빨리 와! 우리는 비행기를 타기 위해 서둘러야 해.
2 여: 나는 전화를 받기 위해 편지 쓰는 것을 멈추었다.
3 여: 누가 내 쿠키를 다 먹었지? 야, 네가 그것들을 전부 먹었지, 그렇지 않니? 남: 아니야, 그렇지 않아. 여: 거짓말하지 마. 솔직해져 봐.
4 남: 나는 내 고양이에게 이 빨간 스웨터를 사 주었어. 그것은 고양이를 따뜻하게 해 줄 거야. 여: 고양이가 정말 귀엽구나!

1주 1일 개념 돌파 전략 ❶ pp. 6~9

어휘 | competition 대회, 시합

개념 1 Quiz 해설 | (1) '~하는 것'이라는 의미로 주어 역할을 하는 to부정사가 알맞다.
(2) 목적을 나타내는 to부정사가 알맞다.
(3) 동사의 목적어 역할을 하는 동명사가 알맞다.
(4) '~하는 것'이라는 의미로 주어 역할을 하는 동명사가 알맞다.
해석 | (1) 아침을 먹는 것은 중요하다.
(2) 그녀는 책을 반납하기 위해 도서관에 갔다.
(3) 나는 내 방 청소를 끝냈다.
(4) 일기를 쓰는 것은 너의 작문 실력에 좋다.
어휘 | return 반납하다, 돌려주다 skill 실력, 기술

개념 2 Quiz 해설 | (1) 고모의 직업을 답하고 있으므로 '무엇'을 의미하는 의문사 What이 알맞다.
(2) 운동회 날짜를 답하고 있으므로 '언제'를 의미하는 의문사 When이 알맞다.
해석 | (1) A: 너의 고모는 무슨 일을 하시니? B: 그녀는 작가야.
(2) A: 운동회는 언제니? B: 9월 20일이야.

1-2 (1) ⓓ (2) ⓔ (3) ⓒ (4) ⓒ (5) ⓐ (6) ⓑ 2-2 ②

1-1 해석 | (1) 나는 A를 받기 위해 열심히 공부했다.
(2) 나는 해야 할 숙제가 있다.
(3) 만화를 그리는 것은 즐겁다.
(4) 재원이의 취미는 요리하는 것이다.
(5) 영국인들은 차 마시는 것을 매우 좋아한다.
어휘 | cartoon 만화 the British 영국인

1-2 해설 | (1) to say가 대명사 something을 꾸며 주고 있으므로 형용사 역할이다.
(2) '묻기 위해'라고 해석되므로 부사 역할이다.
(3) 동사 want의 목적어 역할을 한다.
(4) 동사 enjoy의 목적어 역할을 한다.
(5) '사용하는 것은'이라고 해석되어 주어 역할을 한다.
(6) My brother's bad habit = eating ~이 성립하므로 보어 역할을 한다.
해석 | (1) 나는 말할 것이 있다.
(2) 나는 그에게 무언가를 묻기 위해 전화했다.
(3) 그들은 아픈 아이들을 돕기 원한다.
(4) 우리는 테니스 치는 것을 즐긴다.
(5) 비닐봉지를 사용하는 것은 해롭다.
(6) 내 남동생의 나쁜 습관은 밤에 간식을 먹는 것이다.
어휘 | plastic bag 비닐봉지 harmful 해로운 snack 간식

2-1 해석 | A: 너는 어제 왜 결석했니?
B: 왜냐하면 자전거 사고가 났었거든.
어휘 | absent ~에 결석한 accident 사고

2-2 해설 | 의문사 how는 상태를 물을 때 사용한다.
해석 | A: 다시 만나 반갑구나, 준수야. 부산 여행은 어땠니?

B: 아주 좋았어.
A: 그곳의 날씨는 어땠어?
B: 화창했어.

개념 3 **Quiz** 해설 | (1) 명령문은 주어 You가 생략된 형태로 동사원형으로 시작한다.
(2) 뒤에 「a+형용사+명사+주어+동사」가 이어지므로 What으로 시작하는 감탄문이 되어야 한다.
(3) 앞 문장에 be동사 긍정문이 쓰였으므로 부가의문문은 be동사 부정문을 쓴다.
해석 | (1) 마음껏 먹으렴.
(2) 그것은 정말 아름다운 노래구나!
(3) Julia는 너의 가장 친한 친구지, 그렇지 않니?
어휘 | help oneself 마음껏 먹다

개념 4 **Quiz** 해설 | (1) 「주어+동사+주격 보어」로 이루어진 2형식 문장이다.
(2) 「주어+동사+목적어」로 이루어진 3형식 문장이다.
(3) 「주어+동사+전치사구」로 이루어진 1형식 문장이다.
(4) 「주어+동사+간접목적어+직접목적어」로 이루어진 4형식 문장이다.
(5) 「주어+동사+목적어+목적격 보어」로 이루어진 5형식 문장이다.
해석 | (1) 너는 피곤해 보인다.
(2) 나는 약간의 꽃을 샀다.
(3) 그 여행자는 오랫동안 걸었다.
(4) 그녀는 어제 내게 편지를 보냈다.
(5) 그의 농담은 그녀를 화나게 했다.

3-2 ② 4-2 (1) There is a boat on the water.
(2) We found the movie boring.

3-1 어휘 | brave 용감한

3-2 해설 | ② What으로 시작하는 감탄문은 「What(+a/an)+형용사+명사(+주어+동사)!」의 어순이므로 어법상 옳다.
① 부정 명령문은 「Don't+동사원형 ~.」으로 나타낸다. swimming → swim
③ 앞 문장이 긍정문이므로 부가의문문은 부정문이 되어야 하며 일반동사 과거형이 쓰였으므로 부가의문문에서는 didn't로 바꿔 써야 한다. did → didn't
어휘 | stupid 어리석은

4-2 해설 | (1) 「There+be동사+명사+장소를 나타내는 전치사구 ~.」의 순으로 배열하여 '~이 …에 있다'라는 의미를 나타낸다.
(2) 「주어+동사+목적어+목적격 보어」로 이루어진 5형식 문장이 되도록 배열한다. 목적격 보어는 형용사가 쓰였다.
어휘 | boring 지루한

개념 돌파 전략 ❷ pp. 10~11

CHECK UP

1 해석 | 외국어를 배우는 것은 쉽지 않다.

2 해석 | (1) 그 이야기는 정말 이상하구나!
(2) 이 선글라스는 네 것이 아니지, 그렇지?

3 해석 | A: Jessica, 네가 가장 좋아하는 후식은 뭐니?
B: 나는 아이스크림을 가장 좋아해.
어휘 | dessert 디저트, 후식

4 해석 | (1) 너는 노란색이 잘 어울려 보여.
(2) 얼음은 물을 차갑게 유지시켜 준다.

5 해설 | (1) some balloons는 복수이므로 are가 알맞다.
(2) an interview는 단수이므로 was가 알맞다.
해석 | (1) 하늘에 몇 개의 풍선이 있다.
(2) Daniel, 지난 일요일에 인터뷰가 있었니?
어휘 | balloon 풍선 interview 인터뷰

1 ②, ⑤ 2 ① 3 (1) Who (2) How (3) Which
4 (1) sour (2) clean 5 (1) There is a cat
(2) There are three paintings

1 해설 | 빈칸에는 주어 역할을 하는 to부정사 또는 동명사가 와야 한다. to부정사(구)나 동명사(구)가 주어 역할을 할 때 단수로 취급하여 단수 동사를 쓴다.
해석 | 불꽃놀이를 ②, ⑤ 보는 것은 정말 재미있다.
어휘 | fireworks 불꽃놀이

2 해설 | 주어(it) 이외에 명사(story)가 있으므로 What으로 시작하는 감탄문이 알맞다. / 앞 문장이 긍정문이므로 부가의문문은 부정문이 되어야 한다. 일반동사가 쓰인 경우 do동사를 이용해야 하는데 주어가 3인칭 단수이고 현재시제이므로 doesn't가 알맞다. 주어 Your sister는 대명사 she로 바꾼다. / 부정 명령문은 동사원형 앞에 Don't를 쓴다.
해석 | 그것은 정말 흥미로운 이야기구나! / 너의 여동생은 안경을 쓰지, 그렇지 않니? / 플라스틱 병을 버리지 마.
어휘 | throw away 버리다

3 해설 | (1) 팬케이크를 만든 사람이 누구인지 답했으므로 의문사 Who가 알맞다.
(2) 의문사 How는 형용사 또는 부사와 함께 쓰여 다양한 의문문을 만든다. How high ~?는 높이를 물을 때 쓴다.
(3) 둘 중 어느 것을 선택할지 묻고 있으므로 '어느 것'을 뜻하는 의문사 Which가 알맞다.
해석 | (1) A: 누가 이 팬케이크를 만들었니? B: Christina가 만들었어.
(2) A: 에베레스트 산은 얼마나 높니? B: 8,849미터야.
(3) A: 너는 돼지고기와 소고기 중 어느 것을 선호하니? B: 나는 소고기를 선호해.
어휘 | prefer 선호하다 pork 돼지고기 beef 소고기

4 해설 | (1) 2형식 문장이며 감각동사 taste의 보어로 형용사가 필요하다. 따라서 '맛이 신[시큼한]'이라는 의미의 형용사 sour로 고쳐야 한다.
(2) 5형식 문장으로 keep은 '~을 …하게 유지시키다'라는 의미이다. 이때 목적격 보어로 형용사가 와야 하므로 형용사 clean으로 고쳐야 한다.
해석 | (1) 이 사과는 신 맛이 나.
(2) 우리는 이 공원을 깨끗하게 유지시켜야 해.
어휘 | taste ~한 맛이 나다 sourly 시게

5 해설 | There is는 단수 명사와, There are는 복수 명사와 함께 쓴다.
해석 | 〈보기〉 방 안에 소파가 하나 있다.
(1) 소파 위에 고양이 한 마리가 있다.
(2) 벽에 세 개의 그림이 있다.

1주 2일 필수 체크 전략 ❶ pp. 12~15

전략 1 필수 예제

해설 | ⑤ to부정사가 someone을 꾸며 주는 형용사적 용법으로 쓰였다. 나머지는 모두 명사적 용법이다. ① 주어 역할 ② 목적어 역할 ③ 주어 역할 ④ 보어 역할
해석 | ① 다른 사람을 돕는 것은 너를 돕는 것이다.
② 우리는 언젠가 그 섬을 방문하기를 원한다.
③ 안전수칙을 지키는 것은 중요하다.
④ 내 계획은 그 프로젝트를 다음 주까지 끝내는 것이다.
⑤ 그녀는 그녀의 고양이를 돌봐 줄 누군가가 필요하다.
어휘 | island 섬 safety rule 안전수칙 take care of ~을 돌보다

확인 문제

1 ④ 2 to ride

1 해설 | 목적을 나타내는 to부정사는 in order to와 바꿔 쓸 수 있다. ④ to read는 '읽기 위해'라는 의미로 목적을 나타내므로 in order to read로 바꿔 쓸 수 있다. ① 명사적 용법(주어 역할) ② 부사적 용법(감정의 원인) ③ 명사적 용법(목적어 역할) ⑤ 형용사적 용법
해석 | ① 미안하다고 말하는 것은 내게 어렵다.
② 나는 팀에 합류하게 되어 정말 기쁘다.
③ 그는 운전면허증을 따기를 바란다.
④ 나는 편지를 읽기 위해 불을 켰다.
⑤ 냉장고에 먹을 것이 아무것도 없다.
어휘 | pleased 기쁜 driver's license 운전면허증 turn on (전기 · 가스 등을) 켜다 refrigerator 냉장고

2 해설 | '~하는 것, ~하기'라는 의미가 되도록 동사의 목적어 역할을 하는 to부정사를 써야 한다.

전략 2 필수 예제

해설 | ① plan은 to부정사를 목적어로 쓰는 동사이므로 동명사인 practicing 앞에 올 수 없다. enjoy와 quit은 동명사를 목적어로 쓰는 동사이고, like와 hate는 to부정사와 동명사를 둘 다 목적어로 쓸 수 있다.
해석 | 그 어린 아이는 기타 연습을 ② 즐긴다 / ③ 좋아한다 / ④ 싫어했다 / ⑤ 그만두었다.

확인 문제

1 ③ 2 talking on the phone

1 해설 | finish, keep, avoid는 동명사를 목적어로 쓰는 동사이고 decide와 want는 to부정사를 목적어로 쓰는 동사이다. ③ → talking
해석 | ① 나는 막 눈사람 만들기를 끝냈다.
② 그녀는 다른 학교로 전학 가기로 결정했니?
④ Kate는 엄마의 눈을 보는 것을 피했다.
⑤ 그들은 배드민턴 동아리에 가입하기를 원했다.
어휘 | snowman 눈사람 move to another school 전학 가다 avoid 피하다

2 해설 | 「stop+동명사」는 '~하는 것을 멈추다'라는 의미이다.
해석 | 제발 통화하는 것 좀 멈춰 줄래? 나는 공부에 집중할 수가 없어.
어휘 | concentrate on ~에 집중하다

전략 3 필수 예제

해설 | ①은 be동사와 함께 쓰여 진행형을 만드는 현재분사이다. 나머지는 모두 명사 역할을 하는 동명사이다.
② 주격 보어 역할을 하는 동명사
③ 전치사의 목적어 역할을 하는 동명사
④ 동사의 목적어 역할을 하는 동명사
⑤ 주어 역할을 하는 동명사
해석 | ① 그 아기는 큰 소리로 울고 있다.
② Mia의 직업은 아픈 동물을 치료하는 것이다.
③ Ted는 곡을 잘 쓴다.
④ 그녀는 경주를 위해 달리기를 연습했다.
⑤ 잠자는 것은 너의 건강에 중요하다.
어휘 | loudly 크게 treat 치료하다 be good at ~을 잘하다 race 경주

확인 문제

1 ③ 2 Sam은 쿠키 굽는 것을 즐긴다.

1 해설 | ⓐ와 ⓓ는 주격 보어로 쓰인 동명사이다. ⓑ와 ⓒ는 be동사와 함께 진행형을 만드는 현재분사이다.
해석 | ⓐ 그의 나쁜 습관은 손톱을 물어 뜯는 것이다.
ⓑ 그녀는 어젯밤에 영화를 보고 있었다.
ⓒ 그는 체육관에서 농구를 연습하고 있니?
ⓓ 내 꿈은 가난한 어린이들을 위해 학교를 짓는 것이다.
어휘 | bite one's nails 손톱을 물어 뜯다

2 해설 | 주어진 문장에서 baking은 동사의 목적어로 쓰인 동명사이므로 '굽는 것'으로 해석해야 한다.

전략 4 필수 예제

해설 | 학교에 가는 교통수단을 물을 때 의문사 How를 이용한다. How far ~?는 '얼마나 먼 ~'이라는 의미로 거리를 묻는 표현이다.
해석 | 너는 어떻게 학교에 가니? 버스로? / 여기서 네 집까지 얼마나 머니?

확인 문제

1 ⑤ 2 (1) When does the movie start? (2) How much water do you drink

1 해설 | ⑤는 둘 중 하나를 선택하라는 질문이므로 의문사 Which가 와야 한다.
해석 | ① 너는 몇 학년이니?
② 너는 지금 무엇을 읽고 있니?
③ 너의 여동생은 어떻게 생겼니?
④ 너는 여가에 무엇을 하니?
⑤ 너는 여름과 겨울 중 어느 것을 더 좋아하니?
어휘 | free time 여가

2 해설 | (1) 일반동사가 쓰인 경우 「의문사+do/does/did+주어+동사원형 ~?」의 어순으로 쓴다.
(2) 「How much+셀 수 없는 명사+do/does/did+주어+동사원형 ~?」의 어순으로 쓴다.

1주 2일 필수 체크 전략 ❷ pp. 16~17

1 to borrow 2 ① 3 ③ 4 close → closing
5 ④ 6 How many tomatoes do you need?

1 해설 | '~하기 위해'라는 의미의 목적을 나타내는 to부정사를 이용해야 한다.
해석 | Helen은 책을 빌리기 원해서 도서관에 갔다. = Helen은 책을 빌리기 위해 도서관에 갔다.

2 해설 | ①은 감정의 원인을 나타내는 부사적 용법으로 쓰였다. ② 명사적 용법(목적어 역할) ③ 명사적 용법(주어 역할) ④ 명사적 용법(보어 역할) ⑤ 명사적 용법(목적어 역할)
해석 | ① 나는 별똥별을 봐서 신이 났다.
② 그는 매일 그의 개를 산책시키겠다고 약속했다.
③ 다른 나라의 문화에 대해 배우는 것은 재미있다.
④ Jennifer의 목표는 자신의 꽃가게를 운영하는 것이다.
⑤ 그는 생일선물로 자전거를 받기를 원한다.

어휘 | shooting star 별똥별 walk 산책시키다 culture 문화 run 운영하다 own 자신의

3 해설 | ③ Why didn't you ~?는 '너는 왜 ~하지 않았니?'라는 의미로 이유를 묻는 질문이다. 따라서 because로 대답하는 것이 자연스럽다. That sounds great.은 '~하는 게 어때?'라는 의미의 Why don't you ~?에 대한 수락의 답으로 적절하다.
해석 | ① A: 누가 네 안경을 깨뜨렸니? B: Lily가 그랬어.
② A: 스테이크 맛이 어땠니? B: 맛있었어.
③ A: 너는 왜 파티에 오지 않았니? B: 그것은 좋은 생각이야.
④ A: 너는 얼마나 자주 네 고양이에게 먹이를 주니? B: 하루에 두 번.
⑤ A: 너는 무슨 과목을 가장 좋아하니? B: 나는 과학을 가장 좋아해.
어휘 | feed 먹이를 주다 twice 두 번 subject 과목

4 해설 | mind는 동명사를 목적어로 쓰는 동사이므로 close를 동명사 closing으로 고쳐야 한다.
해석 | 남: 창문을 닫아도 되니? 여: 물론이야.
어휘 | mind 꺼리다, 싫어하다

5 해설 | 〈보기〉와 ④는 주격 보어로 쓰인 동명사이다. 나머지는 모두 be동사와 함께 쓰여 진행형을 만드는 현재분사이다.
해석 | 〈보기〉 내가 가장 좋아하는 취미는 만화책을 읽는 것이다.
① 그녀의 팬들은 기뻐서 소리치고 있다.
② Peter는 바닥에서 자고 있었니?
③ Stephanie는 양파를 썰고 있다.
④ 우리 삼촌의 직업은 중고차를 판매하는 것이다.
⑤ 내 친구들과 나는 스키를 타러 가려고 계획 중이다.
어휘 | shout 소리치다 with joy 기뻐서 on the floor 바닥에서 used car 중고차

6 해설 | 「How many+셀 수 있는 명사+do/does/did+주어+동사원형 ~?」의 어순으로 쓴다.
해석 | A: 당신은 몇 개의 토마토가 필요한가요?
B: 전 토마토 5개가 필요해요.

1주 3일 필수 체크 전략 ❶ pp. 18~21

전략 1 필수 예제

해설 | 명령문은 동사원형으로 시작하므로 Stand가 알맞다. / 주어(it) 이외에 명사(watch)가 있으므로 What으로 시작하는 감탄문임을 알 수 있다. What으로 시작하는 감탄문은 「What(+a/an)+형용사+명사(+주어+동사)!」의 어순이다.
해석 | 줄을 서세요. / 그것은 정말 비싼 시계구나!
어휘 | stand in line 줄을 서다

확인 문제

1 ⑤ 2 (1) Don't tell it to Ben. (2) How smart the puppy is!

1 해설 | ⑤ 주어(it)를 제외한 명사(day)가 있으므로 빈칸에는 What이 알맞다. ①~④는 모두 빈칸 다음에 형용사/부사가 이어지고 주어를 제외했을 때 명사가 없으므로 How가 알맞다.
해석 | ① 그는 정말 빨리 달리는구나!
② 그녀는 노래를 정말 잘하는구나!
③ 그 소년은 정말 부지런하구나!
④ 그 책은 정말 지루했어!
⑤ 정말 아름다운 날이구나!
어휘 | diligent 부지런한 boring 지루한 lovely 사랑스러운, 아름다운

2 해설 | (1) 부정 명령문은 「Don't+동사원형 ~.」의 형태이다.
(2) 「How+형용사+주어+동사!」의 어순으로 쓴다.
해석 | (1) 그것을 Ben에게 말해라. → 그것을 Ben에게 말하지 마.
(2) 그 강아지는 정말 똑똑하다. → 그 강아지는 정말 똑똑하구나!

전략 2 필수 예제

해설 | 앞 문장이 긍정문이므로 부가의문문은 부정문으로 써야 하며, be동사는 그대로 쓴다. 주어는 3인칭 복수이므로 대명사 they로 바꿔 쓴다.
해석 | Anderson 씨 부부는 휴가 중이지, 그렇지 않니?
어휘 | on vacation 휴가 중인

확인 문제

1 ⑤ 2 was it, No, it wasn't

1 해설 | ⑤ 앞 문장이 긍정문이므로 부가의문문은 부정문이 되어야 하고 일반동사가 쓰인 경우 do동사를 이용해야 하는데 과거시제이므로 didn't를 쓴 다음 주어 you를 써야 한다.
① 조동사는 부가의문문에서 그대로 쓴다. → can they
② 앞 문장에서 일반동사의 3인칭 단수 현재형이 쓰였으므로 does를 이용해야 한다. → doesn't he
③ 앞 문장이 긍정문이므로 부가의문문은 부정문이 되어야

하고, 주어인 This picture는 대명사 it으로 바꿔야 한다. → isn't it

④ 앞 문장이 일반동사가 쓰인 부정문이므로 부가의문문은 긍정문이 되어야 하며, does를 이용해야 한다. → does she

어휘 | Spanish 스페인어 wonderful 놀라운, 훌륭한 niece 조카딸

2 해설 | 앞 문장이 부정문이므로 부가의문문은 긍정문으로 써야 하고, be동사는 그대로 쓴다. 주어 The food는 대명사 it으로 바꾼다. 음식이 너무 짰다는 말이 이어지는 것으로 보아 음식이 맛없었다는 내용이 되어야 하므로 No로 답한다.

해석 | A: 음식이 맛없었지, 그렇지?

B: 응, 맛이 없었어. 그건 너무 짰어.

어휘 | salty 짠, 짠 맛이 나는

전략 3 필수 예제

해설 | 「There is ~」는 단수 명사 또는 셀 수 없는 명사와 함께 써야 하므로 복수형인 ③은 빈칸에 들어갈 수 없다.

해석 | 식탁에 ① 꽃병 하나가 / ② 책 한 권이 / ④ 계란 하나가 / ⑤ 약간의 빵이 있다.

확인 문제

1 ① 2 (1) It sounds strange. (2) Is there an animal hospital near here?

1 해설 | 첫 번째 문장은 2형식인 「주어+감각동사+주격 보어」의 형태로 주격 보어 자리에는 형용사가 와야 한다. 두 번째 문장은 5형식인 「주어+동사+목적어+목적격 보어」의 형태로 목적격 보어 자리에 형용사가 와야 한다.

해석 | 이 스웨터는 부드러운 느낌이 난다. / 그 소식은 모두를 슬프게 만들었다.

어휘 | feel ~한 느낌이 들다 soft 부드러운 softly 부드럽게 sadly 슬프게 sadness 슬픔

2 해설 | (1) sound는 '~하게 들리다'라는 의미의 감각동사이고, 주격 보어 자리에는 형용사를 써야 한다.

(2) 「Is there+주어(단수 명사) ~?」는 '~이 있니?'라는 의미이다.

전략 4 필수 예제

해설 | 4형식을 3형식으로 바꿀 때 간접목적어와 직접목적어의 위치를 바꾸고, 간접목적어 앞에 전치사를 써야 한다. show는 전치사 to를 쓰는 동사이다.

해석 | Bella는 그들에게 앨범을 보여주었다.

확인 문제

1 ②, ④ 2 Ms. Dale teaches math to the students.

1 해설 | 「주어+동사+직접목적어(~을)+전치사+간접목적어(~에게)」로 이루어진 3형식 문장이다. 전치사 for를 쓰는 동사는 make와 buy이며 give, send, pass는 전치사 to를 쓰는 동사이다.

해석 | 그 노부인은 아이에게 쿠키를 ② 만들어 주었다 / ④ 사 주었다.

2 해설 | 주어진 문장은 4형식으로 간접목적어인 the students와 직접목적어인 math의 위치를 바꿔야 한다. teach는 전치사 to를 쓰는 동사이므로 간접목적어 the students 앞에 to를 쓴다.

해석 | Dale 선생님은 학생들에게 수학을 가르친다.

1주 3일 필수 체크 전략 ❷ pp. 22~23

1 ①, ③, ⑤ 2 ① 3 (1) There is a pillow (2) There are five books (3) There are three balls (4) There is a lamp 4 (1) She bought her son a cap. (2) She bought a cap for her son. 5 doesn't she, Yes, she does 6 ④

1 해설 | 감각동사 look 다음에는 주격 보어로 형용사가 와야 한다. ②와 ④는 부사이므로 빈칸에 들어갈 수 없다.

해석 | 너는 ① 속상해 / ③ 피곤해 / ⑤ 사랑스러워 보인다.

어휘 | upset 속상한 calmly 침착하게 lovely 사랑스러운

2 해설 | ① sugar는 셀 수 없는 명사이므로 be동사는 단수형인 is가 알맞다.

② 부정 명령문은 Don't 다음에 동사원형을 써야 한다. → forget

③ 주어(this cake) 이외에 명사가 없으므로 How로 시작하는 감탄문이 되어야 한다. → How

④ 「5형식 동사 keep+목적어+목적격 보어」는 '~을 …하게 유지시키다'라는 의미이며 목적격 보어로 형용사가 와야 한다. → fresh

⑤ 앞 문장이 부정문이므로 부가의문문은 긍정문으로 써야 한다. → was he
해석 | ① 설탕이 하나도 없다.
어휘 | lock 잠그다 freshly 신선하게

3 해설 | There is 다음에는 단수 명사가 와야 하고, There are 다음에는 복수 명사가 와야 한다.
해석 | (1) 침대 위에 베개 하나가 있다.
(2) 선반 위에 다섯 권의 책이 있다.
(3) 바닥에 세 개의 공이 있다.
(4) 서랍장 위에 램프 하나가 있다.
어휘 | pillow 베개 shelf 선반 floor 바닥 drawer 서랍장

4 해설 | 4형식은 「주어+동사+간접목적어(~에게)+직접목적어(~을)」의 어순으로 쓰고, 3형식은 「주어+동사+직접목적어(~을)+전치사+간접목적어(~에게)」의 어순으로 써야 한다. buy, make, cook, get, find, build 등은 전치사 for를 쓰는 동사이다.
해석 | 그녀는 그녀의 아들에게 모자 하나를 사 주었다.

5 해설 | 앞 문장이 긍정문이므로 부가의문문은 부정문이 되어야 한다. 앞 문장에 일반동사의 3인칭 단수 현재형이 쓰였으므로 부가의문문은 doesn't를 쓴 다음 주어인 Sumin을 대명사 she로 고친다. 대답의 내용이 긍정이므로 Yes로 답한다.

6 해설 | ④ How funny the song was!로 바꿔 써야 한다.
해석 | ① 그녀는 매우 강하다. → 그녀는 정말 강하구나!
② 그것은 매우 훌륭한 그림이다. → 그것은 정말 훌륭한 그림이구나!
③ 그 원숭이는 매우 영리하다. → 그 원숭이는 정말 영리하구나!
⑤ 이것은 매우 싼 운동화이다. → 이것은 정말 싼 운동화구나!
어휘 | clever 똑똑한 funny 웃긴, 재미있는

1주 4일 교과서 대표 전략 ❶ pp. 24~27

1 ④ 2 ②, ⑤ 3 to meet 4 ⑤ 5 ① 6 ④ 7 ③ 8 ② 9 ② 10 Yes, there are 11 Mary named her cat Buddy. 12 ⑤ 13 ③ 14 ③ 15 ② 16 (1) I wrote him a birthday invitation card. (2) I wrote a birthday invitation card to him.

1 해설 | 첫 번째 빈칸에는 보어 역할을 하는 to부정사 또는 동명사가 가능하지만, plan이 to부정사를 목적어로 쓰는 동사이므로 두 번째 빈칸에는 to부정사만 가능하다. 따라서 공통으로 들어갈 수 있는 것은 to부정사이다.
해석 | 나의 새해 목표는 악기를 배우는 것이다. / 그녀는 방학 동안 독일어를 배우는 것을 계획 중이다.
어휘 | musical instrument 악기 German 독일어

2 해설 | to부정사는 문장에서 주어 역할을 할 수 있으며 to부정사가 주어로 쓰인 경우 주로 가주어 it을 앞에 쓰고 to부정사를 뒤로 보낸다. 이때 it은 해석하지 않는다.
어휘 | save 아끼다, 절약하다 electricity 전기 necessary 필수적인

3 해설 | 내가 흥분한 원인을 나타낸 문장이므로 to부정사를 이용하여 바꿔 쓸 수 있다.
해석 | 나는 내가 가장 좋아하는 가수를 만나서 흥분했다.
어휘 | excited 흥분한, 신이 난

4 해설 | 〈보기〉와 ①~④는 모두 앞의 명사를 꾸미는 형용사적 용법이고, ⑤는 목적을 나타내는 부사적 용법이다.
해석 | 〈보기〉 나는 마실 것을 원한다.
① 우리는 낭비할 시간이 없다.
② 한국에는 방문할 장소가 많이 있다.
③ 영어를 배우는 가장 좋은 방법은 무엇이니?
④ 여기 기억해야 할 간단한 사실이 있다.
⑤ 그는 우유를 사기 위해 상점에 갔다.
어휘 | waste 낭비하다 simple 간단한

5 해설 | need와 decide는 to부정사를 목적어로 쓰는 동사이고, practice는 동명사를 목적어로 쓰는 동사이다.
해석 | 우리는 음식물 쓰레기를 줄여야 할 필요가 있다. / 나는 캠프를 신청하기로 결심했다. / 그는 피아노 치기를 연습한다.
어휘 | food waste 음식물 쓰레기 sign up for ~을 신청하다

6 해설 | 빈칸에는 각각 ⓐ Who ⓑ Why ⓒ How ⓓ Which가 알맞다.
해석 | ⓐ 누가 네게 꽃을 보냈니?
ⓑ 더 머무르는 게 어때?
ⓒ 네 개는 몇 살이니?
ⓓ 너는 빨간 모자와 노란 모자 중 어느 것을 원하니?
어휘 | stay 머무르다

7 해설 | 「How long ~?」은 '얼마나 오래 ~?'라는 의미로 기간을 묻는 질문이다.
해석 | 제가 이 책들을 얼마나 오랫동안 빌릴 수 있나요?
① 네, 가능합니다.
② 7달러입니다.
③ 2주 동안입니다.
④ 2층에요.
⑤ 네, 그렇게 하세요.
어휘 | borrow 빌리다 floor 층

8 해설 | ② talking은 be동사와 함께 쓰여 진행형을 만드는

현재분사이고, 나머지는 모두 동명사이다.
① 주어 역할을 하는 동명사
③ 전치사의 목적어 역할을 하는 동명사
④ 보어 역할을 하는 동명사
⑤ 동사의 목적어 역할을 하는 동명사
해석 | ① 채소를 키우는 것은 시간이 든다.
② 그녀는 왜 선생님께 이야기하고 있니?
③ 나는 동아리 가입하는 것에 관심이 없다.
④ 내 취미는 힙합 음악을 듣는 것이다.
⑤ 너는 네 자신만의 보드 게임 만들기를 즐겼니?
어휘 | grow 기르다, 재배하다 take (얼마의 시간이) 걸리다 be interested in ~에 관심이 있다

9 해설 | There is 다음에는 단수 명사 또는 셀 수 없는 명사가 쓰인다. ⓑ '두 개의 침실들', ⓒ '많은 손님들', ⓕ '몇 마리의 쥐들'은 복수형이므로 쓸 수 없다.
해석 | 그 집에는 ⓐ 마당 / ⓓ 연기 / ⓔ 수영장이[가] 있다.
어휘 | yard 마당 a lot of 많은 guest 손님 smoke 연기 swimming pool 수영장

10 해설 | 「Are there+복수 명사 ~?」로 물었을 때 긍정의 대답은 Yes, there are.로 한다.
해석 | A: 물 위에 오리들이 있니?
B: 응, 있어.

11 해설 | 「name+목적어+목적격 보어」는 '~을 …라고 이름 짓다'라는 의미이며 목적격 보어로 명사를 쓴다.

12 해설 | ⑤ 앞 문장이 긍정문이므로 부가의문문은 부정문으로 쓰고 일반동사 과거형이 쓰였으므로 do의 과거형 did를 이용하여 didn't she로 고쳐야 한다.
① 명령문의 부가의문문은 「명령문, will you?」로 쓴다.
② 앞 문장이 부정문이므로 부가의문문은 긍정문으로 쓰고 조동사 can은 그대로 쓴다.
③ 앞 문장이 부정문이므로 부가의문문은 긍정문으로 쓰고 be동사는 그대로 쓴다.
④ 앞 문장이 긍정문이므로 부가의문문은 부정문으로 쓰고 일반동사가 쓰였으므로 do동사를 이용한다.
해석 | ① 불을 꺼줘, 그래주겠니?
② 그는 운전을 할 수 없지, 그렇지?
③ 그들은 방에 없었지, 그렇지?
④ 너는 쇼핑을 좋아하지, 그렇지 않니?
어휘 | turn off (전기 · 가스 등을) 끄다 novel 소설

13 해설 | ③ 주어(he) 이외에 명사(handwriting)가 쓰였으므로 What으로 시작하는 감탄문이 되어야 한다. How → What
해석 | ① 그들은 너를 모르지, 그렇지?
② 박물관에서 시끄럽게 하지 마라.
④ Alicia는 그녀의 아빠에게 선물을 드렸다.
⑤ 그들은 그 책이 재미있다는 것을 알았다.
어휘 | make noise 시끄럽게 하다 terrible 끔찍한, 형편없는 handwriting 필체, 필적

14 해설 | 감각동사 taste 다음에 주격 보어로 형용사를 써야 하므로 부사인 bitterly는 올 수 없다. 따라서 ③은 '맛이 쓴'이라는 의미의 형용사인 bitter로 고쳐야 한다.
해석 | 이 커피는 ① 맛이 훌륭하다 / ② 단 맛이 난다 / ④ 맛이 없다 / ⑤ 맛있다.
어휘 | sweet 달콤한 bitterly 비통하게; 몹시

15 해설 | send, pass, tell, show는 모두 전치사 to를 쓰는 동사이고 cook은 전치사 for를 쓰는 동사이다. 따라서 ②는 전치사 for가 와야 하고 나머지는 모두 to가 알맞다.
해석 | ① 나는 네게 사진을 몇 장 보낼게.
② Jones 씨는 그의 아내를 위해 점심을 요리했다.
③ Peter는 주장에게 공을 패스했다.
④ Jessica는 그녀의 남동생에게 무서운 이야기를 했다.
⑤ 그는 경찰관에게 그의 운전면허증을 보여주었다.
어휘 | captain 주장 scary 무서운 driver's license 운전면허증

16 해설 | 4형식 문장은 「주어+동사+간접목적어+직접목적어」의 어순이고, 3형식 문장은 「주어+동사+직접목적어+전치사+간접목적어」의 어순이다. write는 전치사 to를 쓰는 동사이다.
어휘 | invitation 초대

1주 4일 교과서 대표 전략 ❷

pp. 28~29

1 ③ **2** ④ **3** ① **4** to be, eating **5** What beautiful roses they are! **6** ① **7** badly → bad **8** ⑤

1 해설 | 첫 번째 문장은 앞 문장이 부정문이므로 부가의문문은 긍정문이 되어야 하며 be동사는 그대로 쓴다. 주어가 This이므로 부가의문문에서는 대명사 it으로 바꿔야 한다. 두 번째 문장은 앞 문장이 긍정문이므로 부가의문문은 부정문이 되어야 한다. 일반동사 과거시제이므로 didn't you가 알맞다.
해석 | 이것은 맞는 열쇠가 아니야, 그렇지? / 너는 엄청난 실수를 저질렀어, 그렇지 않니?
어휘 | make a mistake 실수하다 huge 거대한, 엄청난

2 해설 | 냉장고 안에 우유 두 팩이 있으므로 '우유가 없다'는 설명은 그림과 일치하지 않는다.
해석 | ① 계란 6개가 있다.

② 포도가 하나도 없다.
③ 피자 한 조각이 있다.
④ 우유가 조금도 없다.
⑤ 약간의 사과가 있다.

3 해설 | make, build, get, buy는 3형식으로 쓸 때 전치사 for가 필요하지만 teach는 전치사 to를 쓰는 동사이다.
해석 | ① 그녀는 우리에게 영어를 가르쳤다.
② 나는 내 개를 위해 개집을 만들었다.
③ 왕은 그의 왕비를 위해 궁전을 지었다.
④ 나는 네게 오렌지 주스를 가져다 줄게.
⑤ 그들은 그들의 아기를 위해 장난감을 샀다.
어휘 | palace 궁전

4 해설 | want는 to부정사를 목적어로 쓰는 동사이므로 to be로 고쳐 써야 하고, quit은 동명사를 목적어로 쓰는 동사이므로 eating으로 고쳐 써야 한다.
해석 | A: 나는 건강해지고 싶어.
B: 난 네가 지방이 많은 음식을 끊어야 한다고 생각해.
어휘 | fatty 지방이 많은

5 해설 | What으로 시작하는 감탄문은 「What(+a/an)+형용사+명사(+주어+동사)!」의 어순이다. 복수 명사나 셀 수 없는 명사가 올 경우 부정관사 a나 an을 쓰지 않는다.

6 해설 | 〈보기〉와 ⓑ는 동사의 목적어로 쓰인 명사적 용법의 to부정사이다. ⓐ 형용사적 용법 ⓒ 부사적 용법(목적) ⓓ 부사적 용법(목적) ⓔ 부사적 용법(감정의 원인)
해석 | 〈보기〉 그 아이들은 단것을 먹기 좋아한다.
ⓐ 우리는 살 것들이 몇 가지 있다.
ⓑ 그는 드디어 자전거 타기를 배웠다.
ⓒ 나는 그를 데리고 오기 위해 공항에 갔다.
ⓓ Brad는 훌륭한 댄서가 되기 위해 열심히 연습했다.
ⓔ 나는 그와 시간을 보내서 행복했다.
어휘 | sweet 단것 several 몇몇의 finally 드디어, 마침내 pick up 데리고 오다 spend time with ~와 시간을 보내다

7 해설 | 감각동사 smell 다음에는 주격 보어가 오고, 이때 주격 보어는 형용사가 올 수 있다. 따라서 부사 badly를 형용사 bad로 고쳐야 한다.
해석 | 그 수프는 냄새가 고약하다.

8 해설 | 「stop+to부정사」는 '~하기 위해 멈추다'라는 의미이고, 「stop+동명사」는 '~하는 것을 멈추다'라는 의미이다. 따라서 ⑤는 I stopped to watch the parade.로 쓰는 것이 알맞다.
어휘 | chopstick 젓가락 give up 포기하다 lawyer 변호사 parade 행진, 퍼레이드

1주 누구나 합격 전략 pp. 30~31

1 ② 2 Why 3 ③ 4 ① 5 wasn't it, Yes, it was
6 ④ 7 ⑤ 8 ④ 9 ② 10 (1) Don't run (2) Wear

1 해설 | enjoy는 동명사를 목적어로 쓰는 동사이므로 빈칸에 들어갈 수 없다. want, hope, decide는 to부정사를 목적어로 쓰는 동사이고, love는 to부정사와 동명사를 둘 다 목적어로 쓸 수 있다.
해석 | ①, ③ Ralph는 새 친구를 사귀기를 원한다. / ④ Ralph는 새 친구를 사귀기로 결심했다. / ⑤ Ralph는 새 친구 사귀기를 좋아한다.

2 해설 | 이유나 원인을 물어볼 때 의문사 why를 쓴다.
해석 | A: 너는 왜 수업에 늦었니?
B: 왜냐하면 버스를 놓쳤거든.
어휘 | be late for ~에 늦다 miss 놓치다

3 해설 | ③은 동사 promise의 목적어 역할을 하므로 명사적 용법이고 나머지는 모두 목적을 나타내는 부사적 용법이다.
해석 | ① 건강을 유지하기 위해, 나는 매일 조깅을 한다.
② 그녀는 프랑스에서 직장을 얻기 위해 프랑스어를 배웠다.
③ Jonathan은 그녀의 컴퓨터를 고쳐 주겠다고 약속했다.
④ 나는 뉴스를 보기 위해 TV를 켰다.
⑤ Sarah는 그녀의 캠핑 여행을 위한 짐을 싸기 위해 집에 일찍 갔다.
어휘 | go jogging 조깅하러 가다 fix 고치다, 수리하다 pack 짐을 싸다

4 해설 | (A) 동사 ask는 4형식 문장에서 3형식 문장으로 전환할 때 간접목적어 앞에 전치사 of를 쓴다.
(B) 감각동사 look의 주격 보어는 형용사 nice가 알맞다.
(C) 「keep+목적어+목적격 보어」는 '~을 …하게 유지시키다'라는 의미로 이때 목적격 보어는 형용사 safe가 알맞다.
해석 | 기자는 그에게 많은 질문을 했다. / 이 가방은 멋져 보인다. / 안전벨트를 매는 것은 너를 안전하게 해준다.
어휘 | reporter 기자 seat belt 안전벨트 safe 안전한

5 해설 | 앞 문장이 긍정문이므로 부가의문문은 부정문을 쓰고, be동사는 그대로 쓴다. 주어인 The final exam은 대명사 it으로 바꾼다. 부가의문문에 대한 대답은 질문의 긍정, 부정과는 상관없이 답하는 내용이 긍정이면 Yes, 부정이면 No로 한다.

6 해설 | How로 시작하는 감탄문은 「How+형용사/부사(+주어+동사)!」의 어순이고, What으로 시작하는 감탄문은 「What(+a/an)+형용사+명사(+주어+동사)!」의 어순으로 쓴다. ④는 How fast the cheetah runs!로 고쳐야 한다.

해석 | ① 정말 흥미진진하구나!
② 그것들은 정말 화려하구나!
③ 그녀는 정말 재능 있는 가수구나!
⑤ 정말 불운한 날이었어!
어휘 | exciting 흥미진진한 colorful 화려한 talented 재능이 있는 unlucky 운이 없는, 불운한

7 해설 | 〈보기〉와 ⑤는 문장에서 명사 역할을 하는 동명사로 '~하는 것, ~하기'로 해석한다. ①~④는 모두 진행형에 쓰인 현재분사이다.
해석 | 〈보기〉 너는 종이컵을 쓰는 것을 피해야 한다.
① 작업자들은 마스크를 끼고 있다.
② 그 개는 왜 네게 짖고 있니?
③ David는 만화책을 읽고 있지 않았다.
④ 그들은 정원에서 꽃을 심는 중이니?
⑤ 그의 주요 목표는 챔피언이 되는 것이다.
어휘 | avoid 피하다 bark 짖다 plant (나무 등을) 심다 main 주요한 championship 챔피언

8 해설 | There is ~는 단수 명사 또는 셀 수 없는 명사와 함께 쓰고, There are ~는 복수 명사와 함께 쓴다. butter는 셀 수 없는 명사이므로 ④는 is가 알맞다.
해석 | ① 다른 질문이 있나요?
② 접시 위에 3개의 도넛이 있다.
③ 경기장에 많은 사람들이 있다.
④ 냉장고에 버터가 약간 있다.
⑤ 여기는 볼 곳이 많이 있다.
어휘 | plate 접시 stadium 경기장

9 해설 | ① 「가주어 It ~ 진주어(to부정사)」 구문이며 learn을 to learn으로 고쳐야 한다.
② to부정사는 부사적 용법으로 쓰여 감정의 원인을 나타낸다.
③ finish는 동명사를 목적어로 쓰는 동사이므로 washing으로 고쳐야 한다.
④ plan은 to부정사를 목적어로 쓰는 동사이므로 to go로 고쳐야 한다.
⑤ '그녀는 편지를 부치기 위해 우체국에 갔다'는 내용이 되어야 하므로 to send로 고쳐야 한다.
해석 | ② 나는 그 소식을 듣고 놀랐다.
어휘 | helpful 유용한, 도움이 되는 surprised 놀란 go hiking 하이킹을 가다

10 해설 | 긍정 명령문은 동사원형으로 시작하고 부정 명령문은 Don't 다음에 동사원형을 쓴다.
해석 | (1) 수영장 근처에서 뛰지 마, 민수야.
(2) 수영모를 쓰렴, 지나야.

1주 창의·융합·코딩 전략 ❶, ❷ pp. 32~35

1 (1) Yes, there is (2) No, there aren't (3) Yes, there are (4) No, there isn't **2** (1) ⓑ → delicious (2) ⓒ → for **3** (1) to film a movie (2) to interview the actor **4 Step 1** don't you, can you, No, can't **Step 2** (1) eating (2) to eat[eating] **5** How smart you are **6** (1) to buy (2) to save (3) Don't (4) to **7** ⓑ 5 ⓒ 4 ⓓ 2 ⓔ 5 ⓕ 3 **8** (1) showed us his garden (2) What an amazing garden this is

1 해설 | 수박과 레몬은 있다고 답해야 하고, 양파와 우유는 없다고 답해야 한다. Is there ~?로 물을 때 긍정의 대답은 Yes, there is.로 하고, 부정의 대답은 No, there isn't.로 한다. Are there ~?로 물을 때 긍정의 대답은 Yes, there are.로 하고, 부정의 대답은 No, there aren't.로 한다.
해석 | 〈보기〉 냉장고에 당근이 있니? — 응, 있어.
(1) 냉장고에 수박이 있니? — 응, 있어.
(2) 냉장고에 양파가 있니? — 아니, 없어.
(3) 냉장고에 레몬이 있니? — 응, 있어.
(4) 냉장고에 우유가 있니? — 아니, 없어.
어휘 | fridge 냉장고

2 해설 | (1) 감각동사 look 다음에 주격 보어로 형용사가 와야 한다. 따라서 부사인 deliciously를 형용사 delicious로 고쳐야 한다.
(2) 「make+직접목적어+전치사+간접목적어」는 '~에게 …을 만들어 주다'라는 의미이고 동사 make, cook, buy 등은 3형식으로 쓰일 때 전치사 for를 쓴다.
해석 | 여: 안녕, Chris. 이 머핀들 어떻게 생각하니?
남: 정말 맛있어 보여. 네가 직접 그것들을 만들었니?
여: 응. 나는 Rachel을 위해 이 머핀들을 만들었어. 오늘은 그녀의 생일이고 나는 그녀를 행복하게 만들고 싶어.
남: 너는 정말 친절하구나!
어휘 | deliciously 맛 좋게

3 해설 | 주어진 표현을 to부정사로 바꿔서 목적을 나타낼 수 있다.
해석 | (1) Robert는 영화를 촬영하기 위해 여기 왔다.
(2) Jean은 배우를 인터뷰하기 위해 여기 왔다.
어휘 | film 촬영하다

4 해설 | **Step 1** 앞 문장이 긍정문이면 부가의문문은 부정문으로 쓰고, 앞 문장이 부정문이면 부가의문문은 긍정문으로 쓴다. 앞 문장에 일반동사가 쓰이면 시제와 인칭에 따라 do/does/did를 쓴다. 앞 문장에 be동사나 조동사가 쓰이면 부

가의문문에도 그대로 쓴다. 부가의문문에 대한 대답은 대답하는 내용이 긍정이면 Yes, 부정이면 No를 쓴다.

Step 2 enjoy는 동명사를 목적어로 쓰는 동사이고, like는 to부정사와 동명사를 모두 목적어로 쓸 수 있다.

해석 | Amy: 이 라면은 맛이 환상적이야!

Sam: 너는 매운 음식을 정말 좋아하지, 그렇지 않니?

Amy: 응, 맞아. 그리고 너는 매운 음식을 못 먹지, 그렇지?

Sam: 응, 못 먹어. 나는 절대 매운 음식을 먹지 않아.

Amy는 매운 음식 먹는 것을 즐기지만 Sam은 매운 음식 먹는 것을 좋아하지 않는다.

어휘 | fantastic 환상적인 spicy 매운

5 **해설** | keep, finish는 동명사를 목적어로 쓰는 동사이고 decide, expect는 to부정사를 목적어로 쓰는 동사이다. 따라서 ⓐ, ⓑ, ⓑ, ⓐ의 순으로 선택한다.

해석 | (1) 그 개는 나를 향해 계속 짖었다. (2) Linda는 중국으로 여행 가기로 결정했다. (3) Jamie는 경주에서 이기기를 기대했다. (4) 너는 벽을 칠하는 것을 끝냈니?

어휘 | bark 짖다 take a trip to ~로 여행 가다 expect 기대하다 win 이기다 race 경주

6 **해설** | (1) want는 to부정사를 목적어로 쓰는 동사이다. '싼 가격에 물건을 사는 것'을 원하는지 묻는 것이 자연스러우므로 to buy가 알맞다. (2) 벼룩시장의 물건들이 싸다는 내용이 이어지므로 목적을 나타내는 to save를 넣어 '돈을 절약하기 위해'라는 의미가 되어야 한다. (3) 뒤에 오래된 물건들을 가지고 오라는 말이 이어지므로 물건들을 버리지 말라는 부정 명령문을 만드는 것이 알맞다. 따라서 Don't로 시작해야 한다. (4) bring은 4형식을 3형식으로 전환할 때 간접목적어 앞에 전치사 to를 쓰는 동사이다.

해석 | 〈벼룩시장〉 싼 가격에 물건을 사기 원하세요? 많은 사람들이 돈을 절약하기 위해 저희 벼룩시장에 와서 쇼핑을 합니다. 대부분의 물건들이 5,000원 이하예요. 오셔서 돈을 절약하는 것이 어때요? 언제: 매달 4번째 일요일 오전 11시–오후 6시 / 어디서: Green 공원에서

더 많은 정보를 원하시면 *www.fleamarket.org*를 방문하세요.

저희는 판매자를 환영합니다! 여러분의 낡은 물건들을 버리지 마세요. 그것들을 저희에게 가져오세요!

어휘 | flea market 벼룩시장 at a low price 싼 가격에 item 물건, 상품 seller 판매자 stuff 물건

7 **해설** | ⓐ「주어+동사+부사」로 이루어진 1형식 문장이다.

ⓑ「주어+동사+목적어+목적격 보어」로 이루어진 5형식 문장이다. 이때 목적격 보어는 명사인 a hero이다.

ⓒ「주어+동사+간접목적어+직접목적어」로 이루어진 4형식 문장이다.

ⓓ「주어+동사+주격 보어」로 이루어진 2형식 문장이다. taste는 감각동사로서 주격 보어 자리에는 형용사가 온다.

ⓔ「주어+동사+목적어+목적격 보어」로 이루어진 5형식 문장이다. 이때 목적격 보어는 형용사 busy이다.

ⓕ「주어+동사+목적어」로 이루어진 3형식 문장이다.

해석 | ⓐ 그 소년들은 시끄럽게 수다를 떨었다. ⓑ 모든 사람이 그를 영웅이라고 부른다. ⓒ Tiffany는 내게 엽서를 보냈다. ⓓ 그의 애플파이는 맛이 훌륭하다. ⓔ 방문객들은 그를 계속 바쁘게 했다. ⓕ 그녀는 많은 유명한 책들을 썼다.

어휘 | chat 수다를 떨다 loudly 큰 소리로, 시끄럽게 hero 영웅 postcard 엽서 visitor 방문객 famous 유명한

8 **해설** | (1) 4형식 문장으로 완성한다. 동사 showed 다음에 '우리에게'라는 의미의 간접목적어 us를 쓰고 '그의 정원을'이라는 의미의 직접목적어 his garden을 쓴다.

(2) 감탄문은 How 또는 What으로 시작할 수 있는데, How amazing this garden is!는 5단어이므로 6개의 단어 카드를 써야 하는 조건을 충족시키지 않는다. 따라서 What으로 시작하는 감탄문으로 완성해야 한다. amazing은 첫소리가 모음으로 시작하므로 부정관사는 an을 써서 「What+an+형용사+명사+주어+동사!」의 어순으로 배열한다.

2주 형용사와 부사, 비교, 전치사, 접속사

해석 | 1 고속도로에 차가 거의 없다.

2 여: 어떤 케이크를 사야 할까? 남: 딸기 케이크가 초콜릿 케이크보다 더 비싸. 더 싼 것을 사자. 여: 좋아.

3 여1: Judy, 어느 것이 네 튜브니? 여2: 의자 옆에 있어요.

4 여: 나는 내 방을 청소한 후에 내 개를 씻겼다.

2주 1일 개념 돌파 전략 ❶

pp. 38~41

개념 1 Quiz 해설 | (1) 명사 soldier를 꾸며 주는 역할을 하는 형용사가 필요하다.
(2) 동사 solved를 꾸며 주는 역할을 하는 부사가 필요하다.
(3) friend는 셀 수 있는 명사이므로 a few가 알맞다.
해석 | (1) 그는 용감한 군인이었다.
(2) 우리는 문제를 쉽게 풀었다.
(3) 그녀는 몇 명의 친구들이 있다.
어휘 | brave 용감한 soldier 군인 solve 풀다, 해결하다

개념 2 Quiz 해설 | 대부분의 경우 형용사와 부사에 각각 -(e)r과 -(e)st를 붙여 비교급과 최상급을 만든다. ⓒ useful은 -ful로 끝나므로 단어의 앞에 more와 most를 붙인다. (useful – more useful – most useful) ⓓ fat은 「단모음+단자음」으로 끝나므로 마지막 자음을 한 번 더 쓰고 -er / -est를 붙인다. (fat – fatter – fattest) ⓔ pretty는 「자음+-y」로 끝나므로 y를 i로 고치고 -er / -est를 붙인다. (pretty – prettier – prettiest)
어휘 | useful 유용한 fat 뚱뚱한

1-2 ① **2-2** (1) smarter (2) the smartest

1-1 해석 | (1) 비가 심하게 왔다.
(2) 나는 이상한 이야기를 들었다.
(3) 분명하게 말해 주세요.
어휘 | heavily 심하게 strangely 이상하게 clear 분명한, 명백한 clearly 분명히, 명백히

1-2 해설 | ① 주어의 상태를 설명하므로 형용사인 serious로 고쳐야 한다.
② 명사 dream을 꾸미는 형용사가 알맞게 쓰였다.
③ 문장 전체를 꾸미므로 부사가 알맞게 쓰였다.
해석 | ② 나는 어젯밤에 무서운 꿈을 꾸었다.
③ 다행히도, 다친 사람은 아무도 없었다.
어휘 | situation 상황 become ~해지다, ~이 되다 seriously 심각하게 scary 무서운 fortunately 다행히도 hurt 다친

2-1 해석 | (1) 〈The Mars〉는 〈Bailey〉보다 더 길다.
(2) 〈Bailey〉는 〈The Mars〉보다 더 웃기다.

2-2 해설 | 지능이 높은 순으로 나열하면 돌고래 > 코끼리 > 돼지 > 고양이 > 앵무새이다.
(1) 빈칸 뒤에 than이 있는 것으로 보아 비교급이 와야 한다. 돼지가 고양이보다 더 똑똑하다는 의미가 되도록 smart 다음에 -er을 붙여 비교급을 만든다.
(2) 돌고래는 다섯 중 가장 똑똑하므로 빈칸에는 최상급이 와야 한다. smart의 최상급은 -est를 붙여 만들고 최상급 앞에 the를 쓴다.
해석 | (1) 돼지는 고양이보다 더 똑똑하다.
(2) 돌고래는 다섯 중 가장 똑똑하다.

개념 3 Quiz 해설 | (1) 연도 앞에는 전치사 in을 쓴다.
(2) 구체적인 시각 앞에는 전치사 at을 쓴다.
(3) 표면에 접한 상태를 나타낼 때 전치사 on을 쓴다.
해석 | (1) 그들은 2020년에 결혼했다.
(2) 뮤지컬은 3시 30분에 시작한다.
(3) 벽에 그림이 있다.
어휘 | get married 결혼하다

개념 4 Quiz 해설 | (1) 명사절을 이끄는 접속사 that이 필요하다.
(2) '~할 때'라는 의미로 시간을 나타내는 부사절을 이끄는 접속사는 when이다.
어휘 | toothache 치통

3-2 (1) at (2) in (3) on **4-2** After

3-1 해석 | 21번째 FIFA 월드컵은 2018년에 러시아에서 개최되었다.
어휘 | take place 개최되다, 일어나다

3-2 해설 | (1) 특정한 시점을 나타내는 말 앞에는 전치사 at을 쓴다.
(2) 월 앞에는 전치사 in을 쓴다.
(3) 밸런타인데이는 특정한 날이므로 전치사 on을 쓴다.
해석 | (1) Nick은 자정에 자러 갔다.
(2) 5월에는 대개 날씨가 따뜻하다.
(3) Tony, 너는 밸런타인데이에 무엇을 할 거니?
어휘 | at midnight 자정에

4-1 해석 | 차가 막혀서 Monica는 모임에 늦었다.
어휘 | traffic 차량들, 교통(량)

4-2 해설 | 설거지를 먼저 하고 그 후에 TV를 봤으므로 '~한 후에'라는 의미의 접속사 After가 알맞다.
해석 | Ted는 설거지를 했다. 그런 다음 그는 TV를 봤다.
→ Ted는 설거지를 한 후에, TV를 봤다.
어휘 | wash the dishes 설거지를 하다

2주 1일 개념 돌파 전략 ❷ pp. 42~43

CHECK UP

1 해석 | A: Brian, 너는 슈퍼마켓에서 무엇을 샀니?
B: 나는 계란을 약간 샀어.

2 해석 | Jack과 그의 남동생은 사이가 좋아서 절대 싸우지 않는다.
어휘 | get along well 사이좋게 지내다 fight 싸우다

3 해석 | 날이 점점 추워져서 나는 코트를 입었다.
어휘 | put on 입다, 쓰다, 착용하다

4 어휘 | several 몇몇의

5 해석 | 우리는 돈이 행복을 살 수 없다고 생각한다.
어휘 | happiness 행복

6 해석 | (1) 지리산은 설악산보다 더 높다.
(2) 에베레스트산은 세계에서 가장 높은 산이다.

1 ① **2** ③ **3** because she had a cold **4** ①
5 ③ **6** (1) shorter than (2) the tallest

1 해설 | ① water는 셀 수 없는 명사이므로 few와 함께 쓸 수 없다. '거의 없는'이라는 의미로 셀 수 없는 명사 앞에 쓸 수 있는 little로 고쳐야 한다.
해석 | ② Julia는 매일 많은 우유를 마신다.
③ 우리는 아침으로 약간의 빵을 먹었다.
④ 서울에는 높은 건물들이 많이 있다.
⑤ 나는 시장에서 몇 가지 물건들을 사야 한다.
어휘 | pond 연못

2 해설 | ③ Lisa는 아침을 전혀 먹지 않으므로 '전혀 ~않는'이라는 의미의 빈도부사 never를 이용한 설명이 알맞다.
해석 | ① Lisa는 가끔 조깅하러 간다.
② Lisa는 일주일에 한 번 수학을 공부한다.
③ Lisa는 아침을 전혀 먹지 않는다.
④ Lisa는 종종 아침을 먹는다.
⑤ Lisa는 매일 수학 공부를 한다.

3 해설 | 스케이트를 타러 가지 못한 것은 결과이고 감기에 걸린 것은 이유를 나타내므로 접속사 because를 이용해야 한다. because 다음에는 주어와 동사를 이어서 쓴다. her는 소유격 또는 목적격 인칭대명사이므로 주어 자리에 쓸 수 없다.
해석 | Lily는 감기에 걸려서 스케이트를 타러 갈 수 없었다.

4 해설 | 계절 앞에는 전치사 in을 쓰고, 특정한 시점 앞에는 전치사 at을 쓴다. 표면에 접한 상태로 '~ 위에'라는 의미를 나타낼 때는 전치사 on을 쓴다.
해석 | 여름에 많은 사람들이 바닷가에 간다. / 우리 가족은 대개 정오에 점심을 먹는다. / 누군가 카펫 위에 커피를 쏟았다.
어휘 | at noon 정오에 spill 쏟다

5 해설 | 접속사 that은 동사 believe 다음에 위치하여 명사절 (a four-leaf clover brings good luck)을 이끈다.
해석 | 많은 사람들은 네잎클로버가 행운을 가져다준다고 믿는다.
어휘 | four-leaf clover 네잎클로버 good luck 행운

6 해설 | 키가 큰 순서대로 나열하면 Kate>Susan>Emma 순이다.
(1) 두 학생의 키를 비교하고 있으므로 「비교급+than」을 이용한다. Emma는 Susan보다 키가 작으므로 shorter than이 알맞다.
(2) '셋 중에서'라고 비교 범위를 한정하는 말이 이어지는 것으로 보아 빈칸에는 최상급이 와야 한다. Kate는 셋 중 키가 가장 크므로 tallest가 알맞고 최상급 앞에는 the를 쓴다.
해석 | (1) Emma는 Susan보다 키가 더 작다.
(2) Kate는 셋 중에서 키가 가장 크다.

2주 2일 필수 체크 전략 ❶ pp. 44~47

전략 1 필수 예제
해설 | fast는 '빠른'이라는 의미의 형용사로도 쓰이고, '빠르게'라는 의미의 부사로도 쓰인다. ③은 명사 reader를 꾸미는 형용

사의 역할을 하고, 나머지는 모두 동사를 꾸미는 부사의 역할을 한다.
해석 | ① 너무 빨리 걷지 마.
② 너는 빨리 수영할 수 있니?
③ 그는 꽤 빠른 독서가이다.
④ 치타는 얼마나 빨리 달릴 수 있니?
⑤ 그 배는 바다에서 빠르게 가라앉고 있었다.
어휘 | sink 가라앉다 ocean 바다

확인 문제

1 ⑤ 2 Is there anything interesting

1 해설 | ⑤는 명사와 형용사의 관계이고, 나머지는 모두 형용사와 부사의 관계이다.
어휘 | calm 침착한 calmly 침착하게 safe 안전한 safely 안전하게 hopeful 희망에 찬 hopefully 바라건대, 희망을 갖고
2 해설 | '~가 있니?'라고 물을 때 Is/Are there ~?를 이용하며 -thing, -body, -one 등으로 끝나는 대명사는 형용사가 뒤에서 꾸민다.
해석 | A: TV에 재미있는 거라도 있니?
B: 응, 나는 〈Comedy House〉를 보고 있어. 그건 내가 가장 좋아하는 쇼야.

전략 2 필수 예제

해설 | a few와 a little은 둘 다 '약간의'라는 의미를 나타내지만 a few는 셀 수 있는 명사와 함께 쓰고, a little은 셀 수 없는 명사와 함께 쓴다. minute는 셀 수 있는 명사이므로 첫 번째 문장에는 a few가 알맞고, money는 셀 수 없는 명사이므로 두 번째 문장에는 a little이 알맞다.
해석 | 저녁 식사는 몇 분 후에 준비될 것이다. / 나는 새 휴대 전화를 사기 위해 약간의 돈이 필요하다.

확인 문제

1 ② 2 little

1 해설 | tree와 flower는 셀 수 있는 명사이므로 a little과 함께 쓸 수 없다. a little은 셀 수 없는 명사와 함께 쓰인다.
해석 | 그들은 그곳에서 ①, ③ 약간의 / ④, ⑤ 많은 나무들과 꽃들을 보았다.
2 해설 | '거의 없는'이라는 의미로 셀 수 없는 명사 rain 앞에 쓰는 수량형용사는 little이다.

전략 3 필수 예제

해설 | 빈도부사 never는 '결코[절대] ~않는'이라는 의미로 조동사 will의 뒤에 써야 하며 give는 동사원형으로 써야 한다.
어휘 | give up 포기하다

확인 문제

1 ⑤ 2 usually walks her dog (in the evening)

1 해설 | 빈도부사의 위치는 be동사와 조동사의 뒤, 일반동사의 앞이다. ⑤ does는 '하다'라는 의미의 일반동사이므로 빈도부사 usually는 does 앞에 써야 한다. does usually → usually does
해석 | ① Jeremy는 절대 학교에 지각하지 않는다. ② 너는 항상 제시간에 와야 한다. ③ 내 개는 밤에 가끔 짖는다. ④ 그 아이들은 종종 그들의 조부모님을 방문한다.
어휘 | be late for ~에 늦다 on time 제시간에 bark 짖다
2 해설 | usually는 '보통, 대개'라는 의미이므로 표에서 일주일에 6번 해당하는 항목인 '개를 산책시키기'로 답해야 한다. 주어가 3인칭 단수이므로 동사 walk에 -s를 붙여야 한다.
해석 | Q: Ellen은 저녁에 대개 무엇을 하니?
A: 그녀는 (저녁에) 대개 그녀의 개를 산책시켜.

전략 4 필수 예제

해설 | ② 「단모음+단자음」으로 끝날 때 마지막 자음을 한 번 더 쓰고 -er/-est를 붙여야 하므로 thin의 비교급과 최상급은 각각 thinner, thinnest이다.
어휘 | lazy 게으른 thin 마른

확인 문제

1 ⑤ 2 bigger than

1 해설 | 첫 번째 문장의 빈칸 앞에는 the가 있고, 뒤에 비교 범위를 한정하는 표현인 of all이 쓰였으므로 최상급이 알맞다. 두 번째 문장은 빈칸 뒤에 than(~보다)이 있으므로 비교급이 와야 한다.
해석 | 그것은 모든 질문 중 가장 쉬운 것이었다. / 기말고사는 중간고사보다 더 어려웠다.
어휘 | final exam 기말고사 midterm exam 중간고사
2 해설 | 두 대상의 정도 차이를 비교할 때 비교급을 쓰며 「비교급+than」은 '~보다 더 …한[하게]'이라는 의미이다. big의 비

교급은 bigger이다.
해석 | 농구공은 야구공보다 더 크다.

2주 2일 필수 체크 전략 ❷ pp. 48~49

1 ③ 2 (1) He usually exercises in the morning. (2) The place is always full of people. 3 ① 4 (1) younger (2) the heaviest (3) the oldest

1 해설 | ③ hardly는 '거의 ~않다'라는 의미이다. '열심히'라는 의미의 부사는 hard이다.
해석 | ① 나는 최근에 내가 아닌 것 같이 느껴진다.
② 그녀는 매우 성공한 변호사이다.
③ 나는 그녀의 목소리를 거의 들을 수 없었다.
④ 대부분의 튤립은 이른 봄에 핀다.
⑤ 그들은 요즘 매우 바쁘다.
어휘 | feel like ~처럼 느끼다 successful 성공적인 lawyer 변호사 voice 목소리 bloom 꽃이 피다

2 해설 | (1) 일반동사 앞에 빈도부사를 써야 한다.
(2) be동사 다음에 빈도부사를 써야 한다.
해석 | (1) 그는 아침에 운동한다. → 그는 대개 아침에 운동한다.
(2) 그곳은 사람들로 가득하다. → 그곳은 항상 사람들로 가득하다.
어휘 | be full of ~로 가득하다

3 해설 | ① a little은 셀 수 없는 명사 앞에 쓸 수 있고, song은 셀 수 있는 명사이므로 어법상 어색하다. '약간의'라는 의미로 셀 수 있는 명사 앞에 쓸 수 있는 수량형용사는 a few이다.
해석 | ② 오렌지 주스를 좀 먹겠니?
③ 너는 어떤 특별한 기술도 필요하지 않다.
④ 너무 많은 설탕은 네 건강을 해칠 수 있다.
⑤ 이곳에는 많은 야생 식물들이 있다.
어휘 | skill 기술 harm 해치다 plenty of 많은 wild plant 야생 식물

4 해설 | (1)은 비교급을 이용하고, (2)와 (3)은 최상급을 이용하여 셋의 나이와 무게를 비교한다. 나이가 많은 순으로 배열하면 Mango > Buddy > Coco이고, 무게가 많이 나가는 순으로 배열하면 Buddy > Coco > Mango이다.
해석 | (1) Coco는 Buddy보다 더 어리다.
(2) Buddy는 셋 중 무게가 가장 많이 나간다.
(3) Mango는 셋 중 나이가 가장 많다.
어휘 | weight 무게

2주 3일 필수 체크 전략 ❶ pp. 50~53

전략 1 필수 예제

해설 | 전치사 in은 연도, 월, 계절, 도시 앞에 쓸 수 있지만, 설날과 같이 특정한 날 앞에는 쓸 수 없다. 설날 앞에는 전치사 on을 써야 한다.
해석 | Henry는 ① 2009년 / ② 11월 / ③ 가을 / ④ 런던에(서) 태어났다.
어휘 | be born 태어나다

확인 문제

1 ⑤ 2 between, and

1 해설 | ⑤ 방학은 특정 기간을 나타내므로 during이 알맞게 쓰였다.
① 요일 앞에는 전치사 on을 쓴다. → on Saturdays
② 오전, 오후, 저녁 등 하루의 때를 나타낼 때는 전치사 in을 쓴다. → in the evening
③ 구체적인 시각 앞에는 전치사 at을 쓴다. → at eleven
④ 날짜 앞에는 전치사 on을 쓴다. → on July 5th
해석 | ⑤ 나는 방학 동안 나의 고모를 방문할 것이다.
어휘 | take place 열다, 개최하다

2 해설 | between *A* and *B*는 'A와 B 사이에'라는 의미이다.
해석 | 꽃가게는 서점과 빵집 사이에 있다.

전략 2 필수 예제

해설 | 동사의 목적어 역할을 하는 명사절을 이끌어야 하므로 빈칸에는 접속사 that이 들어가야 한다.
해석 | 그녀는 그녀의 휴대 전화를 택시에 두고 내렸다고 생각했다. / 나는 Eva가 시험에 낙제했다는 것을 몰랐다.

확인 문제

1 ② 2 I think that it is colorful.

1 해설 | ② that은 지시형용사로 쓰여 '저, 그'라는 의미이고 나머지는 모두 명사절을 이끄는 접속사 that이다.
해석 | ① 그녀는 그 책이 재미있다고 말했다.
② 나는 하얀 드레스를 입은 그 노부인을 안다.
③ 모든 사람이 내가 시험에서 부정행위를 했다고 생각한다.
④ 우리는 내일 날씨가 좋기를 바란다.
⑤ 나는 그가 심한 감기에 걸렸다고 들었다.
어휘 | cheat 부정행위를 하다 terrible 심한, 끔찍한

2 해설 | I think 다음에 동사 think의 목적어 역할을 하는 명사절을 이끄는 접속사 that을 쓴 후 주어와 동사를 써야 한다.
해석 | A: 너는 이 그림에 대해 어떻게 생각하니?
B: 나는 그것이 색이 다채롭다고 생각해.
어휘 | colorful (색이) 다채로운

전략 3 필수 예제

해설 | '~할 때'라는 의미의 접속사 when을 이용해야 한다. 접속사 when 다음에는 「주어+동사」가 와야 한다.

확인 문제

1 ③ 2 (1) after (2) Before

1 해설 | 첫 번째 빈칸 다음에는 Vicky가 화가 난 이유가 이어지므로 이유를 나타내는 부사절을 이끄는 because가 알맞다. 그에 대한 응답으로 '만약 네가 그녀에게 사과한다면 그녀가 널 용서해 줄 것이다'라는 의미가 되어야 자연스러우므로 두 번째 빈칸에는 조건을 나타내는 부사절을 이끄는 접속사 if가 알맞다.
해석 | A: 너 기분이 안 좋아 보이네, Julia. 무슨 일이니?
B: 내 생일 파티에 Vicky를 초대하는 것을 잊어버려서 그녀는 내게 화가 나 있어.
A: 네가 그녀에게 사과한다면 그녀는 널 용서해 줄 거야.
어휘 | be mad at ~에게 화를 내다 forgive 용서하다 apologize 사과하다

2 해설 | (1) 에세이를 쓴 후에 요가 수업을 들었으므로 '~한 후에'라는 의미의 접속사 after가 알맞다.
(2) 개를 산책시킨 것은 저녁 식사를 하기 전이었으므로 '~하기 전에'라는 의미의 접속사 Before가 알맞다.
해석 | (1) 나는 에세이를 쓴 후에 요가 수업을 들었다.
(2) 나는 저녁 식사를 하기 전에 개를 산책시켰다.

전략 4 필수 예제

해설 | 조건을 나타내는 부사절에서는 미래의 일을 현재시제로 나타낸다.
해석 | 만약 Christine이 그 소식을 들으면 그녀는 놀랄 것이다.
어휘 | surprised 놀란

확인 문제

1 ③ 2 If it snows

1 해설 | ③ 시간을 나타내는 부사절에서는 미래의 일을 현재시제로 나타낸다. → get
해석 | A: 엄마, 저는 내일 있을 학교 소풍을 위한 짐을 방금 다 쌌어요.
B: 잘했어. 야영지에 도착하면 내게 전화할 것을 기억하렴.
A: 알겠어요, 엄마. 아마 정오쯤에 전화 드릴 거예요.
어휘 | pack 짐을 싸다[챙기다] give ~ a call ~에게 전화하다 campsite 야영지 probably 아마도 around 약, ~쯤

2 해설 | 접속사 if를 맨 앞에 쓰고, 「주어+동사」를 쓴다. 이때 if절은 조건을 나타내는 부사절이므로 현재시제로 나타내야 한다.
어휘 | make a snowman 눈사람을 만들다

2주 3일 필수 체크 전략 ❷

pp. 54~55

1 ⑤ 2 ⑤ 3 He believes that the rumor is true. 4 leave 5 (1) When I have free time (2) because it rained a lot

1 해설 | ⑤ 진공청소기는 옷장 앞에 있으므로 A vacuum cleaner is in front of a closet.이라고 해야 한다.
해석 | ① 침대 위에 테디 베어가 있다.
② 책상 아래에 가방이 있다.
③ 개는 가방 옆에 있다.
④ 책꽂이는 책상과 옷장 사이에 있다.
⑤ 진공청소기는 옷장 뒤에 있다.
어휘 | bookshelf 책꽂이 closet 옷장 vacuum cleaner 진공청소기

2 해설 | ⑤ '7시'라는 구체적인 시각을 나타내는 말 앞에는 전치사 at을 쓴다. 나머지는 모두 전치사 on이 알맞다.
해석 | ① Jenny는 바닥에 포크를 떨어뜨렸다.
② Matt는 2008년 8월 17일에 태어났다.
③ 미국인들은 추수감사절에 칠면조를 먹는다.
④ 내 친구들과 나는 일요일마다 자원봉사 활동을 한다.
⑤ 너는 기차를 타기 위해 7시에 일어나야 한다.
어휘 | drop 떨어뜨리다 fork 포크 floor 바닥 turkey 칠면조 do volunteer work 자원봉사를 하다

3 해설 | 「주어+동사」를 쓴 다음, 「접속사 that+주어+동사」를 쓴다.

4 해설 | 시간을 나타내는 부사절에서는 미래의 일을 현재시제

로 나타낸다. 따라서 will leave를 현재형인 leave로 고쳐야 한다.
해석 | 여: 나가기 전에 난방기를 끄는 것을 잊지 마.
남: 알겠어요, 엄마.
어휘 | turn off (전기 등을) 끄다 heater 난방기, 히터

5 해설 | 각각 접속사 when, because 다음에 「주어+동사」가 오도록 배열한다.
어휘 | free time 여가 a lot 많이

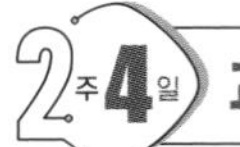

교과서 대표 전략 ❶ pp. 56~59

1 ② 2 ⑤ 3 usually goes to school by bike
4 ③ 5 (1) a little juice (2) a few sandwiches 6 ②
7 faster 8 (1) better (2) the most important
9 (1) more popular than (2) the most popular
10 next to, on 11 ④ 12 ④ 13 ① 14 (1) because (2) before 15 (1) thinks that friendship is important (2) When I was waiting for the bus
16 if you do not[don't] water

1 해설 | 빈칸에는 명사 girl을 꾸미는 형용사가 와야 한다. ② wisely는 '현명하게'라는 의미의 부사이므로 쓸 수 없다.
해석 | Sandra는 ① 재미있는 / ③ 부지런한 / ④ 친절한 / ⑤ 사랑스러운 소녀이다.

2 해설 | -thing, -body, -one으로 끝나는 대명사는 형용사가 뒤에서 꾸민다. → I did not do anything stupid.
어휘 | stupid 어리석은

3 해설 | 빈도부사 usually를 일반동사 앞에 쓰고, 주어가 3인칭 단수이므로 동사 go는 goes로 바꿔 써야 한다.
해석 | A: Henry는 자전거를 타고 학교에 가니?
B: 응, 그는 대개 자전거를 타고 학교에 가.

4 해설 | present는 셀 수 있는 명사이고 time은 셀 수 없는 명사이므로 빈칸에는 셀 수 있는 명사와 셀 수 없는 명사 앞에 모두 쓸 수 있는 a lot of가 알맞다.
해석 | 나는 작년 크리스마스에 많은 선물을 받았다. / 외국어를 배우는 데는 대개 많은 시간이 든다.
어휘 | take (시간이) 들다

5 해설 | juice는 셀 수 없는 명사이므로 a little(약간의)과 함께 쓴다. sandwich는 셀 수 있는 명사이므로 a few(약간의)와 함께 쓰며 여러 개이므로 복수형인 sandwiches로 고쳐 쓴다. 셀 수 없는 명사가 주어인 경우에는 There is ~로 시작하고, 복수 명사가 주어인 경우에는 There are ~로 시작해야 한다.
해석 | (1) 병에 주스가 약간 있다.
(2) 바구니에 샌드위치 몇 개가 있다.

6 해설 | ② 「자음+-y」로 끝나는 단어는 y를 i로 고치고 -er/-est를 붙인다. 따라서 tasty의 비교급은 tastier이고 최상급은 tastiest이다.
어휘 | tasty 맛있는 boring 지루한

7 해설 | 진호가 민우보다 더 빨리 달린다는 의미가 되도록 fast의 비교급 faster로 고쳐 쓴다.
해석 | 진호는 민우보다 더 빨리 달린다.

8 해설 | (1) good의 비교급은 better이다.
(2) important의 최상급은 most important이고 최상급 앞에 the를 쓴다.

9 해설 | (1) 축구와 야구를 비교하고 있으므로 「비교급+than」을 이용한다. popular는 3음절 단어이므로 비교급은 more popular이다.
(2) 농구가 가장 인기 있으므로 최상급을 이용한다. popular의 최상급은 most popular이고 최상급 앞에 the를 쓴다.
해석 | (1) 축구는 야구보다 더 인기 있다.
(2) 농구는 학생들 사이에서 가장 인기 있는 운동이다.

10 해설 | next to: ~ 옆에, on: ~ 위에
해석 | A: 내 휴대 전화가 어디 있니?
B: 그것은 탁자 위 꽃병 옆에 있어.

11 해설 | ④ 뒤에 숫자가 포함된 구체적인 시간의 길이를 나타내는 표현이 있으므로 during을 for(~ 동안)로 고쳐야 한다.
① 핼러윈은 특정한 날이므로 전치사 on을 쓴다.
② 계절 앞에는 in을 쓴다.
③ 특정한 시점을 나타낼 때는 at을 쓴다.
⑤ 연도 앞에는 in을 쓴다.
해석 | ① 우리는 핼러윈에 매우 재미있게 놀았다.
② 가을에 잎들은 빨간색과 노란색으로 변한다.
③ Aaron은 보통 밤늦게까지 깨어 있다.
⑤ Karen의 가족은 2018년에 한국으로 이사 왔다.
어휘 | turn 변하다 fall(= autumn) 가을 stay up late 늦게까지 자지 않고 깨어 있다

12 해설 | ⓓ 나라 앞에는 전치사 in을 써야 한다.
ⓐ 건물의 내부를 나타내므로 전치사 in이 알맞다.
ⓑ 하나의 지점을 나타낼 때 전치사 at를 쓴다.
ⓒ, ⓔ 표면에 접해 있는 상태를 나타낼 때는 전치사 on을 쓴다.
해석 | 그는 오래된 아파트에 산다. / 다음 정거장에서 내려라. / 박선생님은 칠판에 정답을 쓰셨다. / 타지마할은 인도에

있다. / 신발 가게는 2층에 있다.
어휘 | get off 내리다

13 해설 | ① When이 '언제'라는 의미의 의문사로 쓰였고, 나머지는 모두 '~할 때'라는 의미의 시간을 나타내는 부사절을 이끄는 접속사로 쓰였다.
해석 | ① 그 자동차 사고는 언제 일어났니?
② Kate는 우울할 때 단것을 먹는다.
③ 내가 그를 봤을 때, 그는 춤을 추고 있었다.
④ 초인종이 울렸을 때 내 개는 짖기 시작했다.
⑤ 너는 어렸을 때 무엇이 되고 싶었니?
어휘 | accident 사고 happen (사건 등이) 일어나다 feel blue 기분이 우울하다

14 해설 | (1) so는 '그래서'라는 의미로 so의 앞에는 원인이, 뒤에는 결과가 온다. '날이 너무 어두운 것'이 길을 잃은 원인이므로 빈칸에는 '~ 때문에'라는 의미의 because가 알맞다.
(2) 교복을 입은 것이 먼저 일어난 일이고 머리를 빗은 것이 이후에 일어난 일이므로 '머리를 빗기 전에 교복을 입었다'라고 해야 한다. 따라서 빈칸에는 '~하기 전에'라는 의미의 접속사 before가 알맞다.
해석 | (1) 날이 너무 어두워서 나는 길을 잃었다.
(2) Janice는 교복을 입고 나서 머리를 빗었다. = Janice는 머리를 빗기 전에 교복을 입었다.
어휘 | get lost 길을 잃다 put on 입다 school uniform 교복 brush one's hair 머리를 빗다

15 해설 | (1) 동사 thinks 다음에 명사절을 이끄는 접속사 that을 쓴 다음 주어와 동사를 차례로 쓴다.
(2) 접속사 when은 시간을 나타내는 부사절을 이끌며 부사절이 주절 앞에 쓰인 경우 부사절의 맨 끝에 콤마를 쓴다.
어휘 | friendship 우정 wait for ~을 기다리다

16 해설 | '만약 네가 식물에 물을 주지 않으면'이 조건에 해당한다. 조건을 나타내는 부사절은 미래의 일이라도 현재시제를 써야 하므로 if you do not[don't] water로 써야 한다.
어휘 | water 물을 주다

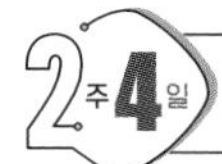

교과서 대표 전략 ❷ pp. 60~61

1 ③ 2 ①, ③ 3 (1) earlier than (2) more, than 4 ① 5 (1) the most expensive (2) more expensive (3) the cheapest 6 ⑤ 7 ④ 8 didn't buy the backpack because it was too expensive

1 해설 | '거의 없는'이라는 의미를 나타낼 때는 few 또는 little을 써야 하는데 뒤에 오는 food가 셀 수 없는 명사이므로 little이 알맞다.

2 해설 | ①은 주격 보어 자리에 형용사가 알맞게 쓰였고, ③은 동사를 꾸미는 부사가 알맞게 쓰였다. ② '어려운'이라는 의미의 형용사 hard로 고쳐야 한다. hardly는 '거의 ~않다'라는 의미의 부사이다. ④ 문장 전체를 수식하므로 부사인 Luckily로 고쳐야 한다. ⑤ 명사를 꾸미는 역할을 하므로 형용사인 useful로 고쳐야 한다.
해석 | ① 그들은 달라 보인다.
③ 그는 탁자를 조심스럽게 옮겼다.
어휘 | move 옮기다 carefully 조심스럽게 lucky 운이 좋은 usefully 유용하게

3 해설 | (1) 둘 중 더 일찍 일어나는 사람은 Tim이다. 빈칸에는 early의 비교급인 earlier 다음에 than을 쓴다.
(2) 둘 중 돈을 더 많이 쓴 사람은 Ann이다. much는 불규칙하게 변화하는 단어로 비교급은 more이고 최상급은 most이다.
해석 | 〈보기〉 Sam은 17살이다. Clara는 13살이다.
→ Sam은 Clara보다 나이가 더 많다.
(1) Tim은 7시에 일어난다. Jill은 7시 30분에 일어난다.
→ Tim은 Jill보다 더 일찍 일어난다.
(2) Cathy는 15달러를 썼다. Ann은 25달러를 썼다.
→ Ann은 Cathy보다 더 많은 돈을 썼다.
어휘 | spend (돈을) 쓰다

4 해설 | 〈보기〉와 ①은 동사의 목적어 역할을 하는 명사절을 이끄는 접속사 that이다. ②, ③, ④는 '저, 그'라는 의미의 지시형용사이고, ⑤는 '저것, 그것'이라는 의미의 지시대명사이다.
해석 | 〈보기〉 우리는 그가 배우라는 것을 몰랐다.
① 그는 아무도 없다고 생각했다.
② 나는 저 멋진 신사를 기억한다.
③ 너는 그 소문을 정말 믿었니?
④ 저 분홍색 휴대 전화 케이스는 정말 멋져 보인다.
⑤ 우리는 문을 열기 위해 노력했지만, 그것은 불가능했다.
어휘 | impossible 불가능한

5 해설 | 메뉴에서 가격이 싼 순서대로 배열하면 치킨 버거<치즈 피자<소고기 스테이크순이다. cheap의 비교급은 cheaper, 최상급은 cheapest이고 expensive의 비교급은 more expensive, 최상급은 most expensive이다.
해석 | (1) 소고기 스테이크는 메뉴에서 가장 비싼 음식이다.
(2) 치즈 피자는 치킨 버거보다 더 비싸다.
(3) 치킨 버거는 메뉴에서 가장 싼 음식이다.

6 해설 | ⑤ 날짜 앞에는 전치사 on을 쓴다. in → on
해석 | ① 우리는 점심시간 동안 농구를 했다.

② Alice는 매일 30분 동안 운동한다.
③ 너는 아침에 몇 시에 일어나니?
④ 그 사고는 목요일 밤에 발생했다.

7 해설 | 뒤에서부터 Leo–Jack–Sam–Kevin–Brian 순으로 서게 되므로 앞에서 두 번째로 서게 되는 사람은 Kevin이다.
해석 | Leo는 줄의 맨 마지막에 서 있다. / Jack은 Leo의 바로 앞에 있다. / Sam은 Jack과 Kevin의 사이에 있다. / Kevin은 Brian의 뒤에 있다.

8 해설 | 뒤의 절이 이유를 나타내므로 접속사 because를 이용한다.
해석 | Matt는 가방을 사지 않았다. 그것은 너무 비쌌다. → 가방이 너무 비싸서 Matt는 그것을 사지 않았다.

2주 누구나 합격 전략 pp. 62~63

1 ② 2 ③ 3 (1) sometimes reads novels (2) usually practices singing 4 ④ 5 (1) hotter than (2) the hottest 6 ① 7 (1) When (2) in 8 She hopes that she will win first prize. 9 ④ 10 (1) Before (2) after

1 해설 | 빈칸에는 동사를 꾸미는 부사가 와야 하며, ② safe는 '안전한'이라는 의미의 형용사이므로 빈칸에 올 수 없다. fast는 형용사와 부사로 모두 쓰일 수 있음에 유의한다.
해석 | Dorothy는 ① 빨리 / ③ 천천히 / ④ 난폭하게 / ⑤ 조심스럽게 운전했다.
어휘 | safe 안전한 wildly 난폭하게

2 해설 | ③ word는 셀 수 있는 명사이므로 'Thomas는 알고 있는 러시아어가 거의 없다.'라는 의미가 되도록 few로 고쳐야 한다.
해석 | ① 나는 돈이 조금도 없다.
② 그녀는 주머니에 몇 개의 동전을 가지고 있다.
④ 선생님은 우리에게 많은 숙제를 내주신다.
⑤ 동물원에 방문객들이 많이 있다.

3 해설 | 빈도부사의 위치는 주로 일반동사 앞에 쓴다. 빈도부사를 빈도순으로 배열하면 always > usually > often > sometimes > never이다.
해석 | 〈보기〉 Steve는 자주 수영하러 간다.
(1) Steve는 가끔 소설을 읽는다.
(2) Steve는 대개 노래를 연습한다.

4 해설 | 첫 번째 빈칸 앞에 the가 있고 뒤에 in the sky로 범위를 제한하는 표현이 있으므로 최상급이 와야 한다. bright의 최상급은 brightest이다. / 두 번째 문장에서는 두 대상을 비교하고 있으므로 빈칸에는 비교급이 와야 한다. exciting은 -ing로 끝나는 단어이므로 앞에 more를 써서 비교급을 만든다.
해석 | 하늘에서 가장 밝은 별은 무엇이니? / 후반전이 전반전보다 더 흥미진진했다.
어휘 | bright 밝은 second half 후반전

5 해설 | (1) 오늘과 어제의 기온을 비교할 때는 비교급을 쓴다. hot은 「단모음+단자음」으로 끝나는 단어로 마지막 자음을 한 번 더 쓰고 -er을 붙여야 하므로 비교급은 hotter이다. 「비교급+than」은 '~보다 더 …한[하게]'이라는 의미이다.
(2) 금요일은 주중에서 기온이 가장 높아 가장 더운 날이므로 최상급인 hottest를 쓰고 최상급 앞에 the를 쓴다.
해석 | (1) 오늘은 수요일이다. 오늘은 어제보다 더 덥다.
(2) 금요일은 주중에서 가장 더운 날이 될 것이다.

6 해설 | 조건을 나타내는 if절에서 미래의 일을 나타낼 때 현재시제를 사용하므로 is로 고쳐야 한다.
해석 | A: 너 이번 일요일에 뭐 할 거니?
B: 만약 날씨가 화창하면 나는 캠핑을 갈 거야.

7 해설 | (1) 빈칸에는 '언제'라는 의미의 의문사와 '~할 때'라는 의미의 접속사로 쓰이는 When이 알맞다.
(2) 월과 나라 앞에는 전치사 in을 쓴다.
해석 | (1) 뉴욕으로 가는 다음 비행기는 언제니? / 나는 긴장될 때 손톱을 물어뜯는다.
(2) 1월에는 눈이 많이 온다. / 호주에는 캥거루가 많다.
어휘 | flight 비행기, 항공편 bite one's nails 손톱을 물어뜯다

8 해설 | 「주어+동사」 다음에 접속사 that을 쓴 후 「주어+동사」의 순으로 쓴다.

9 해설 | ④ '~ 위에'라는 의미로 표면에 접촉해 있지 않은 상태를 나타내는 전치사는 over이다. under는 '~ 아래에'라는 의미이다.
→ He held the umbrella over my head.
어휘 | hide 숨다

10 해설 | (1) 점심을 먹기 전에 배드민턴을 쳤으므로 '~하기 전에'라는 의미의 접속사 Before가 알맞다.
(2) 도서관에서 공부한 후에 쇼핑을 했으므로 '~한 후에'라는 의미의 접속사 after가 알맞다.
해석 | (1) 그녀는 점심을 먹기 전에 배드민턴을 쳤다.
(2) 그녀는 도서관에서 공부한 후에 쇼핑하러 갔다.

2주 창의·융합·코딩 전략 ❶, ❷ pp. 64~67

1 (1) comfortable (2) before (3) a few **2** ② usually eat fresh vegetables ③ never go to the dentist ④ am always worried about everything **Good Habit**: ①, ② / **Bad Habit** ③, ④ **3 Giraffe**: 25 years, 60 km/h **Lion**: 10 years, 80 km/h **Elephant**: 60 years, 40 km/h **4** (1) heaviest (2) least (3) more **5** (1) D (2) A (3) D (4) D (5) A

6

			2 t				
			h		3 w		
			a		h		
	1 b	e	t	w	e	e	n
	e				n		
	c						
	a			5 o			
4 d	u	r	i	n	g		
	s						
	e						

7 (1) ⓑ → something delicious (2) ⓓ → kindest
8 When he got to the park, When he saw Suji, When he came closer to them

1 해설 | (1) 주어의 상태나 성질을 설명하는 형용사가 필요한 자리이므로 '편안한'이라는 의미의 형용사 comfortable이 알맞다. (2) 뒤에 절이 나오므로 빈칸에는 접속사가 들어가야 하며 의미상 떠나기 전에 날씨를 확인하는 것을 잊지 말라고 해야 자연스러우므로 before가 알맞다. (3) bottle은 셀 수 있는 명사이므로 수량형용사 a few를 써야 한다.

해석 | 여: 너는 이번 주 일요일에 하이킹 가니?

남: 응. 나는 오늘 쇼핑 가서 하이킹을 위해 신발 한 켤레를 샀어. 그것은 정말 편안해.

여: 잘했어. 얘, 너 떠나기 전에 날씨를 확인하는 것을 잊지 마. 그리고 반드시 물 몇 병을 가지고 가도록 해.

남: 알겠어, 조언 고마워.

어휘 | go hiking 하이킹 가다 a pair of 한 켤레의 ~ make sure 반드시 ~하다

2 해설 | 빈도부사는 주로 일반동사의 앞, be동사나 조동사의 뒤에 쓴다. 음식을 먹기 전에 손을 씻는 것과 신선한 채소를 먹는 것은 건강에 좋은 습관이지만 치과에 가지 않는 것과 모든 일에 대해 걱정을 하는 것은 건강에 나쁜 습관이라고 할 수 있다.

어휘 | meal 식사 go to the dentist 치과에 가다 be worried about ~에 대해 걱정하다

3 해설 | 수명은 코끼리 > 기린 > 사자순이고, 속도는 사자 > 기린 > 코끼리순이다.

해석 | 단서들: ❶ 기린은 사자보다 더 오래 산다.

❷ 코끼리는 셋 중 가장 오래 산다.

❸ 사자는 셋 중 가장 빨리 달린다.

❹ 코끼리는 기린보다 더 느리게 달린다.

4 해설 | (1) 8월은 비가 가장 많이 왔으므로 heavy의 최상급 heaviest가 알맞다.

(2) 5월은 비가 가장 적게 왔으므로 little의 최상급 least가 알맞다.

(3) 7월이 9월보다 비가 더 많이 왔으므로 much의 비교급 more가 알맞다.

해석 | (1) 8월은 비가 가장 많이 왔다.

(2) 5월은 비가 가장 적게 왔다.

(3) 7월은 9월보다 비가 더 많이 왔다.

어휘 | rainfall 강우량

5 해설 | (1) 벽에 시계가 걸려 있는 것은 Daniel의 방이다.

(2) next to는 '~ 옆에'라는 의미로 화분 옆에 어항이 있는 것은 Adrian의 방이다.

(3) between은 '~ 사이에'라는 의미이다. 두 개의 쿠션 사이에 고양이가 있는 것은 Daniel의 방이다.

(4) under는 '~ 아래에'라는 의미이다. 책꽂이 아래에 램프가 있는 것은 Daniel의 방이다.

(5) in front of는 '~ 앞에'라는 의미이다. 책꽂이 앞에 두 개의 라켓이 있는 것은 Adrian의 방이다.

해석 | (1) 벽에 시계가 있다.

(2) 식물 옆에 어항이 있다.

(3) 두 개의 쿠션 사이에 고양이가 있다.

(4) 책꽂이 아래에 램프가 있다.

(5) 책꽂이 앞에 두 개의 라켓이 있다.

어휘 | fishbowl 어항 racket 라켓

6 해설 | 가로) **1** between *A* and *B*: A와 B 사이에

4 during은 '~ 동안'이라는 의미로 특정 기간을 나타내는 표현 앞에 쓴다.

세로) **1** 뒤에 이어지는 절이 이유를 나타내므로 '~ 때문에'를 뜻하는 because가 알맞다.

2 동사 think의 목적어 역할을 하는 명사절을 이끄는 접속사 that이 알맞다.

3 '~할 때'라는 의미로 시간을 나타내는 부사절을 이끄는 접속사 when이 알맞다.
5 요일, 날짜, 특정한 날 앞에는 전치사 on을 쓴다.
해석 | 가로) 1 Q는 영어 알파벳에서 P와 R의 사이에 온다.
4 식사하는 동안 큰 소리로 이야기하지 마라.
세로) 1 지수는 배가 고프지 않아서 점심 식사를 걸렀다.
2 나는 그 노래가 아름답다고 생각한다.
3 전화벨이 울렸을 때 그는 뒷마당에 있었다.
5 나는 수요일에 집에 올 것이다.
어휘 | skip 빼먹다, 거르다 backyard 뒷마당

7 해설 | ⓑ -thing으로 끝나는 대명사는 형용사가 뒤에서 꾸민다. ⓓ 앞에 the가 쓰였고 뒤에 비교 범위를 한정하는 표현인 in the world가 있는 것으로 보아 최상급이 오는 것이 알맞다. kind의 최상급은 kindest이다.
해석 | 여: 너 안 좋아 보이네. 무슨 일 있니?
남: 나는 점심에 거의 아무것도 먹지 못했어. 나는 너무 배가 고파. 나는 뭔가 맛있는 것을 원해.
여: 내게 약간의 빵이 있어. 네가 원한다면 먹어도 돼.
남: 오, 너는 세상에서 가장 친절한 사람이야.

8 해설 | 접속사 when 다음에 「주어+동사」의 순으로 쓴다.
해석 | 어제 하준이는 공원에 갔다. 그가 공원에 도착했을 때 그는 수지를 보았다. 그가 수지를 보았을 때 그녀는 그녀의 개를 산책시키고 있었다. 그가 그들에게 가까이 다가갔을 때 그녀의 개가 점프하여 그의 얼굴을 핥았다. 그들은 함께 웃었다.
어휘 | closer 더 가까이 lick 핥다

BOOK 2 마무리 전략

pp. 68~69

1 ❶ The blanket kept him warm.
❷ This soup tastes terrible.
❸ There is some bread on the plate.
❹ What a brilliant idea this is!
❺ Your brother drew this painting, didn't he?
❻ Sofia gave some food to the poor dog.
❼ I finished writing my report.
❽ How often do you go jogging?
❾ Be honest with your friends.
❿ He turned on the computer to check his e-mail. 또는 To check his e-mail, he turned on the computer.
2 ❶ during ❷ biggest ❸ On ❹ quiet ❺ few ❻ after ❼ bigger ❽ in front of ❾ that ❿ the most beautiful ⓫ the happiest ⓬ will never

1 해설 | ❶ 5형식 문장이며 「주어(The blanket)+동사(kept)+목적어(him)+목적격 보어(warm)」의 순으로 배열한다.
❷ taste는 '~한 맛이 나다'라는 의미의 감각동사로 주격 보어 자리에는 형용사를 써야 한다.
❸ bread는 셀 수 없는 명사이므로 There is ~로 시작해야 한다.
❹ 「What+a+형용사+명사+주어+동사!」의 순으로 쓴다.
❺ 앞 문장에 일반동사의 과거형이 쓰였으므로 부가의문문은 did를 이용한다. 앞 문장이 긍정문이므로 부가의문문은 부정문이 되어야 하며 주어인 Your brother는 대명사 he로 고친다.
❻ 4형식을 3형식으로 바꿀 때 간접목적어 앞에 전치사가 와야 하고, 동사 give는 전치사 to를 쓴다.
❼ finish는 동명사를 목적어로 쓰는 동사이다.
❽ 「의문사 How often+do+주어+동사원형 ~?」의 어순으로 배열한다.
❾ 명령문은 주어를 생략하고 동사원형으로 시작한다.
❿ 목적을 나타내는 to부정사의 부사적 용법을 이용한다. 이때 to부정사가 문장의 맨 앞에 올 수도 있다.
해석 | ❶ 그 담요는 그를 따뜻하게 해 주었다.
❷ 이 수프는 맛이 형편없다.
❸ 접시 위에 복숭아 몇 개가 있다. → 접시 위에 빵이 조금 있다.
❹ 이것은 매우 멋진 생각이다. → 이것은 정말 멋진 생각이야!
❺ 네 남동생이 이 그림을 그렸다. → 네 남동생이 이 그림을 그렸지, 그렇지 않니?
❻ Sofia는 그 불쌍한 개에게 약간의 음식을 주었다.
❼ 나는 보고서 쓰는 것을 끝마쳤다.
❽ 너는 얼마나 자주 조깅하러 가니?
❾ 너는 친구들에게 솔직해야 한다. → 친구들에게 솔직해져라.
❿ 그는 그의 이메일을 확인할 필요가 있었다. 그는 컴퓨터를 켰다. → 그는 그의 이메일을 확인하기 위해 컴퓨터를 켰다.
어휘 | blanket 담요 terribly 몹시, 지독히 peach 복숭아 brilliant 멋진, 훌륭한 go jogging 조깅하러 가다 be honest with ~에게 솔직하다

2 해설 | ❶ 특정 기간을 나타내는 표현과 쓰였으므로 '~ 동안'을 뜻하는 during이 알맞다.
❷ 비교하는 범위를 한정하는 표현인 in Korea(한국에서)가 뒤에 이어지므로 최상급이 알맞다. big의 최상급은 biggest이다.
❸ 특정한 날 앞에 쓰는 전치사는 on이다.
❹ 뒤에 오는 명사를 꾸미는 역할을 하므로 형용사가 알맞다.

❺ people은 셀 수 있는 명사이므로 few(거의 없는)가 알맞다.
❻ '~한 후에'라는 의미의 접속사는 after이다.
❼ 두 개의 대상을 비교하고 있고 빈칸 뒤에 than(~보다)이 있으므로 big의 비교급인 bigger가 알맞다.
❽ in front of: ~ 앞에
❾ 동사 think의 목적어인 명사절을 이끄는 접속사 that이 알맞다.
❿ 비교하는 범위를 한정하는 표현인 in the world(세상에서)가 이어지므로 최상급이 알맞다. 3음절 이상의 단어는 앞에 most를 붙여 최상급을 만든다.
⓫ of my life(내 삶에서)는 비교하는 범위를 한정하는 표현이므로 happy의 최상급인 happiest를 쓰고 앞에 the를 붙인다.
⓬ 빈도부사 never는 조동사 will 뒤에 쓴다.
해석 | 우리 가족은 휴일 동안 제주도에 갔다. 그것은 한국에서 가장 큰 섬이다. 여행의 첫 날, 우리는 조용한 해변에 갔다. 그곳에는 사람들이 거의 없었다. 엄마와 나는 준비운동을 약간 한 후에 수영을 즐겼다. 내 여동생과 남동생은 모래성을 만들었다. 내 여동생의 모래성이 남동생의 것보다 컸다. 아빠는 등대 앞에서 사진을 찍으셨다. 우리는 그곳에서 모두 즐거운 시간을 보냈다. 나는 제주도가 세상에서 가장 아름다운 섬이라고 생각한다. 나는 인생에서 가장 행복한 휴일을 보냈다. 나는 그 기억들을 절대 잊지 않을 것이다.
어휘 | island 섬 warm-up 준비운동 sandcastle 모래성 lighthouse 등대 memory 기억

신유형·신경향·서술형 전략

pp. 70~73

1 (1) to buy (2) wasting 2 (1) After he did his homework (2) before she went to school 3 (1) next to (2) between, and 4 usually wake up at seven (in the morning) 5 (1) looks happy (2) made him sad (3) made him a sandwich, made a sandwich for him 6 (1) Suho is heavier than Jisu. (2) Minjun is the heaviest boy of the three. 7 (1) a little (2) Many (3) little (4) much (5) few (6) a few 8 How cold it is! 9 doesn't she, No, she doesn't 10 (1) ⓑ → to skate (2) ⓓ → for (3) ⓕ → silently

1 해설 | (1) want는 to부정사를 목적어로 쓰는 동사이다.
(2) '~하는 것을 멈추다'라는 의미가 되도록 「stop+동명사」를 이용해야 한다. 따라서 waste를 동명사 형태인 wasting으로 고쳐야 한다.

2 해설 | (1) 숙제를 한 후에 피아노를 연습했으므로 after를 이용해야 한다. before를 이용하면 Before he practiced the piano, he did his homework.와 같이 쓸 수 있다.
(2) 학교에 가기 전에 아침을 먹은 것이므로 before를 이용해야 한다. after를 이용하면 After she had breakfast, she went to school.과 같이 쓸 수 있다.
해석 | (1) 그는 숙제를 한 뒤 피아노를 연습했다.
(2) 그녀는 학교 가기 전에 아침을 먹었다.

3 해설 | (1) 학교는 꽃집의 옆이므로 next to가 알맞다.
(2) 서점은 영화관과 은행의 사이에 있으므로 between *A* and *B*를 이용하는 것이 알맞다.
해석 | (1) A: 학교는 어디니? B: 그것은 꽃집 옆에 있어.
(2) A: 서점은 어디니? B: 그것은 영화관과 은행 사이에 있어.

4 해설 | 빈도부사는 일반동사 앞에 쓴다. 표의 내용을 보면 일주일에 5번을 7시에 일어나므로 보통 7시에 일어난다고 대답하는 것이 알맞다. 구체적인 시각 앞에는 전치사 at을 쓰며 in the morning은 생략 가능하다.
해석 | Q: 너는 보통 몇 시에 일어나니, Carol?
A: 나는 보통 (아침에) 7시에 일어나.
어휘 | wake up 일어나다

5 해설 | (1) look은 '~하게 보이다'라는 의미의 감각동사로 주격 보어 자리에는 형용사인 happy가 알맞다.
(2) 5형식 문장으로 「주어+동사+목적어+목적격 보어」의 어순으로 써야 한다. 이때 목적격 보어로는 형용사 sad가 알맞다.
(3) 4형식 문장은 「주어+동사+간접목적어+직접목적어」의 어순이고 3형식 문장은 「주어+동사+직접목적어+전치사+간접목적어」의 어순이다. 동사에 따라 전치사는 다르게 써야 하며 make는 전치사 for를 쓰는 동사이다.

6 해설 | 민준>수호>지수의 순으로 몸무게가 많이 나간다. heavy의 비교급은 heavier, 최상급은 heaviest이다.
해석 | (1) 수호는 지수보다 몸무게가 더 많이 나간다.
(2) 민준이는 셋 중 몸무게가 가장 많이 나가는 소년이다.

7 해설 | (1) '약간의, 조금 있는'이라는 의미의 a few, a little 중 셀 수 없는 명사인 air 앞에 쓸 수 있는 수량형용사는 a little이다.
(2) many와 much 둘 다 '많은'이라는 의미이지만 sea animal은 셀 수 있는 명사이므로 Many가 알맞다.
(3) '거의 없는'이라는 의미의 few, little 중 셀 수 없는 명사인 information 앞에 쓸 수 있는 수량형용사는 little이다.
(4) money는 셀 수 없는 명사이므로 much가 알맞다.
(5) '거의 없는'이라는 의미로 셀 수 있는 명사 fan 앞에 쓸 수 있는 수량형용사는 few이다.
(6) '약간의'라는 의미로 셀 수 있는 명사 seat 앞에 쓸 수 있는 수량형용사는 a few이다.

어휘 | in danger 위험에 처한 disease 질병 spend (돈, 시간 등을) 쓰다 clothing 옷

8 해설 | How로 시작하는 감탄문은 「How+형용사/부사+주어+동사!」의 어순이다.
해석 | 날씨가 매우 춥다. → 날씨가 정말 춥구나!

9 해설 | 앞 문장이 긍정문이므로 부가의문문은 부정문으로 쓴다. 앞 문장에 일반동사 현재형이 쓰였고 주어는 3인칭 단수이므로 does를 이용한다. 부가의문문에 대한 대답의 내용이 부정이므로 No로 대답한다.
해석 | A: Miranda는 직모를 가지고 있지, 그렇지 않니?
B: 응, 그렇지 않아. 그녀는 곱슬머리야.
어휘 | straight 곧은 curly 곱슬인

10 해설 | ⓑ 목적을 나타내는 to부정사가 오는 것이 알맞다. to부정사는 「to+동사원형」의 형태이므로 to skate로 고쳐야 한다. ⓓ '두 시간 동안 스케이트를 즐겼다'라는 의미가 되도록 전치사 for가 알맞다. for는 '~ 동안'이라는 의미로 주로 숫자가 포함된 구체적인 시간의 길이를 나타내는 표현과 함께 쓴다. ⓕ 동사 fell을 꾸미는 역할을 해야 하므로 형용사인 silent를 부사 silently로 고쳐야 한다. ⓐ 크리스마스이브는 특정한 날이므로 전치사 on이 바르게 쓰였다. ⓒ enjoy는 동명사를 목적어로 쓰는 동사이므로 동명사 skating이 바르게 쓰였다. ⓔ start는 to부정사와 동명사를 모두 목적어로 쓸 수 있는 동사이다. ⓖ 오전, 오후, 저녁을 나타낼 때 전치사 in을 쓰는 것이 알맞다.
해석 | 크리스마스이브에 내 친구들과 나는 스케이트를 타기 위해 아이스링크장에 갔다. 우리는 아이스링크장에서 두 시간 동안 스케이트를 즐겼다. 우리가 아이스링크장에서 나왔을 때 눈이 오기 시작했다. 눈은 조용하게 내렸다. 저녁에 우리는 함께 거대한 눈사람을 만들었다.
어휘 | silent 조용한, 고요한 huge 거대한, 엄청난

적중 예상 전략 | 1 pp. 74~77

1 ④ 2 ③ 3 ② 4 ① 5 ② 6 ① 7 ⑤ 8 ④ 9 ⑤ 10 ⑤ 11 ③ 12 ② 13 ① 14 It is exciting to watch a baseball game. 15 (1) to pass the swimming test, to practice swimming (2) to be a famous cook, to take a cooking lesson 16 Don't pick up 17 gave her brother a present 18 What a cute dog it is! 19 (1) softly → soft (2) wonderfully → wonderful (3) sweetness → sweet 20 (1) to play badminton (2) to buy a cake

1 해설 | want는 to부정사를 목적어로 쓰는 동사이다. to부정사의 형태는 「to+동사원형」이다.
해석 | Melanie는 미용사가 되기를 원한다.
어휘 | hairdresser 미용사

2 해설 | ③ decide는 to부정사를 목적어로 쓰는 동사이고 동명사를 목적어로 쓸 수 없다. hate와 start는 to부정사와 동명사를 모두 목적어로 쓸 수 있고, 보어나 주어로 쓰인 to부정사는 동명사로 바꿔 쓸 수 있다.
해석 | ① 나는 혼자 있는 것이 싫다.
② 비가 오기 시작했다.
③ 그녀는 진실을 말하기로 결심했다.
④ 그의 취미는 액션 영화를 보는 것이다.
⑤ 아침 식사를 먹는 것은 중요하다.
어휘 | alone 혼자

3 해설 | 빈칸 다음에 동명사가 쓰였으므로 빈칸에는 동명사를 목적어로 쓰는 동사가 와야 한다. hope는 to부정사를 목적어로 쓰는 동사이므로 빈칸에 올 수 없다. keep, enjoy, give up은 동명사를 목적어로 쓰는 동사이고, like는 to부정사와 동명사를 모두 목적어로 쓸 수 있다.
해석 | Alison은 프랑스어 공부를 ① 계속했다 / ③ 즐겼다 / ④ 좋아한다 / ⑤ 포기했다.

4 해설 | ① 목적을 나타내는 to부정사의 부사적 용법으로 쓰였다. 나머지는 모두 명사적 용법이다.
② 명사적 용법(동사의 목적어 역할)
③ 명사적 용법(주어 역할)
④ 명사적 용법(보어 역할)
⑤ 명사적 용법(주어 역할)
해석 | ① 나는 해돋이를 보기 위해 일찍 일어났다.
② 선생님은 그들을 돕기로 약속했다.
③ 외국에서 사는 것은 쉽지 않다.
④ Kelly의 꿈은 로마로 여행 가는 것이다.
⑤ 건강에 좋은 음식을 먹는 것은 좋은 습관이다.
어휘 | sunrise 해돋이 healthy 건강에 좋은

5 해설 | ② be동사와 함께 진행형을 만드는 현재분사이다. 나머지는 모두 '~하는 것, ~하기'로 해석되는 동명사이다.
① 주어 역할을 하는 동명사
③, ⑤ 보어 역할을 하는 동명사
④ 동사의 목적어 역할을 하는 동명사
해석 | ① 모형 비행기를 만드는 것은 재미있다.
② 그녀는 독도에 관한 프로젝트를 하고 있는 중이다.
③ Benjamin의 취미는 만화 그리기이다.
④ 너는 정원 청소를 끝냈니?
⑤ 그의 직업은 아픈 동물들을 돌보는 것이다.
어휘 | model airplane 모형 비행기 cartoon 만화 take

care of ~을 돌보다

6 해설 | 날씨가 어떤지 물을 때 의문사 How를 이용할 수 있다. 두 번째 문장은 감탄문으로 뒤에 주어(the problem) 이외의 명사가 없으므로 How로 시작해야 한다.
해석 | 베이징은 날씨가 어떠니? / 그 문제는 정말 어렵구나!

7 해설 | ⑤ 「stop+to부정사」는 '~하기 위해 멈추다'라는 의미이다. '~하는 것을 멈추다'라는 의미는 「stop+동명사」로 나타내야 하므로 playing으로 고쳐야 한다.

8 해설 | ④ 앞 문장에 be동사가 쓰이면 부가의문문에도 be동사를 써야 한다. 또 앞 문장이 과거시제의 긍정문이므로 부가의문문은 과거시제의 부정문이 되어야 한다. → wasn't he
해석 | ① Paul은 수영을 잘할 수 있지, 그렇지 않니?
② 너는 미술에 관심이 없지, 그렇지?
③ 고양이는 물을 좋아하지 않지, 그렇지?
⑤ 저 여자는 영화배우처럼 보여, 그렇지 않니?
어휘 | be interested in ~에 관심이 있다 be sick in bed 앓아눕다 look like ~처럼 보이다

9 해설 | 책상 위에 사진이 세 장 있으므로 ⑤는 그림의 내용과 일치하는 설명이다.
해석 | ① 창문가에 고양이 한 마리가 있다.
② 방에 두 개의 기타가 있다.
③ 방에 책꽂이가 없다.
④ 의자 위에 축구공이 있다.
⑤ 책상 위에 사진 세 장이 있다.

10 해설 | ⑤ 의문사로 시작하는 질문에는 Yes나 No로 대답하지 않는다. Which는 '어느 ~, 어느 것'이라는 의미로 정해진 대상 중 선택을 물을 때 사용한다. 따라서 둘 중 하나를 선택하거나 둘 다 괜찮다는 대답 등을 해야 자연스럽다.
해석 | ① A: 저 남자는 누구니? B: 그는 내 담임 선생님이야.
② A: 너는 얼마나 자주 영화 보러 가니? B: 나는 한 달에 한 번 영화를 보러 가.
③ A: 학교 축제는 언제니? B: 다음 주 금요일이야.
④ A: 너는 왜 그렇게 속상해 하니? B: 왜냐하면 전화기를 잃어버렸거든.
⑤ A: 너는 주스와 커피 중에 어느 것을 더 선호하니? B: 응, 그래. 고마워.

11 해설 | 감탄문에서 주어를 제외하고 명사가 있으면 What으로 시작해야 한다. ③은 주어 this movie 이외에 명사가 없으므로 How로 시작해야 하고, 나머지는 모두 What으로 시작해야 한다.
해석 | ① 정말 좁은 세상이구나!
② 그것들은 정말 아름다운 별들이구나!
③ 이 영화는 정말 대단하구나!
④ 그것은 정말 놀라운 소식이구나!
⑤ 이것은 정말 특이한 이름이구나!
어휘 | amazing 놀라운, 대단한 surprising 놀라운 unusual 특이한, 흔치 않은

12 해설 | ② 4형식 문장을 3형식으로 전환할 때 make는 전치사 for를 쓰는 동사이다. send, tell, show, teach는 모두 전치사 to를 쓰는 동사이다.
해석 | ① Keira는 Jake에게 편지를 보냈다.
② 나는 아빠를 위해 이 팬케이크들을 만들었다.
③ 그녀는 우리에게 흥미로운 이야기를 해주었다.
④ 그 화가는 그들에게 그의 그림들을 보여주었다.
⑤ Wright 씨는 그의 학생들에게 역사를 가르친다.

13 해설 | 「주어+동사+목적어+목적격 보어」로 이루어진 5형식 문장으로 영작해야 한다. make가 5형식 문장에서 쓰일 때 '~하게 만들다'라는 의미이고, 목적격 보어로 형용사가 와야 한다.

14 해설 | to부정사가 주어로 올 때 보통 가주어 it을 맨 앞에 쓰고 진주어인 to부정사는 문장의 뒤로 보낸다.
해석 | 야구 경기를 관람하는 것은 흥미진진하다.

15 해설 | hope, plan, want는 to부정사를 목적어로 쓰는 동사이므로 주어진 표현을 모두 to부정사의 형태로 고쳐 써야 한다.
해석 | (1) Grace는 수영 시험을 통과하기를 바란다. 그녀는 토요일에 수영 연습을 할 계획이다.
(2) Grace는 유명한 요리사가 되고 싶어 한다. 그녀는 일요일에 요리 수업을 들을 계획이다.

16 해설 | 부정 명령문은 「Don't+동사원형 ~.」으로 쓴다.
해석 | 꽃들을 꺾지 마.
어휘 | pick up (꽃 등을) 꺾다

17 해설 | 「주어+동사+간접목적어+직접목적어」의 어순으로 이루어진 4형식 문장으로 완성한다. 간접목적어는 '~에게'라는 의미로 her brother에 해당되고 직접목적어는 '~을'이라는 의미로 a present에 해당된다.
해석 | Lucy는 그녀의 남동생에게 선물을 주었다.

18 해설 | 「What+a+형용사+명사+주어+동사!」의 어순으로 쓴다. 총 6단어라는 조건이 있으므로 주어와 동사를 생략하지 않는다.
해석 | 그것은 정말 귀여운 개다. → 그것은 정말 귀여운 개구나!

19 해설 | 주어진 문장은 모두 감각동사가 쓰인 2형식 문장으로 주격 보어 자리에 형용사가 와야 한다.
어휘 | pillow 베개 softly 부드럽게 wonderfully 놀랍도록 sweetness 달콤함

20 해설 | 목적을 나타내는 부사적 용법의 to부정사를 쓴다.
해석 | 〈보기〉 Jeremy는 유명한 그림들을 보기 위해 박물관

에 갔다.
(1) Sharon은 배드민턴을 치기 위해 공원에 갔다.
(2) Patrick은 케이크를 사기 위해 빵집에 갔다.

적중 예상 전략 | ❷

pp. 78~81

1 ③ 2 ④ 3 ⑤ 4 ⑤ 5 ① 6 ③ 7 ② 8 ④ 9 ① 10 ① 11 ② 12 between, and 13 (1) fastest (2) slower than 14 (1) I will always do my best. (2) Donna never complains about food. (3) Children are often afraid of the dark. 15 couldn't sleep well because her neighbor played loud music 16 When I am tired, I eat chocolate. 17 (1) finish (2) 조건을 나타내는 부사절에서는 현재시제가 미래시제를 대신한다. 18 (1) more expensive than (2) more, than

1 해설 | ③ dirty는 「자음+-y」로 끝나는 단어이므로 y를 i로 고치고 -er/-est를 붙인다.
① sad는 「단모음+단자음」으로 끝나는 단어이므로 마지막 자음을 한 번 더 쓰고 -er/-est를 붙인다. sad … sadder … saddest
② good은 불규칙하게 변화한다. good … better … best
④ -e로 끝나는 단어는 -r/-st를 붙인다. cute … cuter … cutest
⑤ -ous로 끝나는 단어는 앞에 more와 most를 붙인다. curious … more curious … most curious
어휘 | curious 호기심이 많은

2 해설 | ④ 고양이는 상자 뒤에 있으므로 A cat is behind the box.로 고쳐야 한다.
해석 | ① 탁자 위에 컵이 있다.
② 컵 옆에 시계가 있다.
③ 탁자 아래에 상자가 있다.
④ 고양이가 상자 앞에 있다.
⑤ 거울이 벽에 걸려 있다.
어휘 | hang 걸다

3 해설 | (A) 동사를 꾸미는 역할을 하는 부사가 필요하므로 gently가 알맞다.
(B) 주어의 상태를 설명하는 형용사가 필요하므로 bright가 알맞다.
(C) 명사를 꾸미는 형용사가 필요하므로 fresh가 알맞다.
해석 | 나는 내 아기의 볼에 부드럽게 키스했다. / 날씨가 화창하고 맑았다. / 신선한 과일과 채소를 많이 먹어라.
어휘 | gentle 온화한, 조용한 gently 부드럽게, 다정하게 cheek 뺨 bright 밝은, 눈부신 brightly 밝게

4 해설 | ⑤ money는 셀 수 없는 명사이므로 a few를 앞에 쓸 수 없다. '약간의'라는 의미로 셀 수 없는 명사와 함께 쓸 수 있는 a little 또는 some으로 고쳐야 한다.

5 해설 | 우리말을 영작하면 She is always kind to her friends.이다. 빈도부사는 be동사 뒤에 쓴다.

6 해설 | during과 for는 둘 다 '~ 동안'이라는 의미이지만 쓰임이 다르므로 주의한다. during은 특정 기간을 나타내는 명사구와 함께 쓰이고 for는 주로 숫자가 포함된 구체적인 시간의 길이를 나타내는 표현과 함께 쓰인다.
해석 | 우리 가족은 여름 방학 동안 부산으로 여행 갔다. 나의 고모가 해운대 근처에 사신다. 우리는 3일 동안 그녀의 집에 머물렀다.

7 해설 | ②는 의문사로 쓰여 '언제'라고 해석하며, 나머지는 모두 시간을 나타내는 부사절을 이끄는 접속사로 쓰여 '~할 때'라고 해석한다.
해석 | ① 내가 Helen을 처음 만났을 때, 그녀는 선생님이었다.
② 너는 언제 그 카메라를 고칠 거니?
③ 더울 때는 물을 많이 마시려고 노력해라.
④ 우리는 경기에 이겼을 때 흥분했다.
⑤ 너는 런던에 있을 때 어디에서 머물렀니?
어휘 | fix 고치다 excited 흥분한

8 해설 | 나이순으로 배열하면 Ian>Will>Johnny, 키가 큰 순으로 배열하면 Will>Johnny>Ian, 몸무게가 많이 나가는 순으로 배열하면 Johnny>Will>Ian이다. Will이 Ian보다 몸무게가 더 많이 나가므로 ④는 Will is heavier than Ian.으로 고쳐야 한다.
해석 | ① Ian은 Will보다 나이가 더 많다.
② Will은 셋 중에서 키가 가장 크다.
③ Ian은 Johnny보다 키가 더 작다.
④ Will은 Ian보다 더 가볍다.
⑤ Johnny는 셋 중에서 몸무게가 가장 많이 나간다.
어휘 | light 가벼운

9 해설 | 빈칸에는 명사절을 이끄는 접속사가 와야 한다. 명사절을 이끌고 '~라는 것'이라는 의미의 접속사는 that이다.
어휘 | flat 평평한 past 과거

10 해설 | ① 연도 앞에는 전치사 in을 쓴다. ② 요일, ③ 특정한 날, ④ 날짜 앞에는 전치사 on을 쓰고, ⑤ 표면에 접한 상태를 나타낼 때도 전치사 on을 쓴다.
해석 | ① Margaret은 2009년에 태어났다.
② 우리는 목요일마다 볼링을 치러 간다.
③ 너는 어린이날에 무엇을 했니?

④ 동계 올림픽 대회는 2월 26일에 끝났다.
⑤ 3층에서 여성복을 파나요?
어휘 | be born 태어나다 go bowling 볼링을 치러 가다 the Winter Olympic Games 동계 올림픽 대회 floor 층

11 해설 | ② 뒤에 비교 범위를 한정짓는 of my life가 나오므로 bad의 최상급인 worst로 고쳐야 한다. worse는 bad의 비교급이다.
해석 | ① 이번 주는 지난주보다 더 바쁘다.
③ 이 소파는 내 것보다 더 편안하다.
④ 그 하얀색 부츠는 검정색보다 더 멋져 보인다.
⑤ 흰긴수염고래는 세상에서 가장 큰 동물이다.
어휘 | comfortable 편안한

12 해설 | between *A* and *B*: A와 B 사이에
해석 | Selena는 나무와 자전거 사이에 서 있다.

13 해설 | 셋 중 치타가 가장 빠르고, 그 다음이 캥거루, 마지막이 토끼이다. 비교급은 두 대상의 정도 차이를 비교하고, 최상급은 여러 대상 중 가장 정도가 높을 때 쓴다. 비교급 다음에는 '~보다'라는 의미의 than을 쓴다.
해석 | (1) 치타는 셋 중에서 가장 빨리 달린다.
(2) 토끼는 캥거루보다 더 느리다.

14 해설 | (1) 조동사 will 뒤에 빈도부사를 쓴다.
(2) 일반동사 complains 앞에 빈도부사를 쓴다.
(3) be동사 are 뒤에 빈도부사를 쓴다.
해석 | (1) 나는 최선을 다할 것이다. → 나는 항상 최선을 다할 것이다.
(2) Donna는 음식에 대해 불평한다. → Donna는 절대 음식에 대해 불평하지 않는다.
(3) 아이들은 어둠을 두려워한다. → 아이들은 종종 어둠을 두려워한다.
어휘 | do one's best 최선을 다하다 complain about ~에 대해 불평하다 be afraid of ~을 두려워하다

15 해설 | 접속사 so의 앞에는 원인이, 뒤에는 결과가 온다. 두 문장이 같은 의미가 되려면 이유를 나타내는 접속사 because를 이용해야 한다. because 앞에는 결과인 'Hailey가 잠을 잘 자지 못한 것'이 오고 because 뒤에는 원인인 '그녀의 이웃이 시끄러운 음악을 튼 것'이 와야 한다.
해석 | 그녀의 이웃이 시끄러운 음악을 틀어서 Hailey는 잠을 잘 자지 못했다.

16 해설 | 접속사 when은 시간을 나타내는 부사절을 이끄는 접속사로 '~할 때'라는 의미이고 「접속사+주어+동사」의 순으로 쓴다. 부사절을 주절 앞에 쓸 때 부사절의 끝에 콤마를 쓴다.

17 해설 | if절은 조건을 나타내는 부사절로 현재시제가 미래시제를 대신하므로 if절에 쓰인 will finish를 finish로 고쳐야 한다.
해석 | 내가 일을 끝내면, 네게 알려 줄게.

18 해설 | (1) 빨간색 스웨터의 가격이 더 비싸므로 expensive의 비교급을 써야 한다. expensive는 3음절 이상의 단어이므로 앞에 more를 쓰고 뒤에는 '~보다'라는 의미의 than을 쓴다.
(2) Justin의 애완동물 수가 더 많으므로 many의 비교급 more를 쓰고 뒤에는 '~보다'라는 의미의 than을 쓴다.
해석 | (1) 빨간색 스웨터는 30달러이다. 노란색 스웨터는 20달러이다. 빨간색 스웨터는 노란색 스웨터보다 더 비싸다.
(2) Adele은 개가 한 마리 있다. Justin은 두 마리의 개와 한 마리의 고양이가 있다. Justin은 Adele보다 더 많은 애완동물을 가지고 있다.

MEMO

MEMO

상위권 필수 내신 대비서

2022 신간

내신 고득점을 위한 필수 심화 학습서

중학 일등전략

전과목 시리즈

체계적인 시험대비

주 3일, 하루 6쪽 구성
총 2~3주의 분량으로
빠르고 완벽하게 시험 대비!

1등을 위한 공부법

탄탄한 중학 개념 기본기에
실전 문제풀이의 감각을 더해
어떠한 상황에도 자신감 UP!

문제유형 완전 정복

기출문제 분석을 통해
개념 확인 유형부터 서술형,
고난도 유형까지 다양하게 마스터!

완벽한 1등 만들기! 전과목 내신 대비서

국어: 예비중~중3(문학1~3/문법1~3)
영어: 중2~3
수학: 중1~3(학기용)
사회: 중1~3(사회①, 사회②, 역사①, 역사②)
과학: 중1~3(학기용)

정답은
이안에
있어!